The Skye Bridge Story

multi-national interests and people power

compiled by

Andy Anderson

Gaelic translation Niall Gordon
Gaelic editing Myles Campbell

ARGYLL PUBLISHING

Argyll Publishing
Glendaruel
Argyll PA22 3AE
www.argyllpublishing.com

Chuidich Comhairle nan Leabhraichean am foillsichear le cosgaisean an leabhair seo.

British Library Cataloguing-in-Publication Data.
A catalogue record for this book is available from the British Library.

ISBN 978 1 906134 19 8

Printing: Bell & Bain Ltd, Glasgow

Contents

The world's most expensive toll bridge used by 656,000 vehicles in 1998 and collecting £3,580,000 that year.
SOURCE: Scottish Transport Statistics No 18: 1999 Edition

Notice of the prices for crossing one way, after Government subsidies paid by the taxpayer to the private company.

Foreword

THE SKYE Bridge was conceived, at a time when Margaret Thatcher's style of Conservatism was politically dominant, as a bold experiment in infrastructure provision. For ages, bridges and the like had been built by public agencies and their cost recouped from taxpayers. Now the Skye Bridge, a project which had long been mooted but for which the cash had never been forthcoming, was going to show – or so its backers said – that alternative approaches were possible. Instead of being funded from the public purse, the bridge would be financed by the private sector – with those bankers and others who put up the cash being entitled to recover their outlays, plus a handsome profit, by levying tolls on the bridge's users.

While bridge tolls, of themselves, were nothing new, what gave a new twist to those imposed in the Skye Bridge case was the level at which they were fixed. For years to come, it became apparent, motorists and others crossing the Skye Brige would pay tolls of the sort they would have paid if the ferry which the bridge replaced had remained in existence. This meant that, metre for metre, anyone travelling to or from Skye would face higher charges than any other bridge-users in the world.

In the event, the Skye Bridge experiment failed. It failed partly because it was incompetently executed by the politicians and civil servants in charge of it. But it failed much more fundamentally because the tolls on which it depended proved unsustainable in the face of one of the most successful campaigns of public protest seen in Scotland, or Britain, in recent times. No such campaign had been anticipated – certainly not one that engaged in civil disobedience on so big a scale that protester after protester was arrested and hauled before the courts. Skye, after all, is a generally law-abiding, peaceful sort of place and its people were not expected by anyone in authority to behave in the way that many of them did. This, perhaps, was to misread Skye's history.

A hundred years before the Skye Bridge was planned, the island's residents had tangled repeatedly with the authorities in the course of an ultimately successful battle for the security of tenure which, when it was at last conceded, kept crofting in existence and brought the notorious Highland Clearances to an end. In the course of that long ago campaign Skye people went to jail rather than abandon their convictions. So, more than a century later, did the author of this book – his account of his experiences in prison constituting some of the most effective passages in what is an important narrative.

When the campaign against Skye Bridge tolls was launched, its chances of victory, outside the campaigners' own ranks, were not reckoned high. In the end, however, the campaigners triumphed totally. Not only did they get tolls removed from the Skye Bridge; they set in motion a much wider process which, by 2007, had culminated both in the abolition of all bridge tolls in Scotland and in an announcement by Scotland's devolved government to the effect that steps would be taken to reduce exorbitant and crippling ferry fares of the kind on which the Skye Bridge tolls had been based.

The fight for a toll-free Skye Bridge was organised and led by a determined group of people whose principal resource was an unshakeable conviction that, whatever the courts might do to them, they had justice on their side. Andy Anderson was one of these people and his book tells the inside story of how he and his fellow-campaigners changed a key aspect of national policy – and changed it in a most far-reaching way. As will become apparent to readers of Andy's pages, the anti-toll campaign was anything but straightforward. Sometimes, in fact, it seems to have been characterised almost as much by dissension and dispute as by a shared unity of purpose. But neither internal disagreement, nor all the hostility directed at campaigners by a large slice of the political establishment, detract from what was ultimately achieved – a victory whose consequences have been felt far beyond Skye. What it took to win that victory is what this book's about. And it's a book that's greatly to be welcomed.

James Hunter

A campaign conducted in good humour – masked demonstrators with pipe band carry casks of 'Extortion Ale' over the bridge.

Ro-ràdh

Feumar an sgeul mun iomairt an aghaidh cìsean Drochaid an Eilein innse. Gu dearbh, aig coinneamh dheireannach SKAT (Skye & Kyle Against Tolls), rinneadh co-dhùnadh leis na bha an làthair gum faighte cuideigin a sgrìobhadh fìor sgeul na h-iomairt chionn 's nach bu toil linn an sgeul cham a bha a' nochdadh sna meadhanan.

Bha a' cheist seo a' dol gu cridhe poileasaidh an Riaghaltais a thaobh a' chiad PFI ann am Breatainn. Seach gum b' i an drochaid a' chiad PFI ann am Breatainn, bha an Riaghaltas – luchd-poilitigs a bha air ann taghadh agus seirbheisich chatharra – gu mòr ag iarraidh gun soirbhicheadh leatha. Mar luchd-iomairt, cha do thuig sinn sin an toiseach, ach a-nist thug sinn fa-near gum bu phàirt glè mhòr dhen iomairt fhada a bha ann.

Cuideachd, chaidh an iomairt a chur air chois ann an suidheachadh laghail iom-fhillte. Bha an cuideam ga chur air an lagh, ach b' i ceist shìobhalta i. A-mach o bhith a' cumail ar còraichean bunaiteach bhuainn, bha seo a' cur dhuilgheadasan sònraichte romhainn.

A bharrachd air na tha sin, bha uallach cumhachd poilitigeach agus laghail ga thoirt air falbh o Riaghaltas Westminster agus a' tighinn air an Riaghaltas ùr againne ann an Dùn Èideann an dèidh dhuinn an iomairt a chur air bhonn, agus bha againn ri dèiligeadh ri ùghdarras ùr.

Tha an sgeul seo mu dheidhinn aimhreit neo-chothromach eadar coimhearsnachd bheag iomallach san Eilean Sgitheanach agus Loch Aillse agus na h-urrachan mòra a thaobh an cuid gliocais mu dhrochaidean agus phròiseactan eadar-nàiseanta. Chan eil an sgeul gun a leatrom fhèin mar sin. Tha mi am beachd mo sgeul fhìn innse, a tha mi a' creidsinn nach eil ro dhiofraichte bho sgeul a' chuid as motha dhen luchd-iomairt, agus tha mi an dòchas gum bi e na chuideachadh do dhaoine eile a dh'fhaodadh a bhith san aon suidheachadh san àm ri teachd.

Introduction

The story of the Skye Bridge anti-tolls campaign is a story that must be told. Indeed at the final meeting of the SKAT organisation (Skye & Kyle Against Tolls), those present decided that the real story of the campaign had to be written, not least because we did not like the distortions that were appearing in the media about the campaign.

The Skye Bridge issue, and the means of financing it, was one which went right to the heart of Government policy. The Skye Bridge was the first Public Finance Initiative in the UK and hence government – elected politicians and civil servants – were committed to its success. We as campaigners had not understood that initially, but through time appreciated that this was a very significant factor in the long campaign.

The struggle to abolish the tolls was also conducted in a complex legal situation. The legal structure put the agreement in place with the Bridge Company based on criminal law. But this was a civil issue. This approach, in addition to denying the people of Skye and Lochalsh basic civil rights, presented the campaign with particular difficulties.

In addition to the above, during the time of the campaign there was the transfer of political and legal responsibility from the Government in Westminster to the devolved government of Scotland in Edinburgh after the campaign was well established and we had to adjust to a new source of authority.

This story is one of the uneven struggle between the people in the numerically small and geographically remote community of Skye and Lochalsh and the established political wisdoms about expenditure on public infrastructure projects like bridges and their multinational company associates. It is therefore not unbiased. I intend that it will accurately reflect my own experience, which I believe is similar to that of the majority of campaigners. Hopefully it will be helpful to others who might find themselves in a similar situation in future.

Chuir na cìsean seo uallach mòr airgid air na h-eileanaich agus, leis a' sin, cìs air an ceangal ri tìr-mòr; a bharrachd air a' sin, chuir iad cuideam air eaconamaidh an eilein tro bhith a' cumail luchd-turais air falbh bhon eilean, agus mar sin bha iad nan cùis mhòr dragha do na h-eileanaich. Fhuair an iomairt gus an toirt air falbh taic mhòr bhon choimhearsnachd, agus gun teagamh sam bith b' e sin a b' adhbhar gun do shoirbhich leis an iomairt aig a' cheann thall.

Bu toil leam a ràdh an toiseach nach b' e SKAT a thòisich an aimhreit an aghaidh nan cìsean sa choimhearsnachd. Gu dearbh bha sin air tòiseachadh fada mus robh SKAT ann fiù 's. Gus ròl na coimhearsnachd san iomairt seo a thuigsinn gu ceart, saoilidh mi gum feum fios a bhith ann mu na bha air chùl a h-uile rud. Bidh seo na chuideachadh ann a bhith a' tuisginn carson a chaidh a' choimhearsnachd cho mòr agus cho luath an sàs anns an obair aon uair 's gun robh an drochaid crìochnaichte agus a rinneadh a' chiad oidhirp na cìsean a thogail.

Cha deach SKAT a chur ri chèile mar bhuidhinn gu faisg air deireadh samhraidh 1995. Ach a dh'aindeoin sin thòisich aimhreit nan cìsean am measg buill na coimhearsnachd anns a' Ghearran agus sa Mhàrt 1989, 's e sin, mus robh seann Oifis na h-Alba air càil a ràdh mu chìsean Drochaid an Eilein. Tha e cudromach gun tuigear an t-àm seo ann an eachdraidh a chionn 's cha tàinig an iomairt an aghaidh nan cìsean à pliùm. Cha b' e dìreach aon duine a-mhàin (mar a bha aig cuid de na meadhanan) a thug gu bith e, neo gu dearbh SKAT mar bhuidhinn – bha freumhachd na cùise a' dol fada na bu doimhne na sin.

Bha mar a dh'fhàs an aimhreit mean air mhean na thoradh air cnuasachadh faiceallach air a' cheist thar nam bliadhnaichean, cho math ri tòrr deasbaid agus còmhraidh am measg nan eileanach agus nan comhairlichean taghte aca agus anns na pàipearan-naidheachd ionadail, agus an dèidh seo tòrr obair dhìcheallaich le muinntir an Eilein agus mòran dhaoine eile.

Nuair a thug SKAT an dùbhlan gu dìreach an aghaidh nan cìsean sa cheann thall, a' seasamh an aghaidh nan ùghdarrasan, fhuair iad a-mach gun robh 90% dhen choimhearsnachd air an cùlaibh bho thùs. Thug seo am follais gun robh a' choimhearsnachd a' tuigsinn gun robh an eucoir a bhathar a' dhèanamh orra ga dhèanamh le buidhnean fad às. Dhaibhsan a dh'iarradh sùil nas mionaidiche a thoirt air na ghabh àite aig an àm seo, dhìrichinn an aire air leabhran inntinneach air a' chuspair a dh'fhaodadh a bhith mar chùl-sgeul: an leabhran math dha-rìribh le Raibeart Danskin, *The Skye Bridge: an unfinished story*, foillsichte leis a' West Highland Publishing Company Limited, An Ath Leathann, an t-Eilean Sgitheanach.

These tolls put a heavy financial burden on the islanders and, in effect, taxed their link with the mainland. In addition they undermined the backbone of the economy by discouraging visitors to the island so they were highly significant to the islanders. The campaign to remove them was widely supported by the community and this undoubtedly was the primary reason for its eventual success.

As one who observed and participated in SKAT from the very beginning until the final victory, I want to record this difficult and prolonged struggle and the ideas of those who undertook it. We should learn from experience and society also can learn from our experience. The first thing I want to highlight is that the opposition to the Skye Bridge toll in the community was not instigated by SKAT. There had been a long history to this before SKAT was established. It is, I feel, vital to any understanding of the role of the community in this campaign, to know something about the background. This helps one to understand why the community got so involved, so quickly, when the bridge was completed and the first attempt was made to charge tolls.

SKAT, as an organisation, was not formed until the late summer of 1995. Yet members of the community were resisting announcements by the old Scottish Office on tolls on a Skye Bridge in February and March 1989 . It is important to understand this period of history, because the anti-tolls campaign did not spring up from nowhere. It was not created by any single individual (as some media reports suggested) or indeed by SKAT as an organisation. The campaign of opposition to the bridge tolls had much deeper roots than that.

The general build-up of opposition to tolls on the Skye Bridge was as a result of careful consideration of the issue over a number of years, much debate and discussion among the islanders in their elected councils and in the local press, and as a consequence of much diligent work by local people and many many others.

When SKAT did eventually take up a direct challenge to the tolls, and confront the authorities, they found the community 90% behind them from the very first action. This was a manifestation of the community's strong sense of injustice about what was being imposed on them from afar. Anyone who would wish to understand the origins of the story of the Skye anti-tolls campaign should read the excellent little book by Robert Danskin *The Skye Bridge: an unfinished story* published by the West Highland Publishing Company Ltd, Broadford, Isle-of-Skye.

Tha rud eile air cùl na sgeula a dh'fheumar a thuigsinn, agus is e sin neart agus cumhachd na feadhnach a bha nar n-aghaidh mar choimhearsnachd. 'S e an fhìrinn nach robh sinne a dh'obraich gus SKAT a chur air bhonn, agus a ghabh ris an dùbhlan seo, a' tuigsinn dè cho cumhachdach is a bha na buidhnean sin a bha a' dol nar n-aghaidh. B' e ar beachd-ne gun robh sinn a' seasamh an aghaidh Riaghaltas Tòraidheach, air an robh coltas gun robh an latha seachad. Cha robh meas aig daoine idir air na Tòraidhean agus shaoilte gu h-ionadail agus gu nàiseanta gun robh an suidheachadh glè chugallach. Chreid cuid dhen luchd-iomairt gun tigeadh air an Riaghaltas cur às do sgeama nan cìsean nan rachadh againn air na bha ceàrr leis a chur mu choinneamh dhaoine. Thuig cuid againn nach bi riaghaltas sam bith ag atharrachadh inntinn ma bhios poileasaidhean leibideach aige, gu sònraichte mas e daoine ann an coimhearsnachd bhig iomallaich gun mòran guth' ann an saoghal na poilitigs a tha a' cur na aghaidh. Bha cuid againn cinnteach gun robh suidheachadh-taghaidh an Riaghaltais car lag, agus gum b' urrainn dhuinn nar dòigh bhig fhèin cuideachadh ann a bhith ga chur à cumhachd. Aig an àm ud bha sinn cha mhòr a' dèanamh dheth gun cuireadh Riaghaltas ùr Làbarach às dhan chìs gun chiall seo. Tha e nist furasta fhaicinn gun robh comharraidhean-rabhaidh ann dham bu chòir dhuinn feart a thoirt.

Tha George Monbiot na leabhar *Captive State* (Pan Books) a' toirt tuigse air nàdar nàiseanta na ceiste a bha ro ar coimhearsnachd. Thàinig e a-steach air cuid againn an uair sin an t-adhbhar nach d' fhuair sinn an cuideachadh ris am biodh dùil againn on luchd-phoilitigs. Cha robh sinn a' seasamh an aghaidh Riaghaltais, mar a shaoil sinn, 's ann a bha sinn a' dol an aghaidh smaointean gu tur ùr mu ciamar a rachadh pròiseactan infrastructure poblach a mhaoineachadh. Cha b' e an stàit a chuireadh seirbheisean cudromach mar rathaidean, drochaidean, sgoiltean agus ospadalan air dòigh tro chìsean àbhaisteach. B' e an duan ùr eaconamach gum pàigheadh companaidhean prìobhaideach airson nan rudan seo agus an cuid airgid fhaotainn air ais on sporan phoblach fad nam bliadhnaichean ri teachd. Bha, agus tha fhathast, na smaointean seo "glacte" aig companaidhean eadar-nàiseanta a ghabh cothrom air a' chothrom agus a bha daingeann gum feuchadh iad a leithid oirnne an toiseach.

'S dòcha gun robh sinn car gòrach neochiontach, ach chuir e iongnadh buileach oirnn nuair a dhiùlt an Riaghaltas Nuadh Làbarach ri cur às do chìs na drochaide – rud a bha e air gealltainn dhan a' choimhearsnachd againn aig an taghadh. Thàinig e a-steach oirnn mean air mhean an uair sin nach robh sinn dìreach a' strì ri Riaghaltas leibideach Tòraidheach: 's ann a bha sinn a' cur an aghaidh a h-uile rud a bha stèidhichte ann am Breatainn – luchd-Poilitigs, Seirbheis na Stàite, na Cùirtean-lagha, agus mòran sna meadhanan. Aig an ìre sin bha sinn a' faireachdainn air leth aonranach agus gun taic.

The other background factor which must be appreciated is the strength of the forces that the community faced. The truth is that we who worked to build SKAT, and who took up this challenge, did not at first understand the full extent of the forces ranged against us. We thought we were confronting the Tory government – a Tory government which looked as though its best days were behind it. The Tories were very unpopular and appeared vulnerable, both locally, and nationally. Some of the campaigners believed at first that if we drew people's attention to the many flaws in the toll scheme, the government would cave in and have to withdraw it. Some of us felt sure that the Government's electoral base was weak and that by mounting strong opposition we could help, in a small way, to bring about their downfall. At that time we almost assumed that it was self-evident that any new Labour Government would abolish this stupid toll. With hindsight we can see that there were warning signs which should have given us cause for concern.

George Monbiot, in his book *Captive State* (Pan Books), gives a pointer to the national context to the problem which our community faced. Some of us then realised why we had not got the support we had expected from politicians. We were not, as we thought, opposing a government; we were in fact opposing a whole shifting mindset on how public infrastructure projects should be paid for. No longer was the state to be the mechanism to provide essential services like roads, bridges, schools and hospitals through general taxation. The new liberal economics mantra was that the private sector could finance these projects and recoup their outlay through charges on the pubic purse for years to come. This idea was and continues to be itself a 'captive' of international companies who know a good opportunity when they see one. They were determined to use the Skye Bridtge project as an experiment.

We were, possibly naively, entirely surprised when the New Labour Government refused to meet its electoral promise to our community to abolish the Skye Bridge toll. We began slowly to realise that we were not just fighting an end-of-term Tory Government, we were fighting a whole way of thinking, the politicians, the Civil Service, the criminal courts and much of the compliant media. At that stage we felt very much alone and isolated.

Chan eil na Làbaraich Nuadh a' cur feum air an tearma "PFI" tuilleadh, 's ann a bhios iad a' toirt tarraing air "PPP" (Public Private Partnerships). Ach ged a dh'atharraich an t-ainm, cha do dh'atharraich sin an seòrsa dùbhlain a bha ro SKAT. Tha leabhar George glè chuideachail oir bheir e sealladh air an seòrsa duilgheadais a bha romhainn bho thùs. Tro bhith a' leughadh mìneachadh George air mar a bha am poileasaidh seo PFI (agus PPP an dèidh sin) a' tighinn gu ìre, agus le bhith a' toirt sùil air ais air a' chùis, tha e nist gu math soilleir carson a thachair rudan àraid. Aig an àm ge-tà cha robh e cho soilleir dhuinn agus thug e fìor dhuilgheadasan nar cois nach robh sinn buileach a' tuigsinn.

'S e a tha cudromach ach gun tòisich mi an sgeul seo san aon dòigh is a tha mi airson a crìochnachadh, mar sgrùdadh onarach fosgailte air seasamh na coimhearsnachd an aghaidh sparradh nan cìsean a sheallas gum b' ann bhon choimhearsnachd gu lèir a bha an aimhreit seo a' tighinn, strì nach gabhadh a dhèanamh gun taic làidir na coimhearsnachd sin. ❐

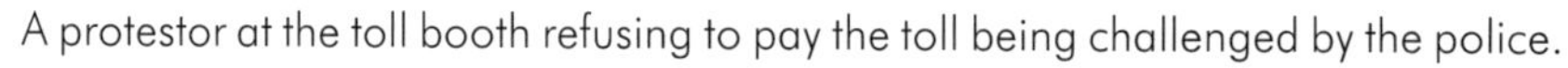
A protestor at the toll booth refusing to pay the toll being challenged by the police.

New Labour no longer use the term 'PFI' they refer to Public Private Partnerships (PPP). This change in name did not, however, change the nature of the challenge faced by SKAT. Monbiot's book provides a background to the nature of the problems we were facing from the beginning. Reading his explanation of how this PFI, and later PPP, policy was developing, it is now fairly clear why certain things happened. At the time, however, to those of us on the ground, it was not so clear and presented us with real difficulties which we did not fully comprehend.

What is important here is to start this story as I intend to complete it, as an honest and frank examination of the community's resistance to the imposition of the tolls and to show that this resistance was indeed coming from the whole community, and could only have been sustained by powerful community support. ❒

Highland Councillor Margaret Paterson sits on the wall with a Saltire during a demo.

(Left) A supporter with his home made banner at the toll office.

(Right) No stone left unturned. . . the late Brian Forehand, formerly SKAT Treasurer, attends the 2000 Tory Party Conference to lobby on SKAT's behalf.

Some of the 51st State demo 4th July '98 at the toll barrier.

Birthday demo at the toll barrier with SKAT presenting the Bridge Manager, Russell Thomson, with a birthday card. The late John Campbell can be seen on the far left.

Members of SKAT after the final meeting at Sabhal Mòr Ostaig college on Skye. Chairman, Dr Toms far left back row, and local MSP, John Farquhar Munro on the far right.

Robbie-the-Pict outside the Dingwall Court.

Photo © Peter Jolly

Andy Anderson at the toll barrier.

Photo © Peter Jolly

Caibideil 1: Na Cìsean Arda

Air Oidhche Challainn 2004 bha fìor hòro-gheallaidh air prìomh-shràid baile Chaol Loch Aills' agus air taobh thall a' chaolais ann an Caol Acainn san Eilean Sgitheanach. Is iomadh ceud de dhaoine a ghabh pàirt sa phartaidh agus a chunnaic obair nan rocaidean air dà thaobh a' Chaoil.

Tha a leithid de phartaidh cumanta gu leòr ann an Dùn Èideann, ach 's ann fìor ainneamh a chìthear sluagh cho mòr a' ceilearadh air an t-sràid ann an sgìrean dùthchail na h-Alba aig an àm sin dhen bhliadhna. 'S ann a chaidh am partaidh sònraichte seo a chur air dòigh leis a' Bhall Phàrlamaid Iain Fearchar Rothach air chor agus gum biodh cothrom aig a' choimhearsnachd air cuidhteas cìsean Drochaid an Eilein Sgitheanaich a cheilearadh, rud a bha air tachairt gun fhiosta deich latha ro-làimh.

Thug SKAT taic don Rothach ann a bhith a' cur a' phartaidh mhòir seo fo na speuran air dòigh gus a' bhuaidh eachdraidheil seo a cheilearadh, agus bha na ceudan de dhaoine on choimhearsnachd ann. Beag 's gu bheil àireamh sluagh an Eilein Sgitheanaich, 's e eilean mòr a th' ann, agus bha seo a' fàgail gun robh tòrr siubhail aig daoine ri dhèanamh gus frithealadh air a' phartaidh seo. Ach bha sluagh fìor mhòr ann. Gu nàdarra bha deugairean òga ann agus iad air bhioran leis na bha air chois, ach cuideachd bha seann daoine, teaghlaichean agus clann dhen a h-uile aois aig a' phartaidh. Tha slighe leth-cheud mìle eadar mo dhachaigh-sa ann an ceann-a-tuath an eilein agus Taigh-òsta Loch Aills', ach a dh'aindeoin sin bha tòrr dhe mo nàbaidhean ann, cho math ri mòran à Dùn Bheagan agus nas fhaide air falbh.

Rinn SKAT a' choiseachd mu dheireadh thar na drochaide le pìobairean nan ceann agus an uair sin chaidh an ceilearadh ceart a chumail le muinntir Taigh-òsta Loch Aills', far an robh obair-rocaidean, pìobaireachd, ceòl eile agus seinn, agus – gu nàdarra – drudhag bheag neo dhà dhen uisge-bheatha. Bha neach-òraid neo dhà ann, ach chaidh na bha iad ag ràdh a bhàthadh mar gum biodh le bualadh bhasan nan

Chapter 1: Skye High Tolls

AT HOGMANAY in 2004 there was a huge street party in Kyle of Lochalsh and across the water in Kyleakin on Skye. Many hundreds attended the party and the fireworks display from both sides of the Kyle.

Street parties at New Year may be common enough in Edinburgh, but it is most unusual to get hundreds out celebrating in the street in rural parts of Scotland at that time of year. This particular party had been arranged at short notice by John Farquhar Munro MSP in order to give the community an opportunity to celebrate the scrapping of the tolls on the Skye Bridge which had taken place, without warning, ten days earlier.

Skye and Kyle Against Tolls (SKAT) supported this call for a big open air party to celebrate this historic event and the community responded in their hundreds. Skye, although sparsely populated, is a large island, and meant a great deal of travelling for many to attend. Yet a huge number of people came. Young teenagers, of course, attracted by the excitement, but also older people, families, and children of all ages were there. From where I live in north Skye it is fifty miles to the Lochalsh Hotel, yet many of my neighbours were there, as indeed were many from Dunvegan and further afield.

SKAT held their last demonstration across the bridge led by pipers and then there were fireworks, piping, other music and singing, and of course a wee drop of *uisge-beatha*. There were a few speakers, but they were drowned out by wild applause every time they mentioned challenging the tolls, or fighting the Government. People were so relieved that the nightmare was over daoine a h-uile uair a dh'ainmich iad dùbhlan nan cìsean no an t-sabaid an aghaidh an Riaghaltais. Bha a leithid de dh'fhaochadh air daoine gun robh a' chùis-uabhais seachad nach robh a dhìth orra ach a bhith socrach sona saorsainneil, agus 's iad a bha air an oidhche sin.

B' e a' hòro-gheallaidh annasach seo ceann-crìch na strì fada a bh' aig a' choimhearsnachd thar naoi bliadhna an aghaidh cìsean Drochaid an Eilein Sgitheanaich.

Mar a Thòisich SKAT

Leis gun robh cùis cìsean Drochaid an Eilein mòr ann an sùilean muinntir an eilein, agus gun robh e air a bhith mar cheann-deasbaid nam measg fad bhliadhnaichean, chan fhaodar a bhith dìreach ceart cuin a thòisich SKAT. Cleas abhainn a' tighinn le beinn, dh'fhàs SKAT bho iomadach taobh.

Thòisich mo sgeul fhìn le cearcall deasbaid aig clas Gàidhlig do dh'inbhich ann am Port Rìgh, le Fearchar MacIllInnein na thidsear. Bha Fearchar aig an àm ud na Chomhairliche air Comhairle Roinn na Gàidhealtachd. Bha ùidh aig tòrr dhe na h-oileanaich ann an cìsean na drochaide agus bu tric sinn gan deasbad.

An toiseach Lùnastail 1995 dh'innis Fearchar dhuinn gum biodh coinneamh de mheur ionadail Partaidh Nàiseanta na h-Alba (PNA) air a cumail na dhachaigh ann an Slèite agus thug e cuireadh dhuinn tighinn ann. Chuir e air dòigh gum biodh coinneamh shònraichte an aghaidh nan cìsean a gabhail àite na thaigh an dèidh coinneamh a' Phartaidh Nàiseanta chor agus gun rachadh a' chùis a dheasbad le barrachd dhiofar dhaoine.

Mar sin air 18mh an Lùnastal chumadh coinneamh aig taigh a' Chomhairliche MacIllinnein, far an robh ball neo dhà dhen Phartaidh Nàiseanta agus daoine eile a bha an aghaidh nan cìsean, gus cnuasachadh air dè dhèanadh sinn gus cur an aghaidh cìsean Drochaid an Eilein Sgitheanaich.

Aig a' choinneimh sin thug mise seachad pàipear air dòigh sam b' urrainn dhuinn cur an aghaidh nan cìsean tro ghnìomh dìreach. Bha mi a' dèanamh dheth, anns a' phàipear sin, gum b' e cùis-lagha shìobhalta a bh' ann agus gun gabhadh an rud a shabaid sna cùirtean, agus b' ann air seo a bha na tagraidhean a chuir mi air aghaidh gu tur stèidhichte.

An dèidh deasbaid, chaidh gabhail ris san fharsaingeachd gum b' iad na tagraidhean agam an dòigh air adhart, agus dh'aontaich an Comhairliche Gavin Scott-Moncreiff, a bha an làthair le a bhean-chèile Myrna, gun toireadh e am plana seo gu a fhear-lagha gus sùil a thoirt air.

Dh'aontaich sinn gun coinnicheamaid a-rithist mar bhuidhinn gus at last that they just wanted to relax and have a good time and this they most certainly did that night.

This fantastic party marked the community's last collective act in the nine year long struggle against the tolls on the Skye Bridge.

The Origins of SKAT

In view of the fact that the Skye Bridge toll was a significant issue for the inhabitants of Skye and that it had been a topic of discussion among them for some years, it is not possible to be precise about SKAT's origins. Like a mountain river SKAT was fed from a number of sources coming together from different directions.

My personal route into SKAT was the same taken by most of the early activists and later elected officers of the organisation.It started with a discussion group in an adult Gaelic language class in Portree, where Farquhar MacLennan was the tutor. Farquhar was then a Councillor on the then Highland Regional Council. Tolls on the Skye Bridge were a subject which interested many of the students and we often discussed it.

In early August 1995 Farquhar told us that there was to be a meeting of the local branch of the SNP (Scottish National Party) at his home in Sleat and invited us to come down to his home. He made arrangements for a special anti-toll meeting to take place at his home following the SNP meeting in order to debate this issue with a wider range of people.

So on August 18th 1995 a meeting took place in Councillor MacLennan's home involving a number of SNP members, and other anti-tolls protesters, to discuss what action we might take to oppose the Skye Bridge toll.

At that meeting I presented a paper suggesting a way of opposing the toll using direct action. I made the assumption, in that paper, that the issue was a civil matter subject to the civil courts and the proposals I put forward were entirely based on that.

After some debate it was generally accepted that my proposals seemed like a good way forward and Councillor Gavin Scott-Moncreiff, who ran a backpackers hostel in Staffin, and was present with his wife Myrna, agreed to take this plan to his lawyer to have it checked out.

We agreed to meet again as a group to consider the legal advice

a' chomhairle laghail a chnuasachadh, agus gus ar n-iomairt dìreach ullachadh. Chumadh a' choinneamh ath-ghairmte seo ann an taigh Rosemary Samios am Port Rìgh mu dhà sheachdain an dèidh làimhe. Bhiodh Rosemary, ban-Astràilianach, a' ruith bùth seann rudan ann am Port Rìgh aig an àm sin. Aig a' choinneimh sin dh'innis Gavin dhuinn nach obraicheadh am plana a chuireadh air adhart aig a' choinneimh mu dheireadh, a chionn 's gum biodh e na eucoir laghail gun a' chìs iomlan a bhathar a' togail a phàigheadh, agus gum biodh an uair sin am poileas an sàs sa chùis le bhith gar toirt gu lagh sna cùirtean.

B' e seo a' chiad uair a thàinig na bha nar n-aghaidh a-steach oirnn. Bha e soilleir gun robh dùil air a bhith aig an Riaghaltas ri aimhreit an aghaidh cìsean Drochaid an Eilein, agus gun robh iad air lagh ùr a chur air dòigh gus bacadh a chur oirnn cho fad air ais ri 1991 anns a' 'New Roads & Street Works Act 1991'.

Bha iongnadh, agus rud beag de dh'iomnaidh, air na bha an làthair aig a' choinneimh agus iad a' toirt aghaidh air Lagh na h-Eucorach nan dèanamaid gnìomh dìreach an aghaidh nan cìsean, agus cha robh sinn eadhon cinnteach mu dheidhinn dè seòrsa gnìomh a bhiodh ann.

Bha e soilleir gun robh dùil air a bhith aig an Riaghaltas ri aimhreit an aghaidh cìsean Drochaid an Eilein, agus gun robh iad air lagh ùr a chur air dòigh gus bacadh a chur oirnn.

Gidheadh, ràinig sinn co-dhùnadh neo dhà aig a' choinneimh sin, agus bha seo na bhunait don bhuidhinn a fhuair an t-ainm SKAT. Rinn sinn co-dhùnadh coimhead air dòighean a dhèanadh e comasach dhuinn dol gu dìreach an aghaidh nan cìsean. Rinn sinn suas ar n-inntinn gum biomaid nar buidheann fosgailte deamocrasach gun taobh ri partaidh poilitigeach sam bith, agus gum feuchamaid air dòighean airson cur an aghaidh nan cìsean gun fhòirneart.

Do mhòran dhe na daoine a chuir a' bhuidheann air bhonn agus a bu ghnìomhaiche san iomairt an aghaidh nan cìsean, bha a' choinneamh sin aig taigh Fhearchair air 18 an Lùnastal 1995 mar a' chiad choinneamh dhe na bha gu bhith air ainmeachadh mar SKAT. Aig a' choinneimh sin bha triùir Chomhairlichean a bha trang gnìomhach sna ciad mhìosan de SKAT, a' chiad Rùnaire Coitcheann de SKAT, a' chiad bhall de SKAT a chaidh ro na cùirtean, agus àireamh de dhaoine eile a thug taic làidir do SKAT bho thùs gu deireadh buadhmhor na cùise.

Aig an dara coinneimh ann an taigh Rosemary Samios bha barrachd dhaoine agus daoine eile an làthair, agus gu dearbh aig a h-uile coinneimh eile an dèidh sin bha daoine ùra a' gabhail pàirt. B' ann aig fear dhe na coinneamhan eile sin a thug sinn an t-ainm SKAT oirnn.

Aig deireadh na Sultaine 's mu thoiseach na Dàmhair, bha coinneamhan gu leòr air an cumail mu dè an ro-innleachd a b' fheàrr a chuirte an gnìomh gu dìreach an aghaidh suidheachadh far an robhar gu bhith a' cleachdadh lagh na h-eucorach nar n-aghaidh. B' ann aig fear dhe na coinneamhan sin a chaidh Brian MacDhonnchaidh (neo Robbie-the-Pict mar a dh'ainmeachar e) a chur air m' aithne.

and to prepare our campaign of direct action. About two weeks later Rosemary Samios's house in Portree was the venue for the recalled meeting. Rosemary, who is an Australian, used to run a small antiques shop in Portree at that time. Gavin reported that the plan put forward by me at the previous meeting would not work because our refusal to pay the full price demanded by the toll collector would be a criminal offence, which would then involve the police who would take action against us through the criminal courts.

This was the first time that most of us had realised what we were up against. It was clear that the Government had expected local opposition to the tolls on the Skye Bridge and had put legislation in place to frustrate such opposition as early as 1991 in the New Roads & Street Works Act 1991.

Those attending the meeting were surprised, and not a little concerned, to face the prospect of confronting the criminal law if we took direct action against the tolls, and we were not even clear as to what form of action we could take.

We did however make a number of decisions at that meeting, which became the basic features of what later became SKAT. We decided to look into ways which would enable us to take effective direct action against the tolls. And we decided to be an open democratic organisation not aligned with any political party, and to look for all non violent means of opposing the tolls.

It was clear that the Government had expected local opposition to the tolls on the Skye Bridge and had put legislation in place to frustrate such opposition.

That meeting at Farquhar's house, on 18th August 1995, was for many of the most active founders of the anti-tolls campaign, the first meeting of what was to become SKAT. The gathering included three of the five Councillors who were active in the first months of SKAT's existence, the first General Secretary of SKAT, the first SKAT member to go before the courts, and a number of others who strongly supported SKAT from the very beginning, until the final victory.

At the second meeting in Rosemary Samios's house there were more, and other people present, and indeed at every subsequent meeting new people participated. It was at one of these later meetings that we adapted the name SKAT.

By late September and in early October there were a number of meetings concerning the best strategy to be employed in taking direct action in a situation where the criminal law was going to be applied against us. It was at one of these meetings that I was first introduced to Brian Robertson (usually known as Robbie-the-Pict).

B' i Myrna Scott-Moncreiff a chuir air aithne a chèile sinn agus thuirt i gun robh e a' fuireachd aice 's aig Gavin mar aoigh, agus gun robh e air brath a chur thuca ag ràdh gun cuidicheadh e leis an iomairt againn. Thuirt i gun robh e glè eòlach air a leithid de ghnothach, agus gun robh e deònach an t-eòlas seo a thoirt seachad.

Shaoil sinn cha mhòr gur ann mar thiodhlac o Dhia a nochd Robbie-the-Pict, duine a thàinig aig àm san robh sinn fìor dhraghail mu ciamar a dhèanadh sinn a' chùis a thaobh a' phoilis agus lagh na h-eucorach. Bha esan eòlach, fiosrach, làn misneachd, agus deònach comhairle a thoirt seachad. Theirte gur h-e fear na h-aona sùla an rìgh ann an saoghal nan dall. Is cinnteach gun do dh'fhairich sinne dall agus maoth san t-suidheachadh seo, agus bha coltas airsan gun robh fradhrac is ceum cinnteach aige.

Mar sin aig toiseach na Dàmhair 1995, bha a' bhuidheann SKAT a' tighinn ri chèile gu ceart agus ag ullachadh gus cur an aghaidh a' chiad oidhirp na cìsean a thogail, aig meadhan-oidhche air 16/17 an Dàmhair.

Cha deach oifigearan sam bith a thaghadh gu foirmeil aig an àm sin, agus gu dearbh ma bha aon duine air thoiseach air chàch b' e sin Robbie-the-Pict, a bha a' toirt comhairle air a' ghnothach a bu chudromaiche dhuinn uile. Bha e ag ullachadh treòrachadh sgrìobhte air dè bu chòir dhuinn a dhèanamh agus a ràdh nuair a chuireadh am poileas lagh na h-eucorach oirnn airson 's nach pàigheadh sinn na cìsean.

Chaidh againn air aire nam meadhanan a thogail, gu sònraichte on a bha sinn a' bagairt dùbhlan a chur air lagh na h-eucorach, agus chaidh pàirt dhen chùis tharraingeach sin a ghlacadh sa phrògram telebhisein 'Scottish Voices' a chaidh a fhiolmadh ann an Ionad Chloinn Dòmhnaill san Eilean Sgitheanach air Didòmhnaich 15 an Dàmhair, an latha mus deach an drochaid fhosgladh gu h-oifigeil.

Aon rud is cuimhne leam gu soilleir on àm ud, 's e coinneamh a chumadh ann am Port Rìgh mu sheachdain mus deach an drochaid fhosgladh. Chaidh iarraidh air na bha an làthair an làmh a chur suas ma bha iad deònach pàirt a ghabhail anns a' chiad 'Diùltadh Pàighidh' (a thuig sinn a-nist gu bhith na eucoir). Thog dusan an làmh. Bha mi fhìn air aonan dhiubh, agus 's e bristeadh-dùile a bh' ann. Bha mu 30 duine aig a' choinneimh 's bha dùil agam ri barrachd taic bhuapa.

Ach bha mòran a bha a' toirt taic don iomairt nach b' urrainn pàirt a ghabhail ann. Cha rachadh air ach an fheadhainn aig an robh comas-dràibhidh agus an càraichean fhèin, agus nam b' e fear is bean-chèile a bhiodh airson a dhèanamh, cha b' urrainn aon seach aon dhiubh a dhèanamh aig àm sam bith, ach a-mhàin nan robh barrachd air aon chàr aca.

Agus a-rithist, b' ann aig meadhan-oidhche air 16 an Dàmhair a bha

Myrna Scott-Moncreiff introduced me and told me that he was staying with Gavin and her as their guest, and that he had contacted them offering to help us with our campaign. She said that he had considerable experience in such matters and was prepared to give us the benefit of this experience.

Robbie-the-Pict seemed like a gift from the gods, who arrived just when we were facing our greatest nightmares about how we were going to cope with the police and the criminal law. He was knowledgeable, he was confident, and he was prepared to give out advice. It is said that in the land of the blind the one-eyed man is king. We certainly felt blind and vulnerable in this situation, and he appeared to us to have perfect sight and to be sure of his every step.

So in early October 1995 the SKAT organisation was taking shape, and was gearing up to challenge the first toll collection scheduled for midnight on 16th/17th October.

There were no formally elected officers at that time, indeed if anyone could be said to be playing a leading role it would have been Robbie-the-Pict who was giving out advice on the matter of most concern to all of us. He was preparing written guidance on what we should do and say when the police charged us with a criminal offence for refusing to pay the toll.

We did manage to get media attention, particularly as we were threatening to challenge the criminal law, and some of the atmosphere of that time is captured in the TV programme 'Scottish Voices' filmed in the Clan Donald Centre in Skye on Sunday 15th October, the day before the official opening of the bridge.

One clear memory I have of that time is of a meeting held in Portree about a week before the bridge opened. At this meeting a request was made for a show of hands by those who would take part in the first 'refusal to pay' (which we then understood was a criminal act). Twelve people raised their hands to indicate that they would do this. I was one of them and I was disappointed. There were about thirty people at the meeting and I had expected more support.

Of course not everyone who supported the campaign could take the challenge. Only those who could drive and had their own car could do it, and if a husband and wife both wanted to protest, only one could do so on any single occasion, unless they had more than one vehicle.

Then again the first challenge was going to be at midnight on a' chiad rud gu bhith air chois, àm nach robh freagarrach don fheadhainn a bha nan còmhnaidh aon 50 mìle bhon drochaid, 's a dh'fheumadh a bhith ag obair tràth sa mhadainn neo aig an robh clann òga.

A' dràibheadh dhachaigh on choinneimh ud bha mi cinnteach gun robh mi air amadan a dhèanamh dhìom fhìn, 's gun robh mi air co-dhùnadh ceàrr a dhèanamh, agus gun robh còir aig fear m' aoise is m' eòlais a bhith nas glice. Bha fearg air a bhith orm nuair a thuig mi gun robh an Riaghaltas air fhàgail gum biodh aimhreit sam bith a dhèanadh a' choimhearsnachd na ghnìomh mì-laghail, agus b' e an fhearg seo a bha fhathast air chùl na bha mi a' dèanamh. Ach a' dràibheadh dhachaigh on choinneimh nam aonar sa chàr, thòisich mi air cnuasachadh reusanta ceart a dhèanamh air an rathad a bha romham, a' fàgail nam faireachdainnean agam a thaobh.

Bha mi a' tuigsinn glè mhath gur e faireachdainnean rud a chuireas duine fo cheò, mar gum biodh, chor agus nach bi e a' smaoineachadh gu ceart glan. Ann an suidheachadh a bha cho cudromach seo, 's e reusantachd inntinne a bha a dhìth, 's cha b' e faireachdainnean pearsanta. Bha mi a' cur romham dol an aghaidh an Riaghaltais, agus bha iadsan tuilleadh is deònach mo thoirt gu lagh is gu cùirt an aghaidh mo thoil. Thuig mi nach e rud glic a bha mi a' dèanamh an seo. Seadh, bha fearg orm agus bha mi gu mòr airson cur an aghaidh an Riaghaltais sa chùis seo, ach nach robh a bhith a' ruith gu dìreach a-steach chun nan cùirtean sa chiad dol-a-mach car coltach ri dol aghaidh ri aghaidh ri gunnaichean nàmhaid gun agam ach biodag?

Bha teagamhan mòra agam mun rud a bha mi air aontachadh dol an sàs ann, agus bha dùil agam nach dèanadh a h-uile duine dhen 12 a bha cuide rium sa chùis rud sam bith seach is dòcha 8 dhiubh air an oidhche fhèin.

Nam b' ann mar seo a bhiodh, bha mi glè chinnteach gun dèanadh an Riaghaltas eisimpleir dhiubh sin gus aimhreit nas motha a chur fo chois. Nan tachradh seo, b' e mi fhìn a bu chugallaiche san t-suidheachadh. Bha mi a' fuireach san Eilean Sgitheanach, na mo thaigh fhìn, agus bhiodh e furasta dha na cùirtean grèim fhaighinn air mo thuarastail. Eu-coltach ri cuid eile nach robh a' còmhnaidh ann an àite stèidhichte agus aig nach robh airgead a gheibheadh na cùirtean grèim air, bha mise an teis-mheadhan a' ghnothaich nam biodh na cùirtean airson càin trom a chur orm.

Thagh mi an rathad glic reusanta. Bha làn fhios agam gur e an rud a bu chiallaiche, dòigh èifeachdach nach robh buileach cho cunnartach a lorg gus cur an aghaidh na cùise. Gidheadh, thug mo chridhe buaidh air mo chiall agus dh'fhàg 's gun dallainn air sa chiad chothrom, gun diùltainn a' chìs a phàigheadh agus gun smaoinichinn mu na cùirtean an dèidh làimhe, rud a b' fheudar dhomh a dhèanamh ge b' oil leam e.

16th October. This was not a very suitable time for those who lived some 50 miles away from the bridge, and had to be at work early in the morning, or had young children to care for.

On the drive home from that meeting I was convinced that I had been a fool, and that I had made the wrong decision, and felt that a man of my age and experience should have known better. I had been furious when I realised that the Government had acted to make any challenge by the community a criminal offence and this anger was still the driving force behind my actions. However alone in the car, I started to examine my proposed course of action rationally.

I was well aware that emotions usually acted to cloud one's judgement. In a matter as serious as this, sound rational judgement was required. I was planning to challenge the Government, and they were prepared to force me into the criminal courts. This I recognised was not a wise thing for me to do. Sure I was angry and keen to challenge the Government on this issue, but was running straight into the criminal courts at the first opportunity, not a bit like charging into the enemy guns with nothing but a dirk?

I had very serious doubts about the course of action I had agreed to get involved in, and I expected that of the twelve people who had undertaken to do this with me, not all would. Indeed I thought there was likely to be around eight on the night.

If this were to be the case, I was pretty sure, that the Government would be keen to make an example of these in order to stamp out any larger resistance. Should this be the case, then I was particularly vulnerable. I lived on Skye in my own house, and my income was such that the courts could get easy access to it. Unlike some who had no permanent address, and no obvious income which the courts could get at, I was a sitting duck if the courts decided to extract heavy fines.

The rational argument won. I knew that the sensible thing to do was to find an effective, but less dangerous method of opposition. However my emotions overruled my logic, and insisted that I should charge in at the first opportunity, and refuse to pay the toll, and face the criminal courts thereafter, and that I unhappily decided I must do.

A' Chiad Ghnìomh Dìreach

Dh'aontaich a' chiad fheadhainn againn a chuir romhainn pàirt a ghabhail sa chiad dùbhlan gun coinnicheamaid mar bhuidhinn ann an Caol Acainn aig 11.45 air oidhche air an 16 den Dàmhair. An uair sin dhèanadh sinn sreath den luchd-casaid agus dhràibheadh sinn gu bùth nan cìsean chor 's gun ruigeadh sinn e aig meadhan-oidhche, nuair a rachadh a' chiad chìs a thogail. Bha sinn ag iarraidh a bhith mar chiad luchd-cleachdaidh Drochaid Phrìobhaidich an Eilein Sgitheanaich.

Aig an ìre seo san sgeul feumaidh mi iomradh a thoirt air ceist a thàinig suas an dèidh làimhe, agus b' i sin cò a' chiad duine a dhiùlt a' chìs a phàigheadh. Shaoil mòran gum b' e mise a bh' ann, agus gu dearbh bu tric a dh'aithris na meadhanan gum b' e mise a bh' ann. Uill, cha robh sin ceart. Bha mu 15 duine air thoiseach ormsa a dhiùlt a' chìs a phàigheadh. Thachair gum b' e mise a' chiad duine a nochd sa chùirt a chionn 's gur e 'A' litir-toiseachaidh mo shloinnidh, agus is e seo as adhbhar gun d' rinneadh dheth gun robh mise ann an toiseach.

'S e an fhìrinn, b' e Donaidh MacDhùghail, fear air chluaineas à Slèite, a' chiad duine a dhiùlt a' chis a phàigheadh. Bha Donaidh air àm ar cruinneachaidh a thogail gu ceàrr, agus dh'fhalbh e fhèin 's a bhean Catrìona chun na drochaide gus pàirt a ghabhail ann agus air faicinn dha nach robh duine eile ann, shuidhich e e fhèin an toiseach sreath 's bha e an sin nuair a nochd a' chòrr againn à Caol Acainn. Mar a thuirt mi, bha mi car teagmhach mu mo phàirt fhìn sa ghnothach, agus nam b' e 's gun robh mi air tighinn ann gun duine eile ann, mar a thachair do Dhonaidh, saoilidh mi nach biodh mo mhisneachd cho làidir 's a bha misneachd Dhonaidh. An àite bhith a' feitheamh gu meadhan-oidhche gus an dùbhlan a thoirt mi fhìn, mar a rinn esan, tha mi dhen bheachd gum bithinn air mo chiall a chleachdadh agus teicheadh gus smaoineachadh a-rithist mun chùis.

Ach mar a thachair, ràinig mi an t-àite far an robh sinn gu tighinn ri chèile aig an àm cheart, agus chuir e iongnadh mòr orm sreath fada chàraichean fhaicinn agus iad deiseil mu thràth gus an dùbhlan a thoirt, agus mar a thuirt mi cheana bha mu 15 càraichean air thoiseach orm, 's gu dearbh thàinig a' cheart uimhir air mo chùlaibh mus deachaidh sinn a-mach a dh'ionnsaigh na drochaide.

The First Direct Action

Those of us who had decided to take part in the first challenge had agreed that we would meet as a group in Kyleakin at 11.45pm on 16th October. We would then form a line of protesters and drive to the toll booth to arrive there at midnight, when the first toll was to be collected. We wanted to be the first customers of the privatised Skye Bridge.

At this point in the story I must make reference to a question which arose later, as to who was the first protester to refuse to pay the toll. Many people thought it was me, and indeed it was often reported on the media to have been me. Well that was not correct. There were about fifteen people who refused to pay the toll before me. I happened to be the first to have to face the court, because my surname begins with an A, and this was why it was often assumed that I had been first.

In fact it was Donnie MacDougall, a retired gentleman from Sleat, who was the first to refuse to pay. Donnie had got the arrangements for our muster wrong and he and his wife Catriona had gone to the bridge to join the assembly. Finding no one else there he had taken up position on his own, so was at the head of the queue when the rest of us arrived from Kyleakin. As I have said I was less than confident that I was wise to take on this challenge, and if I had arrived at the place of muster to find that I was alone, as Donnie did, I doubt if I would have had his courage. Instead of waiting for midnight in order to make the challenge myself, as he did, I think I would have allowed my rational judgement to have prevailed and would have retreated to reconsider.

However as it was I arrived at the agreed place of muster on time, and was amazed to find a long queue of cars already lined up to make the challenge. There were about 15 cars in front of me, and indeed about the same number arrived and came in behind me before we moved out to head for the bridge.

Chuir na bha air tighinn misneachd annam, agus thug mi fa-near gun robh mòran a' gabhail pàirt nach robh mi air fhaicinn aig gin de na coinneamhan. B' e sin a' chiad uair a thuig mi gun robh a' cheist seo a' togail aire ann an àiteachan fad is farsaing seach sa choimhearsnachd againne a-mhàin – rud nach do thuig ar comataidh bheag gu ruige sin – agus gun robh daoine deònach an dùbhlan dìreach seo, a bha sinne air fhoillseachadh, a ghabhail os làimh. Mun àm a chaidh an t-sreath mhòr seo de luchd-casaid a dh'ionnsaigh na drochaide, bha a h-uile teagamh agam air falbh.

Bha an t-sìde garbh an oidhche ud. Bha e glè dhorcha, agus bha gaoth ghuineach a' sèideadh suas an Caol, agus uisge trom a' dòrtadh aice. Nan cuireadh tu uinneag taobh an dràibhear sìos agus thu air an drochaid, neo aig bùth nan cìsean, stealladh an t-uisge a-steach agus sa bhad bhiodh an car bog fliuch na bhroinn.

Bha seo mar sin a' cur bacadh nach beag air conaltradh an luchd-casaid eadarra fhèin, 's cha b' urrainn dhut èigheach bhon chàr agad air an duine sa chàr air thoiseach ort gus faighinn a-mach dè bha a' tachairt. Bha a h-uile duine nan stob sna càraichean aca agus an t-uisge trom a' dalladh oirnn.

Tha e coltach gum b' e an innleachd aca bruidhinn ris na daoine sna càraichean air thoiseach, a' cur dàil sa ghluasad, chor agus gum fàsadh daoine seachd sgìth dhen t-suidheachadh agus gum falbhadh iad.

Bha seo uile a' ciallachadh nach robh fhios againn dè bha a' tachairt aig ceann an t-sreath chàraichean mu bhùth nan cìsean. Bha na càraichean uile nan stad agus a' feitheamh fad deagh ùine ach dè ghabhadh àite aig a' bhùth.

Bha e soilleir gun robh na poilis a' dol a dh'fheuchainn ri stad a chur air daoine gun an lagh a chur an gnìomh, air neo mura gabhadh sin a dhèanamh co-dhiù àireamh nan daoine a bhiodh air an toirt gu lagh a chumail cho beag 's a ghabhadh. Tha e coltach gum b' e an innleachd aca bruidhinn ris na daoine sna càraichean air thoiseach, a' cur dàil sa ghluasad, chor agus gum fàsadh daoine seachd sgìth dhen t-suidheachadh agus gum falbhadh iad.

Nam b' e sin an rud a bha iad ris, 's iad fhèin a chum gu fearail ris. Gu dearbh thug e trì uairean a thìde gu leth mus do ghabh iad ris sa cheann thall nach rachamaid air falbh, agus gun robh orra ar fàgail gus dol air adhart agus an lagh a chur oirnn nan dèanadh sinn sin.

Ach b' e an suidheachadh nach robh càil a dh'fhios aig a' mhòr-chuid againn, mi fhìn san àireamh, mu dè bha a' dol air adhart aig bùth nan cìsean. Chaidh fios a chumail rinn le daoine, Robbie-the-Pict nam measg, a' ruith a-null 's a-nall tron doininn, ag innse do gach dràibhear dè an deasbad a bha a' dol air adhart ris na poilis aig a' bhùth. B' e feitheamh fada fulangach a bha againn agus sinn stobte mar phrìosanaich nar càraichean luaisgeanach agus a' ghaoth is an t-uisge a' stialladh oirnn.

Mu dheireadh thàinig Robbie-the-Pict chun a' chàr agamsa agus thuirt e

I was greatly encouraged by this turnout and I noted that there were many taking part that I had not seen at any of the meetings. That was the first time I realised that this issue was much broader in the community than our small committee had really understood, and that this direct challenge, which we had published, was something they were prepared to take up. My fears and doubts had gone by the time this huge line of protesters headed for the bridge.

The weather was terrible that night. It was very dark and there was a fierce wind roaring up the Sound of Kyle and driving heavy rain before it. If you wound down the driver's side window of the car when you were on the bridge, the rain drove in, and the inside of the car was quickly soaked through.

This therefore restricted communication between the protesters considerably. It was impossible to shout from your car to the car in front to find out what was happening at the head of the demonstration. We were all cocooned in our own vehicles being lashed by driving rain.

These conditions meant of course that we did not know what was happening at the head of the protest at the toll booth. All the cars were stopped and stood for a long time waiting for developments.

The police clearly intended to try to stop any criminal charges having to be processed, or if this was not possible to keep the actual number of charges to a minimum. Their tactic seems to have been to keep talking to the people in the lead vehicles, and delaying any movement, so that people would get tired of this situation and leave.

The police tactic seems to have been to keep talking to the people in the lead vehicles, and delaying any movement, so that people would get tired of this situation and leave.

If that was their strategy then they stuck to it manfully. It was in fact three and a half hours before they eventually accepted that we would not go away, and that they must allow us to proceed and bring charges against us if we did so.

Most of us of course, myself included, had no first hand knowledge of the arguments at the toll booth. We were updated on the situation by people, including Robbie-the-Pict, struggling back and forward through the storm telling each of the drivers what was going on in the discussions with the police at the toll booth. We had a long tiresome wait trapped in our cars being rocked and lashed by wind and rain.

Eventually Robbie-the-Pict came to my car and told me that the gun robh na poilis a' leigeil le daoine dol seachad air bùth nan cìsean agus a' cur an lagha orra a rèir an 'New Roads and Street Works Act 1991' ma bha iad a' diùltadh pàigheadh. Thuirt e gun robh na poilis ag iarraidh air daoine tighinn a-steach dhan bhùth agus an t-sìde cho dona chor agus gun leughadh iad an lagh dhaibh. Shàbhaileadh seo na poilis bho bhith a' feuchainn ri mion-phuingean na cùise a sgrìobhadh sìos san uisge throm. Thug e a' chomhairle dhuinn nach robh sinn fo chomain sam bith seo a dhèanamh, agus gun a dhèanamh idir.

Goirid an dèidh làimhe thàinig Manaidsear na Drochaide, Mgr Russell Thomson, chun a' chàr agam agus dà phoileas cuide ris. Dh'fhaighnich e gu foirmeil dhìom an robh mi deònach a' chìs a phàigheadh, agus dh'innis mi dha nach robh. An sin dh'iarr fear dhe na h-oifigearan orm tighinn còmhla ris a-steach gu bùth nan cìsean chor agus gun cuirte an lagh orm.

Nist, bha mise air a bhith nam shuidhe an sin sa chàr bho mheadhan-oidhche, agus bha e nist an dèidh 3.30 sa mhadainn, agus bha mi nam èiginn dol chun an taigh bhig. Thàinig e a-steach orm gum biodh taigh beag sa bhùth, agus mar sin dh'aontaich mi riutha dol ann, agus gu nàdarra cho luath 's a fhuair mi a-steach, rinn mi mo leisgeul agus chaidh mi chun an taigh bhig.

Nuair a thàinig mi a-mach thug mi an aire nach robh na poilis toilichte gun robh mi air sin a dhèanamh, agus cha do thuig mi carson. Bha mi a' smaoineachadh gur dòcha gun robh diomb orra leis cho fada 's a bha iad a' feitheamh rium, ach an dèidh a h-uile càil cha robh mi air an cumail air ais ach mionaid neo dhà, eu-coltach riuthasan, a chùm sinne an sin fad trì uairean a thìde gu leth. Fhuair mi a-mach an dèidh sin gun robh an luchd-obrach sa bhùth air a bhith a' diùltadh cead don luchd-casaid dol a-steach dhan taigh bheag, agus gur e na poilis a mhol seo dhaibh, agus mar sin tha fhios gun robh seo na dhòigh air dragh is cuideam a chur air an luchd-casaid chor 's gun toireadh iad suas is gum falbhadh iad dhachaigh.

Tha fhios gun robh an t-àm beagan an dèidh 3.30 sa mhadainn aig an uair ud. Cha do chlàraich mi fhìn e, ach chì mi bhon fhianais a thug Russell Thomson sa chùirt mu mo dheidhinn gun do chùm esan a-mach gun do thòisich e a' cur cheistean air daoine mun chìs aig 3.30m, agus gun do chuir e ceistean ormsa goirid an dèidh làimhe.

Deagh ghreis an dèidh seo, gu dearbh an dèidh dhomh bhith air m' fhaighinn ciontach dhen eucoir seo agus mi ag ullachadh tagradh an aghaidh na breith, chuir na fir-lagha air shùilean dhomh nach robh mi air an rud eucorach ud a dhèanamh idir, rud a chuir iongnadh orm. Air a' mhadainn sin bha mi a' smaoineachadh gun robh mi air a dhèanamh, agus tha mi cinnteach gun robh na poilis dhen aona bheachd, ach gu cruinn ceart cha robh.

Tha an Achd ag ràdh ma thèid thu gu bùth nan cìsean le carbad, agus gun do dhiùlt thu a' chìs a phàigheadh mar a chaidh iarraidh ort leis an

police were allowing people to go through and were charging them under the New Roads and Street Works Act 1991 if they refused to pay. He said that in view of the foul weather police had been asking people to leave their cars and come inside the toll booth to be charged. This would save the police from trying to write down details in the driving rain. He advised that we were under no obligation to do this and that we should not.

Shortly afterwards the Bridge Manager, Mr Russell Thomson came to my car with two police officers. He asked me formally if I was prepared to pay the toll and I told him I was not. One of the police officers then asked me if I would come with them inside the toll booth so that they could charge me.

Now I had been sitting there in my car since midnight, and it was now after 3.30 am, and I was desperate to go to the toilet. It seemed to me that there would be a toilet in the toll booth, so I agreed to go with them and of course the minute I got inside, I excused myself and went to the toilet.

When I came out I noticed on the faces of the police officers that they were not pleased that I had done that and I did not understand why. I thought they were displeased because I had kept them waiting, but after all, I had only delayed them for two minutes while they had held us up for three and a half hours. I learned afterwards that the staff in the booth had been refusing to allow any of the protesters access to the toilet and they were doing this on police advice. So this was presumably part of the pressure on the protesters to give up and go home.

The time then must have been just after 3.30am. I did not myself record it, but I note from the evidence given by Russell Thomson at my trial, that he claimed that he started to question people about the toll at 3.30am and questioned me shortly afterwards.

Some considerable time after this, indeed after I had been convicted of this criminal offence and was preparing an appeal, lawyers pointed out to me, much to my surprise, that I had not actually committed the offence at all. That morning I thought I had committed the offence, and I'm sure the police officers thought so too, but technically I had not.

The Act stipulates that if you go to the toll booth with a vehicle and

neach-togail, air neo gun do dh'fheuch thu ri pàigheadh na cìse a sheachnadh, gu bheil thu a' briseadh an lagh.

Air mo shon-sa dheth, cha robh mi air a dhol chun na bùtha le mo charbad, bha mo charbad fhathast astar math bhon bhùth ann an sreath de charbadan eile, agus cha robh mi air bruidhinn ri neach-togail nan cìsean idir. Bha Manaidsear na Drochaide, nach robh na neach-togail chìsean, air faighneachd dhìom an robh mi am beachd a' chìs a phàigheadh agus bha mise air innse dha nach robh. Mar sin bha na poilis air lagh na h-eucorach a chur orm, airson rud nach robh mi air a dhèanamh aig an àm ged a bha mi air innse dhaibh gum b' e sin a bha mi a' dol a dhèanamh.

Air dhaibh seo a dhèanamh, leig na poilis leam dol air ais chun a' chàr agam, agus nuair a thàinig mi a dh'ionnsaigh na bùtha anns a' charbad, smèid iad orm dol troimhe on a bha iad air a' chasaid fhàgail orm a cheana. Mar sin, seo againn na poilis a' cur lagh na h-eucorach air cuideigin mus dèan e an lagh a bhriseadh, agus e ga dhèanamh soilleir gu bheil e a' dol ga bhriseadh, agus an uair sin a' seasamh gu taobh 's a leigeil leis a bhriseadh.

Air an aon oidhche, agus air na h-aona adhbharan, chaidh fhàgail mar an ceudna air Ian Willoughby, fear-teagaisg às Uig a bha air a dhreuchd a leigeil dheth, gun robh e air an lagh a bhriseadh, agus a-rithist thachair seo mus d' fhuair e gu bùth nan cìsean. Ann an cùis Ian, bha a bhean Colina sa chàr còmhla ris. Nist, bha Colina fo iomagain faighinn air ais dhachaigh a dh'Ùig cho luath 's a ghabhadh oir bha i gu bhith mar neach-cumail-sùil ann an Sgoil Phort Rìgh na b' fhaide air adhart sa mhadainn sin, agus bha i ag iarraidh faighinn dhachaigh gus ullachadh airson seo. Mar sin cho luath 's a dhèilig na poilis riutha, dh'fhàg Ian agus Colina an t-àite agus chaidh iad dhachaigh. San da-rìribh cha deach iad seachad air bùth nan cìsean idir air an oidhche ud. Cha d' rinn iad ach dearbhadh dha na poilis gun robh iad am beachd a dhèanamh.

An ceann sreath, chaidh an lagh a chur air Ian agus ghairmeadh e gu Cùirt an t-Siorraim ann an Inbhir Pheofharain far an deach fianais a chur fa chomhair na cùirte gun robh e air a dhol tro bhùth nan cìsean, aig àm sònraichte, agus a' gabhail air taobh sònraichte (far an eilein), ach cha deach a chur às a leth gun robh e air tilleadh chun an eilein. Bha Ian agus Colina comasach air cur an aghaidh fianais nam poileas agus luchd-obrach na drochaide gun robh iad air a dhol tro bhùth nan cìsean aig àm sònraichte agus air taobh àraid, le bhith ag innse dhaibh gu sìmplidh nach robh iad air a dhol tron bhùth idir an oidhche ud, agus mu dheireadh ghabh an t-Siorram ri sin.

Tha a' chùis chùirte seo am measg a' bheagan dhiubh a bhuannaich sinn aig Cùirt an t-Siorraim ann an Inbhir Pheofharain. Tha na h-eisimpleirean sìmplidh seo a' sealltainn cho gòrach 's a tha e a bhith a' cleachdadh lagh na h-eucorach gus feuchainn ris a' choimhearsnachd a chur fo chois agus an còraichean a dhiùltadh.

refused to pay the toll as requested by the toll collector, or attempt to evade the toll, then you are committing a criminal offence.

In my case I had not gone to the toll booth with my vehicle, my vehicle was still some distance from the booth in a queue of other vehicles, and I had not spoken to the toll collector at all. The Bridge Manager, who was not a toll collector, had asked me if I intended to pay the toll and I had told him that I did not so intend. The police had therefore charged me with a criminal offence, which I had not at that time committed although I had told them that I intended to.

Having charged me the police allowed me to go back to my vehicle, and when I approached the booth in the vehicle, they waved me through, since they had already charged me with the offence. So here we had the police charging someone with a criminal offence, before they committed it, but when they made it clear what they intended, and then standing aside to allow them to do so.

On the same night and for the same reasons Ian Willoughby, a retired school teacher from Uig, was also charged with a similar offence, and again before he had got to the toll booth. In Ian's case his wife Colina was in the car with him. Now Colina was anxious to get back home to Uig as soon as possible because she was acting as an invigilator at Portree School later that morning, and wanted to get home to get ready. So as soon as they were charged Ian and Colina left the demonstration and went home. They never in fact went through the toll booth at all that night. All they had done was to confirm to the police that they intended to do so.

In due course Ian was charged and called before the Sheriff at Dingwall where evidence was laid before the court that he had gone through the toll booth, at a particular time, and in a particular direction (off the island), but was never charged with coming back on. Ian and Colina were able to challenge the police and bridge staff evidence that they had gone through the toll booth at a specific time, and in a specific direction, with the simple fact that they had not gone through the toll booth at all that night, and eventually the Sheriff accepted their version of the incident.

This case was the first of the very few cases we actually won at Dingwall Sheriff Court. These simple examples show the folly of using the criminal law to try to suppress the community and to try to deny people their civil rights.

Bha na poilis eadar dhà leann. Nan cuireadh iad stad air daoine bho bhith a' dràibheadh thar na drochaide, an aon slighe san gabhadh faighinn a-null 's a-nall, 's ann a bhiodh iad da-rìribh a' briseadh an còraichean sìobhalta. Nan aidicheadh iad seo agus cead a thoirt dhaibh siubhal on eilean, bhiodh e mar an dleastanas aca mar sin an lagh a chur orra nan diùltadh iad a' chìs a phàigheadh.

Thuig na poilis, mar a thuig sinn fhèin bho na bha an làthair air an oidhche sin, nach robh an seo ach toiseach tòiseachaidh. Chan e a-mhàin an sluagh a thàinig an taca ri meud na coimhearsnachd bhig againn, ach na daoine uile a thàinig a thogail fianais an aghaidh lagh na h-eucorach. Bha e follaiseach nach b' iad seo na daoine ris am biodh dùil – luchd-casaid proifeiseanta, mas fhìor, a thigeadh gu rud sam bith gus iad fhèin a chur air adhart sna meadhanan is mar sin – b' iad seo daoine cumanta, a bha ag obair, daoine fìor phroifeiseanta, luchd-gnìomhachais, gu dearbh deagh eisimpleir dhen choimhearsnachd gu lèir.

Bha fios againn an oidhche ud gum faigheadh an gnothach barrachd taic bho chridhe na coimhearsnachd, agus nach robh san rud bheag a dh'fhuiling sinne ach na thoiseach tòiseachaidh de dh'iomairt uabhasach mòr. Dh'fhalbh a h-uile teagamh a bh' air a bhith agam. Thuig mi an uair sin gur e iomairt a bh' ann a thogadh ùidh am measg mòran dhaoine, agus tha mi cinnteach gun do dh'aithnich na poilis, 's iad fhèin nan daoine ionadaile, seo cuideachd. Thuig mi cuideachd nach gabhadh eisimpleir air leth a dhèanamh dhinn a-nist agus sinn cho mòr mar bhuidhinn.

Ach ann a bhith a' seasamh an aghaidh a' phoilis cho fada, agus a bhith a' tighinn fo lagh na cùirte, bha sinn a-nist air tìr-mòr agus bha againn ris a h-uile rud a dhèanamh a-rithist gus faighinn air ais dhan eilean. Ach thoir fa-near, cha d' rinn na poilis oidhirp sam bith bacadh a chur oirnn. Bha e soilleir gun robh an latha sin leinn. ❐

The police were faced with a dilemma. If they stopped people from driving over the bridge, which was in fact the only way on or off the island, then they were seriously infringing their civil rights. If they acknowledged this and allowed them to travel from the island, then they were obliged to charge them with a criminal offence should they refuse to pay the toll.

The police could see, as we could by the turnout that night, that we were just the tip of a very large iceberg. Not only because the turnout was large for a small community, but because of the composition of the protesters who were challenging the criminal law. It was clear that this was not just the 'usual suspects', the rent-a-crowd professional protesters who could be expected to turn up for any well-publicised demo.These were working people, professional people, business people, indeed a clear sample of the whole community.

We knew that night that the protest would grow in the very heart of the community and that our sacrifice that night was only the beginning of what would be a large and long campaign. All the doubts I had experienced before had vanished. I knew then that this would develop into a massive popular campaign and I'm certain that most of the police, who were also local people, recognised this as well. I also recognised that we were now too big a group to be singled out for an example.

Of course, having stood off the police for such a long time that night and having finally got our charges against us, we were now on the mainland and had to repeat the process to get back on the island. This time there was no attempt by the police to hold us up. We had clearly won that battle. ❐

Caibideil 2: Mar dh'fhàs SKAT

An dèidh cho math is a shoirbhich leis a' chiad ghnìomh dhìreach air madainn 17 an Dàmhair, ghabh a' choimhearsnachd ris a' ghnothach ann an dòigh mhòr mhòr.

Bha a' chùis ga foillseachadh fad is farsaing anns na meadhanan, fiù 's air feadh an t-saoghail mhòir.

Thòisich sinne sa bhad air buidheann a chur air bhonn a bhiodh comasach air an taic làidir seo a chur gu deagh fheum. Gu dearbh, dìreach dà latha an dèidh dhuinn ar casaid a thogail fad na h-oidhche sin, bha coinneamh againn ann an Taigh-òsta Chaol Acainn air 19 an Dàmhair agus bha tòrr dhen luchd-telebhisein is -naidheachd an làthair.

Cha robh oifigearan taghte againn nar buidhinn fhathast, oir bha dragh oirnn gun rachadh a chur às ar leth gur ann ri foill neo ri co-cheannairc a bha sinn, air neo is dòcha gun rachadh òrdugh cùirte a chur oirnn. B' ann aig a' choinneimh seo, san do chleachd sinn an t-ainm SKAT a tha sgrìobhte sìos agamsa, a chaidh a chur roimhe gun cuireadh sinn 'Ruithean Saorsa' air dòigh gach seachdain neo gach dà sheachdain, far am biodh grunn dhaoine a' dol thairis air an drochaid agus a' diùltadh pàigheadh agus iad deònach dol fa chomhair na cùirte air a shon.

Aig an ìre thràth-sa, chuir Ray Shields à Caol Loch Aills' làrach-lìn air dòigh do SKAT agus thòisich e a' clàrachadh na bha sinn ris. Bha an làrach-lìn seo, a tha fhathast a' dol, glè chudromach ann a bhith a' toirt na ceiste seo gu aire nam meadhanan air feadh an t-saoghail.

Gabhaidh deagh eisimpleir agus dealbh dhen rud seo a thogail tro na bha aig Jim McNulty ri ràdh, duine a leugh làrach-lìn Ray agus a thàinig suas à Lunnainn a dh'fhaicinn na cùise a bha gu bhith air chois aig uair a' ghleoc air 23 an Dàmhair 1995. Sgrìobh Jim mar seo:

Chapter 2: The Development of Skye and Kyle Against the Tolls (SKAT)

After the highly successful direct action on the morning of 17th October 1995 the response of the community was overwhelming. The demonstration had been reported by the media of course, and had been seen and heard worldwide.

Photo © Peter Jolly

We got to work straight away to build an organisation which would be able to harness this wave of support. Indeed just two days after our all-night demonstration we had a meeting in the Kyleakin Hotel on 19th October which was attended by TV and newspapers.

We still did not have elected officers of our organisation because we were concerned that to do so would be to attract 'conspiracy' charges, or possibly those individuals being served with an interdict (injunction). At this meeting, which was my first record of us using the name SKAT, it was decided we should organise weekly, or twice weekly 'freedom runs' which were organised group crossings with people who wanted to refuse to pay and were prepared to face a criminal charge.

At this early stage Ray Shields from Kyle of Lochalsh set up a website for SKAT and began to record our activities. This website, which is still in existence, played a very important role in bringing this issue to the attention of the media worldwide.

The comments of Jim McNulty who, in response to Ray's website about our demonstrations, drove up from London to see the one scheduled for 1pm on 23rd October 1995 are instructive:

> Dhràibh sinn suas chun na drochaide, a' ruigsinn an àite mu leth-uair a thìde ron rud a bha gu tachairt – thàinig duine den luchd-iomairt dar n-ionnsaigh agus a dh'ionnsaigh daoine eile a bha nan seasamh mun cuairt gus mìneachadh dè bha a' dol a thachairt, agus thug e dhuinn dealbh san fharsaingeachd air duilgheadas na drochaide. Bha a h-uile rud air a dheagh chur an òrdugh agus aotrom modhail. Bha sgiobaidhean-naidheachd bho Ghrampian agus bhon BhBC ann. Goirid an dèidh 1.00f, chunnaic sinn a' bhuidheann dhaoine a' tighinn faisg air taobh thall na drochaide, agus thàinig iad thairis le fear fèilidh nan ceann agus bratach Albannach ga giùlan aige.

Bheir e dealbh an sin air mar a chaidh an luchd-casaid uile ann an càraichean chun na bùtha agus mar a chuirte an lagh orra leis na poilis, agus crìochnaichidh e: 'A h-uile rud air a dhèanamh le spòrs, ach gu h-èifeachdach.' Chùm sinn oirnn. Bha ruith mhòr saorsa eile againn air 4 an t-Samhain.

Bha coinneamh againn ann am Port Rìgh air 11 an t-Samhain agus a-rithist chaidh sgeul inntinneach eile innse dhuinn mu ghòraiche an t-suidheachaidh laghail. Tha e coltach gun tàinig bean-Astràilianach cuide rinn san ruith shaorsa air a' 4mh latha agus a dhiùlt a' chìs a phàigheadh. Nuair a fhuair na poilis a-mach nach Breatannach i, 's nach robh seòladh maireanneach aice san Rìoghachd Aonaichte, chaidh iad an comhairle Neach-casaid a' Chrùin. Chaidh innse dhaibh gun robh duine sam bith nach robh a' còmhnaidh gu fad-mhaireannach san RA ri chur an grèim 's ri chumail sa phrìosan fad na h-oidhche agus ri thoirt ri aghaidh an t-Siorraim sa mhadainn.

Duine sam bith nach robh a' còmhnaidh gu fad-mhaireannach san RA ri chur an grèim 's ri chumail sa phrìosan fad na h-oidhche agus ri thoirt ri aghaidh an t-Siorraim sa mhadainn.

Nist bha duine dhe na buill as follaisiche ann an SKAT, A' Bh-ph Rosemary Samios, a bha a' fuireach ann am Port Rìgh, na ban-Astràilianach, agus gu dearbh b' e Ministear san Riaghaltas Astràilianach a bha na fear-cèile. Togaidh e a' cheist mu dè a' bhuaidh a bhiodh aige air beachdan a' mhòr-shluaigh ann an Astràilia nam b' e 's gun deach duine dhe na saoranaich acasan a chur sa phrìosan a chionn 's gun do dhiùlt i, mar a rinn ceudan eile, cìs Drochaid an Eilein Sgitheanaich a phàigheadh.

Gidheadh, chleachd na poilis barrachd cèill agus bha tuigsinn nas motha aca air de dh'fhaodadh tachairt gu poilitigeach nan rachadh feum a chur air an lagh ann an leithid sin de dhòigh, nas motha na bha aig an Riaghaltas. Rinn iad cinnteach gun robh àite-fuirich 'maireannach' ann don bhoireannach agus cha do chuir iad an grèim i. Tha fhios gun do sheachain seo nàire mhòr don Riaghaltas.

Is cuimhne leam aon tachartas inntinneach, san Lùnastal 1996 saoilidh mi. Aig an àm b' e mise Fear-cathrach na Pìobaireachd aig Geamaichean Gàidhealach an Eilein, agus bha e mar an obair agam co-fharpaisean na h-aona phìobairean a chur air dòigh. Bha na co-fharpaisean seo glè chudromach ann an saoghal nam pìobairean agus bha sàr-phìobairean

> We drove up to the bridge, arriving about half an hour before the planned protest. A member of the campaign came round to us and several other onlookers explaining what was about to happen, and giving us a general perspective of the bridge problem. Everything was very good-natured and organised. There were TV crews from Grampian and the BBC. Just after 1pm we could see the convoy approaching the other side of the bridge, and it crossed over, led by a kilted campaigner carrying a Saltire.

He goes on to describe how all the protesters in cars went to the booth and were charged by the police and he concludes: 'All done in very good humour, but very effective'. We kept up the pressure. On 4th November there was another large freedom run.

We had a meeting in Portree on 11th November at which another interesting story was told about the stupidity of the legal situation. It appears that an Australian lady who was on holiday joined the freedom run on the 4th and refused to pay the toll. When the police discovered she was not British and did not have a permanent address in the UK they sought advice from the Procurator Fiscal. They were told that anyone who did not have a permanent address in the UK was to be arrested and held in custody overnight and taken before the Sheriff in the morning.

Anyone who did not have a permanent address in the UK was to be arrested and held in custody overnight and taken before the Sheriff in the morning.

Now one of the prominent SKAT members, Mrs Rosemary Samios, although living in Portree, was an Australian. Indeed her husband was then a Minister in the Australian Government. One wonders what the effect on Australian public opinion would have been if one of their citizens were to be held in a police cell because she refused, like hundreds of others, to pay the toll on the Skye Bridge.

The police however were more intelligent and had a greater appreciation of the political implications of such a use of the law than had the Government. They made sure that they got a local 'permanent' residence for the lady and did not arrest her. This undoubtedly saved the Government from major embarrassment.

I recall one interesting incident which was in August 1996 I believe. At that time I was Piping Convener for the Skye Games and it was my job to organise the solo piping competitions. These competitions were highly significant in the world wide piping fraternity and attracted top class pipers from all over the world.

a' tighinn ann bho air feadh an t-saoghail. Bha sàr-phìobaire à Pittsburgh sna Stàitean Aonaichte, Patrick Regan, air fear dhe na co-fharpaisich air a' bhliadhna sin.

Nuair a ràinig Patrick Port Rìgh bha e a' gearan gu geur ris a h-uile duine a thigeadh na rathad mun chìs àrd a bha aige ri phàigheadh aig Drochaid an Eilein Sgitheanaich. Chomhairlich cuid eile dhe na pìobairean dha a chasaid a thogail riumsa a chionn 's gun robh mi ri gnothaichean na cùirte aig an àm ud agus gun robh a h-uile duine eòlach orm mar neach cur an aghaidh nan cìsean. Sheas Patrick mum choinneimh taobh a-muigh talla nan co-fharpaisean agus dhall e orm le dhuan. 'Hàidh, Andaidh, dè a' ghòraiche seo 's gu bheil againn ri £5 a phàigheadh gus faighinn thairis air an drochaid mheanbh sin agus an aon rud a-rithist is sinn a' tilleadh gu tìr-mòr? Nach eil fhios agaibhse a-bhos an seo gu bheil sinne, ann a bhith a' tighinn an rathad fada seo gus pàirt a ghabhail nur co-fharpaisean, a' cur ris an eaconamaidh ionadail agaibh?'

Chùm e air mu dheidhinn mar a chòrd e ris daonnan tighinn a dh'Alba, agus cho mòr 's a chuir na daoine fàilte air, agus gun robh e nist air a' chnap-starra seo a lorg cho math ri iarrtas bagarrach airgead a thoirt seachad, rud nach tachradh gu h-àbhaisteach ann an Alba agus e fhèin a bha thall 's a chunnaic.

Nuair a mhìnich mi dha gun deach an rud seo a chur oirnn le Riaghaltas Westminster sa bhliadhna roimhe sin, fhreagair e, 'Uill, dè a tha sibhse a' dol a dhèanamh mu dheidhinn?'

Dh'innis mi dha Patrick mun iomairt againn agus mar a bha a' choimhearsnachd gu lèir san eilean a' sabaid an aghaidh nan cìsean agus gun robh a h-uile duine ga shlaodadh tro na cùirtean air sgàth an oidhirpean. 'Uill,' thuirt e, 'ciamar as urrainn dhòmhsa cuideachadh? Tha mi airson a bhith san iomairt seo.' Thuirt mi ris gum faodadh e diùltadh a' chìs a phàigheadh agus e air a shlighe dhachaigh, ach mhìnich mi dha gum biodh an lagh ga chur air mar bhuil. Bha e daingeann gun dèanadh e seo.

Dh'innis mi dha nuair a dh'fhaighnicheadh na poilis airson a sheòlaidh gum bu chòir dha mo sheòladh-sa a thoirt dhaibh agus a ràdh gun robh e a' fuireach còmhla rium, oir mura toireadh e seòladh Breatannach dhaibh gun rachadh a chur an grèim 's a chumail sa phrìosan ann an Inbhir Pheofharain air oidhche.

Bha Patrick a' fàgail an eilein dìreach an dèidh dha cluich aig a' cho-fharpais air madainn Diciadain oir bha e a' cluich aig co-fharpais phìobaireachd eile air tìr-mòr Dihaoine 's bha e ag iarraidh faighinn air falbh. Bha e daingeann, ge-tà, nach toireadh e mo sheòladh-sa dha na poilis. Bheireadh e dhaibh a sheòladh fhèin ann am Pittsburgh, ag ràdh le misneachd, 'Cha bhith de dh'aghaidh orra mise a chur sa phrìosan air tàillibh seo.'

One of the competitors that year was Patrick Regan, a top piper from Pittsburgh in the USA.

When Patrick arrived in Portree he was complaining bitterly to all and sundry about the high toll he had been forced to pay at the Skye Bridge. Some of the other pipers suggested to him that he should raise his complaints with me, because I was being processed through the criminal courts at that time and my opposition to the tolls was well known. Patrick confronted me outside the competition hall and launched straight in. 'Hey Andy what's this nonsense about us having to pay out over £5 to get over that tiny bridge and having to pay again when I go back to the mainland? Do you guys not realise that by coming all this way to participate in your competitions, we are contributing to your local economy?'

He went on about how he had always enjoyed coming to Scotland, and how welcoming the people were, and he had found this barrier, and demand for money under threat, quite out of character with his experiences of Scotland.

When I explained to him that this had been imposed on us by the Westminster Government the year before his response was, 'Well, what are you guys going to do about it?'

I told Patrick about our campaign and how the whole island community were fighting this toll and were being dragged through the criminal courts for their efforts. He responded, 'Well, how can I help? I want to join this campaign.' I told him that he could refuse to pay on the way home, but explained to him that this would result in him incurring a criminal charge against him. He was adamant that he was going to do this.

I told him that when the police asked for his address, he should give them my address, and say that he was living with me, because I explained that if he did not give them an address in the UK he would be arrested and held in custody in Dingwall overnight.

Patrick was leaving Skye immediately after he had played in the competition on Wednesday morning, because he was playing in another piping event on the mainland on the Friday. He insisted however that he would not give my address to the police. He would give his own Pittsburgh address, and he said confidently, 'They won't dare put me in custody for this.'

Thurt mi ris gun do thachair nar cùis fhèin nach robh sinn air ar cumail ro fhada agus sinn ann le àireamh chàraichean, bhrataichean is bhileagan agus a' dèanamh ruith saorsa, oir thug na poilis fa-near nan cumadh iad sinn aig a' bhùth, a' togail aimhreit, gun toireadh daoine eile an aire dhuinn 's gun dèanadh iad fhèin an aon rud. Mar sin bha e coltach gun robh innleachd air dòigh aca 's gun leigeadh iad leinn dol troimhe gun cus ùpraid agus an uair sin cuidhteas fhaotainn dhinn. Ach thuirt mise gur dòcha, a chionn 's gum biodh e leis fhèin, gun bhratach gun bhileig, gum fàgadh iad na shuidhe an sin e fad uair a thìde no barrachd fhad 's a bhiodh iad a' togail nan cìsean ri taobh an rathaid, air dòigh agus gum fàsadh e seachd sgìth agus a' chìs a phàigheadh.

'O bidh sin ceart gu leòr,' thuirt e, 'nì mise uimhir a dh'ùpraid 's gum bi iad gu mòr airson cuidhteas fhaighinn dhìom'.

Chuala mi an dèidh làimhe gun robh Patrick air a dhol chun na bùtha agus air innse dhaibh gun robh e a' diùltadh pàigheadh. Bha iad air iarraidh air feitheamh ris na poilis, is mar sin thàinig e a-mach às a' chàr aige agus chuir e a phìob air dòigh. Bha e air seasamh air 'eilean' beag na bùtha a' seinn na pìoba. Tharraing seo aire tòrr dhaoine, agus cha robh e fada mus robh luchd-turais is daoine eile a' gabhail iongnadh mun àrd-ùrlar annasach aige. Mhìnich e don luchd-èisteachd aige gun robh e glacte air an eilean sin agus e a' fuireach ris na poilis a chionn 's gun robh e air diùltadh a' chìs mhì-reusanta seo a phàigheadh. Cha ruigear a leas a ràdh gun do nochd na poilis gu math luath, agus dh'iarradh air falbh, gun eadhon aon chasaid air.

Ann a bhith a' dèanamh seo, bha na poilis a' cumail an Riaghaltais bho bhith a' dèanamh rud gòrach iad fhèin.

Ann a bhith a' dèanamh seo, bha na poilis a' cumail an Riaghaltais bho bhith a' dèanamh rud gòrach iad fhèin. Nach e am fìor amaideas a bhiodh ann nan toireadh sinn cuireadh do shàr-phìobaire tighinn a chluich aig tachartas àrd-urramaichte ann an Albainn, agus an sin a chur sa phrìosan a chionn 's gun robh e a' dèanamh rud a rinn na ceudan eile de Bhreatannaich, a' diùltadh cìs gun chead gun chasg a phàigheadh. A-rithist le bhith a' cleachdadh an cuid cèill bha na poilis, agus iad eadar dhà leann, air rathad a' ghliocais a ghabhail agus aimhreit mhòr phoilitigeach a sheachnadh.

Bha coinneamh phoblach eile againn ann am Port Rìgh air Diciadain 22 an t-Samhain, leis a' Chomhairliche Ailean Peutan na fhear-cathrach, a bha fhèin na phìobaire ainmeil à Bhatairnis, còmhla ri 90 ball no luchd-taice an làthair. Aig a' choinneimh seo chaidh a ràdh gun deach 400 casaidean-lagha a chur air 200 duine mun àm ud.

Chan eil am fiosrachadh sin agamsa. Gidheadh, tha e ceart a ràdh gun d' fhuair sinn tòrr fiosrachaidh bho dhaoine sa choimhearsnachd ri linn na h-iomairt agus gun robh a' chuid as motha dheth, gu h-iongantach, cruinn ceart. Is dòcha gur e as adhbhar dhan a' seo gu bheil ceanglaichean dlùtha eadar daoine ann an coimhearsnachd bhig làidir, eadar 's gu bheil na

I told him that from our experience when we arrived on a freedom run, with a number of cars, and placards and leaflets, we did not have to wait long, because the police had noticed that if we were held at the booth, making a fuss as we did, others noticed what was going on, and often joined us in the protest. So their strategy now appeared to be to get us through quickly with as little fuss as possible, and get rid of us. But since he would be on his own, and would not have placards or leaflets, they might just leave him to sit there for an hour or more while they took the tolls at a side road, in the hope that he would get fed-up and pay the toll.

'Oh that will be alright,' he said. 'I will make enough fuss to ensure that they want rid of me.'

I heard later that Patrick had gone to the booth and told them he was refusing to pay. They had asked him to wait for the police, so he had got out of his car and set up his pipes. He had stood on the booth island playing his pipes. This had drawn a lot of attention and he was soon surrounded by tourists and others who were curious about his choice of playing platform. He explained to his audience that he was being held on the island waiting for the police, because he had refused to pay this unreasonable toll. Needless to say the police arrived quickly and he was asked to go, without even a charge.

In acting the way they did the police were saving the Government from the folly of their own actions.

In acting the way they did the police were saving the Government from the folly of their own actions. What a nonsense it would have been if we had invited a world class piper to come and play at a prestigious Scottish event and then put him in a cell because like hundreds of British people he had refused to pay an extortionate toll. Once again by using their intelligence the police, faced with a dilemma, had adopted the wise route and had avoided the political storm which the technically correct route would have created.

We had a further public meeting in Portree on Wednesday 22nd November, chaired by Councillor Alan Beaton, a well known piper from Waternish, with 90 members or supporters present. At this meeting it was reported that there had been 400 criminal charged issued, to a total of 200 individuals by that time.

I have no source in my records for that information. However it is fair to say that we got a great deal of information from members of the community during the campaign, and most of it turned out to be remarkably accurate. This may be because in a small, relatively stable community there are strong links between people, either daoine càirdeach dha chèile no gum bi iad a' tighinn ri chèile aig rudan sòisealta air neo dìreach a' tachairt ri chèile ann an àiteachan far am feumar. 'S e a tha cinnteach ach gun d' fhuair sinn fiosrachadh bho luchd-obrach companaidh na Drochaide, bho na poilis fhèin agus bho oifis Neach-casaid a' Chrùin.

Aig a' choinnimh seo chaidh innse dhuinn gun robh Comhairle nan Eilean Siar, a bha air tighinn gu bith, air bhòtadh gus taic a thoirt dhuinn, agus bha dùil gum biodh Comhairle ùr na Gàidhealtachd a' dèanamh mar an ceudna a dh'aithghearr. Chuala sinn cuideachd gun robh an AA a' cur ìmpidh air an Riaghaltas maoin a thogadh tro Chìs na Ròidean a chur gu feum ann a bhith a' cur às do chìsean Drochaid an Eilein.

Chuir sinn dà chèilidh air dòigh gus airgead a thogail anns an Taigh-òsta Rìoghail ann am Port Rìgh air 2 agus 8 an Dùbhlachd 1995. Cha do thog Companaidh na Drochaide na cìsean air Latha na Nollaig, ach bha sinn a' togail fianais a-rithist air Dara Latha na Nollaig, a' giùlan Bodach na Nollaig a-nall ann am barra-cuibhle.

*

Mu dheireadh 1995 bha a' bhuidheann SKAT air fàs gu mòr, agus chaidh na rudan a rinn i fhoillseachadh air feadh an t-saoghail.

Mu dheireadh 1995 bha a' bhuidheann SKAT air fàs gu mòr, agus chaidh na rudan a rinn i fhoillseachadh air feadh an t-saoghail. Cha robh sinn stèidhichte nar buidheann-iomairt foirmeil fhathast, cha robh bunait no oifigearan taghte againn, ach bha taic nach bu bheag againn bhon choimhearsnachd, agus bha sinn air diofar dhleastanasan a leasachadh airson na daoine a bha ag obair gu saor-thoileach air ar son.

Air an làimh eile, bha a h-uile rud a' dol ceàrr don Riaghaltas. An innleachd as làidire aca, an lagh, a chuir iad ri chèile gus tilleadh a chur annainn, tuath na tìre, gus toirt oirnn ruith air falbh is dol am falach, bhathar a-nist ga chur fodha agus a' dèanamh magadh air. Cha robh sìon a dh'fhios aig Neach-casaid a' Chrùin ciamar a rachadh aig Cùirt an t-Siorraim ann an Inbhir Pheofharain air dèiligeadh ris na h-uiread a dhaoine a bhiodh a' nochdadh ron chùirt, agus bha ràta eucoir ar coimhearsnachd bhig air fàs a-mach à cuimse.

Cha robh ministearan na Pàrlamaid neo an luchd-leisgeul sna meadhanan buileach cho dàna a-nist mu na buannachdan a bha iad a' cumail a-mach a thigeadh chun an Eilein Sgitheanaich tron phoileasaidh aca, agus b' e an aon duan aca a-nist 'tha na cìsean nas saoire na an t-aiseag, agus cha robh iad air drochaid fhaighinn as aonais PFI'.

Chaidh sinne ann an SKAT a-steach don bhliadhna ùir agus sinn làn misneachd. Bha tòrr againn car iomagaineach mu dhol ron chùirt gus na casaidean eucorach a fhreagairt, ach chùm an taic mhòr a bha ar n-iomairt through relationships, or social organisation, or just meeting frequently at common service points. What is certainly the case is that we got information from the bridge company staff, from police sources, and from the Procurator Fiscal's office.

At this meeting we were informed that the new Western Isles Council had voted to support our campaign, and that the new Highland Council was expected to take a similar position shortly. We also heard that the Automobile Association were urging the Government to take funds from the Road-Tax to abolish the toll on the Skye Bridge.

We organised two fundraising céilidhs in the Royal Hotel in Portree on 2nd and 8th December 1995. The Bridge Company did not collect tolls on Christmas day, but we were again demonstrating on the bridge on Boxing Day, taking Santa across in a wheelbarrow.

*

By the end of 1995 the SKAT organisation had developed significantly and its activities were reported thoughout the world. We were not yet a formally constituted campaigning group with an agreed constitution, or properly elected officers, but we had massive support from the community, and had developed a division of responsibilities for the many active volunteers to undertake.

By the end of 1995 the SKAT organisation had developed significantly and its activities were reported thoughout the world.

The Government on the other hand were floundering. Their most powerful weapon – legal action – designed to deter us and send us running for cover, was being overwhelmed and treated with derision. The Procurator Fiscal did not know how Dingwall Sheriff Court was going to deal with the numbers who were facing charges and the recorded crime rate in our small community had exploded.

Government Ministers and their apologists in the media had lost their confident assertions about the benefits their policy would bring to Skye, and were now entrenched behind the mantra: 'The toll is cheaper than the ferry, and they would not have had a bridge without PFI.'

We in SKAT entered into 1996 in very confident mood. Many of us were anxious about having to appear soon to face the criminal charges against us, but we were sustained by the level of

a-nist a' faighinn ar misneachd rinn. Chreid cuid nach biodh an Riaghaltas cho làidir nar n-aghaidh agus na h-uimhir a thaic againn. Cha do chreid mise e. A' sealltainn air a' chùis on Eilean Sgitheanach, shaoileadh duine gur h-i ceist nan cìsean a bu mhotha ann an saoghal na poilitigs ag an àm, agus gu nàdarra bu chùis mhòr còmhraidh i anns na taighean-seinnse. Gidheadh, bha làn fhios agamsa gur e an rud bu mhotha a bhiodh aig ministearan an riaghaltais ri dheasbad 's iad ag òl an tì ach argamaidean sa Phartaidh Thòraidheach mun Roinn Eòrpa, agus ceannas John Major chòir.

Thuig mi gun robh na ministearan sin ro thrang a' feuchainn ri iad fhèin a chur air adhart sa phartaidh aca 's nach toireadh iad mòran feirt air cùis bhig a choreigin a bha a' gabhail àite ann an sgìre iomallach de Bhreatainn, rud aig nach biodh sìon a bhuaidh air toradh an taghaidh a bha ri teachd. Ma bha sinn a' dol a dh'atharrachadh poileasaidh an Riaghaltais a thaobh cìsean Drochaid an Eilein, smaoinich mise gur e caochladh Riaghaltais a bhiodh a dhìth oirnn. Nach mi bha gòrach.

Mar sin, tràth sa bhliadhna 1996, agus sinn ag ullachadh airson ar ciad chùis sa chùirt, bha sinn cuideachd a' deasbad agus a' faighinn deiseil gus an gnothach seo a thoirt a dh'ionnsaigh an luchd-poilitigs cho math ri iomairt phoilitigeach a chur ri chèile. A' faicinn mar a bha cùisean an dèidh seo, tha e inntinneach gun robh buill SKAT deiseil on a' chiad dol a-mach gus an t-sabaid seo a thoirt chun an luchd-poilitigs nan taigh fhèin.

Thàinig a' chiad chothrom againn san Fhaoilleach 1996. Air Disathairne an 27mh, rinn sinn ruith saorsa eile thairis air an drochaid, agus sin air latha fiadhaich fuar eile. Ach a dh'aindeoin sin bha 250 duine an làthair, agus bhruidhinn Teàrlach Ceanadach BP rinn agus e air ar cùlaibh an aghaidh nan cìsean àrda (ged a bha e glè fhaiceallach gun tarraing a thoirt air briseadh an lagha). Thuirt Teàrlach gum biodh e a' togail ceist ri Rùnaire na Stàite mu mar a mheudaich an eucoir ann an Sgìre Loch Aillse agus an Eilein Sgitheanaich uiread is 1000% agus mu dè a bha am Partaidh seo a bha cho mòr airson lagh is òrdugh a' dol a dhèanamh mu dheidhinn.

Gidheadh, bha duais an dàn dhuinn air an latha fhuar sin nuair a thug Taigh-Grùide an Eilein Sgitheaneaich buideal saor 's an asgaidh den leann ùr aca, 'Extortion Ale', dhan a h-uile duine a bha a' togail casaid, Teàrlach fhèin nam measg. Bha an taigh-grùide seo, a bha ùr-stèidhichte ann an Ùig an ceann a tuath dhen eilean, a' nochdadh taic don iomairt le bhith a' dèanamh an leann sònraichte seo dhan luchd-togail-fianais.

Air an Diluain a lean sin, rinn SKAT cinnteach gun robh sluagh mòr a' dèanamh casaid ann an Sruighlea, far an robh Àrd-Chomataidh Riaghaltas na h-Alba a' cruinneachadh, agus gu nàdarra ghabh sinn cothrom air a' chothrom coinneachadh a-rithist ris na Buill Phàrlamaid agus ar n-iomairt a chur an cèill dhaibh aon uair eile. 'S ann ri linn nan deasbadan sin ri Brian MacUilleim BP a chuir e air shùilean dhuinn gum

support which was now behind the campaign. Some believed that the Government, faced with this level of opposition, would back off. I never thought that was likely. From Skye it seemed as though the tolls issue was the major political issue of the day, and of course it was the main topic of conversation in Skye pubs. I was well aware however that in far-off London the main issue in the MPs' tea room, and the one which interested Government Ministers, was the bare knuckle fight in the Tory party over Europe, and Prime Minister John Major's leadership.

I knew that these Ministers were too busy jockeying for position within their own party, to take much notice of a minor issue, in a remote area of Britain, which was unlikely to affect the outcome of the coming election. If we were going to get a change in Government policy over the Skye Bridge toll I thought we needed to have a change of Government. Naively I thought that was all we needed.

So by the early months of 1996, while preparing to face our first court appearances, we were also debating and preparing to take our case to the politicians and to develop a campaign on the political front. In view of later developments it is interesting that the SKAT members were ready very early on in this campaign to take this to the politicians and fight in the political arena.

Our first opportunity to do this was in January 1996. On Saturday 27th January we had another freedom run demonstration over the Skye Bridge on another freezing cold day. Yet there were 250 at the demonstration and we were addressed by Charles Kennedy MP who supported the campaign against the high toll (although he was careful not to specifically support law breaking). Charles announced that he would be raising with the Home Secretary the massive 1000% increase in crime in Skye & Lochalsh, asking what this Party of law and order intended doing about it.

However we were rewarded for our efforts on that cold day when the Isle of Skye brewery handed out their new 'Extortion Ale' free to all the demonstrators, and to Charles. This brewery, then newly established in Uig in the north of the island, was showing its support for the campaign by brewing this special ale for the demonstrators.

On the following Monday SKAT ensured that there was a large presence and demonstration in Stirling where the Scottish Grand Committee were meeting. We took that opportunity to again meet with MPs and press our case on the tolls. It was during these discussions with Brian Wilson MP that the suggestion was raised that this issue be directed to the National Audit Office. We thought that

bu chòir a' chùis a bhith air a cur mu choinneamh Oifis Nàiseanta nan Sgrùdairean. Shaoil sinn gum b' e deagh bheachd a bha seo oir bha sinn toigheach gun deigheadh sùil cheart a thoirt air an sgeama seo bho thaobh ionmhais dheth.

*

Nochd sinn sa chùirt airson a' chiad uair ann an Inbhir Pheofharain air 9 an Gearran 1995. Bha sinne, gu nàdarra, air iarraidh gum biodh ar casaidean air an cluinntinn sa Chùirt ann am Port Rìgh oir bhiodh sin na b' fhaisge don mhòr-chuid dhen luchd-iomairt, ach dhiùltadh seo agus thug iad oirnn siubhal gu Inbhir Pheofharain (a bha, nam chùis-sa, 120 mìle air falbh) gus a' chùirt a fhrithealadh.

Ach 's ann a bha a' chùirt air tìr-mòr, leis a' mhòr-chuid dhen luchd-iomairt air an eilean, agus b' e an aon dòigh faighinn ann ach dol thairis air an drochaid. Mar sin a h-uile turas a ghairmeadh gu cùirt mi – rud a bha fìor dhan mhòr-chuid – airson 's nach do phàigh mi, bha agam ri dhol thairis air an drochaid an dà uair agus mar sin bhithinn a' briseadh an lagh dà uair eile. Air madainn 9 an Gearran, thog sinn fianais a-rithist air an drochaid agus chaidh sreath ùr de 'dh'eucoraich' a chur an gnìomh san iomairt.

Rinn sinn cùis mhòr dhe bhith sa chùirt. Bha 187 duine ann a' freagairt na bàirlinne, triùir nach do nochd idir agus mòran dhaoine bho na meadhanan.

Mus do thòisich cùis na cùirte, chruinnich sinn ann am meadhan baile Inbhir Pheofharain air cùl pìobaire agus mheàrrs sinn chun na cùirte le brataichean is eile, agus luchd-taic a' toirt bhileagan do mhuinntir an àite ag innse dhaibh mun chìs olc seo air Drochaid an Eilein Sgitheanaich.

Chaidh innse dhomh le clèireach nuair a chlàraich mi sa chùirt gun gabhte mo chùis-sa an toiseach on a bha iad ga dhèanamh a rèir na h-aibidil. Dìreach mar a shaoileadh tu, ghabh SKAT agus an luchd-taic thairis togalach na cùirte. Bha iad sa h-uile h-àite – ann an oifig a' chlàrachaidh, san t-seòmar tì (neo san trannsa), san t-seòmar-feithimh, bha seòmar na cùirte loma-làn dhiubh, agus bha iad taobh a-muigh na cùirte air na staidhrichean agus aig beulaibh an taigh-chùirte a' bruidhinn ri luchd nam meadhanan.

Nuair a thòisich cùisean sa chùirt, chaidh cur às do dh'oidhirp sam bith òrdugh is rian a chumail ri linn na bha ann de dhaoine agus gun robh an gnothach car coltach ri hòro-gheallaidh neo partaidh. Gu dearbh, is cuimhne leam fhìn oifigear-cùirte glè dhiombach a' bualadh bùird agus ag èigheach airson sàmhchair 's e ag ràdh 'Chan e seo Palàdium Lunnainn', rud a thug gàire air a h-uile duine sa chùirt làn sin.

Nuair a thòisich cùisean sa chùirt, chaidh cur às do dh'oidhirp sam bith òrdugh is rian a chumail ri linn na bha ann de dhaoine agus gun robh an gnothach car coltach ri hòro-gheallaidh neo partaidh.

An dèidh beagan ciùineachaidh is rian fhaotainn air cùisean, thàinig an

this was an excellent idea as we were keen to see this scheme carefully examined financially.

*

Our first Court appearance was in Dingwall on 9th February 1995. We had of course argued that the cases should be heard in the Court Room in Portree, since that would have been closer for the majority of the campaigners, but this was rejected and they forced us to travel to Dingwall (in my case 120 miles each way) to attend court.

The court was on the mainland and most of the campaigners lived on Skye and the only way to get from Skye to the mainland was over the Skye Bridge. This meant in my case, as in most cases, that every time I was called to court for non payment, I had to cross the bridge twice, and got two new non payment charges. On the morning of 9th February we mounted another non-payment demonstration on the Skye Bridge and a 'new wave' of 'criminals' were enrolled in the campaign.

We made a big thing of our first court appearance. There were 187 people in court answering a summons and three who failed to appear, and of course a large number of supporters and many from the media.

Before the case started we formed up in the centre of Dingwall, behind a piper and marched to the court behind flags, banners and placards, and we had supporters handing out leaflets to local people telling them about the now notorious Skye Bridge toll.

I was informed by the clerk when I registered at the court that my case would be taken first, as the cases were being taken in alphabetical order. As will be easily imagined SKAT and their supporters took over the court building. They were everywhere, in the registration office, in the tea room (or corridor), in the waiting room, packed in the court room and outside on the steps and forecourt talking to the media.

When the legal process began the effort to enforce a solemn respectful atmosphere in the courtroom, gallantly attempted by the court officials, collapsed entirely because of the numbers of people and the party atmosphere. Indeed I recall an irate court official banging and shouting for silence and announcing 'this is not the London Palladium' and this was met with a roar of laughter from the packed courtroom.

When the legal process began the effort to enforce a solemn respectful atmosphere in the courtroom, gallantly attempted by the court officials, collapsed entirely because of the numbers of people and the party atmosphere.

After achieving some level of order the Sheriff entered and

Siorram a-steach agus thòisich a' chùirt. Bha cùis neo dhà ri èisteachd nach robh ceangailte ri cìsean na drochaide agus chaidh dèiligeadh riutha sin an toiseach. An uair sin chaidh aire a thoirt air gnothaichean rianachd a dh'èirich a-mach à cùisean-lagha SKAT. Dh'adhbhraich cuid dhiubh sin gàire sa chùirt gu lèir a-rithist. Mar eisimpleir, chaidh aithris nach do nochd Dan Corrigan, ceannaiche-èisg san eilean, a thoirt freagairt air a' bhàirlinn agus an uair sin chaidh innse don chùirt le neach-tagraidh air sgàth Dan nach b' urrainn dha faotainn chun na cùirte a chionn 's nach leigeadh companaidh na drochaide leis dol thairis air an drochaid agus nach robh rathad sam bith eile a dh'fhaodadh e tighinn.

Chaidh an neach-tagraidh seo air adhart a mhìneachadh gun robh e air diùltadh 'notaichean gealltanais' a thug an companaidh dha chor 's gum faigheadh e thairis air an drochaid, rud a rinn e gu tric 's e ri obair, 's gun robh an companaidh a-nist air diùltadh dhasan dol a-null. Mhìnich e cuideachd gum biodh e air tighinn air an aiseag, ach bha an Riaghaltas air an aiseag a dhùnadh sìos gus toirt oirnn an drochaid a chleachdadh. Is iomadh duine san eilean a tha eòlach air a' charactar seo, agus chaidh a h-uile duine sa chùirt nan lùban leis a' ghàireachdainn agus an neach-tagraidh a' mìneachadh na cùise ann an dòigh cho trom foirmeil. Ghabh an Siorram ri leisgeul Dan.

Chaidh tagraidhean eile a dhèanamh ris an t-Siorram a thaobh dotairean agus tidsearan às an eilean nach rachadh aca air èisteachd-cùirte a fhrithealadh air Màrt 1 a chionn 's gum biodh iad ag obair, agus gu dearbh bha eadhon ministear a bhiodh ri obair miseanaraidh an Afraga aig an àm sin.

An uair sin chaidh mise a ghairm gu cròthan na cùirte mar a' chiad chùis.

Mar a bha cùisean san àite sin, bha mi deiseil is deònach an ròl a chuir na h-ùghdarrasan romhainn a choileanadh, oir gu dearbh bha mi a' faireachdainn nach e mise a bha ri aghaidh lagh na cùirte seach an siostam fhèin, agus nach robh mi ach a' toirt fianais don phoball, daoine aig an robh ùidh sa chùis 's a bha le làn aire orm.

Bha mo ròl an latha ud gu math sìmplidh. Bha mi air comhairle fhaotainn aig Robbie-the-Pict, agus chaidh a' chomhairle seo aontachadh le Iain Caimbeul, manaidsear an ionaid fhoghlaim do dh'inbhich a bha mi air a bhith a' frìthealadh. Bha aithne agam air Iain agus bha fhios agam gun robh e ciallach earbsach, agus bha e coltach gun robh e fiosrachail mun lagh. Mar sin chùm mi ris a' chomhairle sin.

Cha do ghabh mi ri fiathachadh na cùirte a ràdh gun robh mi ciontach neo neochiontach. Dh'iarr mi deasbad mu dheidhinn dè cho ceart is a bha na casaidean nam aghaidh, agus dheònaich a' chùirt seo 's chaidh latha eile a chur mu seach gus èisteachd ri seo. On a b' e an dòigh seo a chaidh a chomhairleachadh, chùm a' chuid as motha dhe na daoine a lean mise ris

business began. There were one or two cases unrelated to the bridge toll and they were processed first. Then attention was given to administrative issues arising from the SKAT cases. Some of these matters managed to set the whole court in fits of laughter again. For example it was reported that Dan Corrigan, a well-known Skye fish merchant, had failed to appear in answer to the summons. The court was then advised by a solicitor representing Dan that he could not get to the court because the bridge company would not allow him across the bridge and there was no other route he could take.

His solicitor went on to explain that he had failed to pay a number of promissory notes issued by the company to him to allow him over the bridge, which of course he had to do frequently because of his business. So they had now refused to allow him to cross. He went on to explain to the Sheriff that he would have come over on the ferry, but the Government had closed down the ferry in order to force us to use the bridge. Dan is a well-known character in Skye and this incident, solemnly reported by his solicitor to the court, had the effect of setting the whole court into fits of laughter. Dan's excuse was formally accepted by the Sheriff.

There were other representations made to the Sherriff about local GPs and teachers who would not be able to attend a trial hearing fixed for them on 1st March because they were required on duty, and indeed one in relation to a minister who would be on missionary work in Africa at that time.

Then I was called to the dock as the first case.

In that atmosphere I was confident and content to play out the role the authorities had set for us. Indeed I did not feel on trial at all. I considered that the system was on trial and I was merely giving evidence to a public gallery which was interested and attentive.

My role that day was simple, I had been given advice by Robbie-the-Pict and this advice had been endorsed by John Campbell, who was then the manager of the adult education centre I had been attending. I knew John and knew that he was intelligent, reliable and knowledgeable about the law. So I stuck to the advice I had been given.

I did not accept the invitation to plead guilty or not guilty. I asked for a debate into the competency of the charges against me and this was granted by the court and a hearing fixed. As this approach was the one being advised, this was the pattern followed by most of those who were called after me, although not

an aon phàtran, ged nach b' e a h-uile duine a rinn seo. Mar sin, thòisich sgeul fhada na cùirte agus bha agam agus aig mòran eile ri nochdadh sa chùirt mu chùis cìsean Drochaid an Eilein Sgitheanaich.

*

A chionn 's gun robh an iomairt air fàs cho mòr ann an ùine bhig, agus nach robh bun-stèidh ceart againn fhathast, smaoinich cuid againn mu dheidhinn structair a chur ri chèile airson bun-reachd deamocratach.

Thuig sinn gum faodadh am fàs mòr seo, mun robh sinn uile cho toilichte, a bhith air dhroch bhuil mura làimhsicheadh sinn an suidheachadh gu ceart. Mar eisimpleir, bha sinn air cumail oirnn leis na coinneamhan gach seachdain, mar bu trice air madainn Disathairne, agus a-nist bha na coinneamhan sin air am frìthealadh le tòrr dhaoine, cuid dhiubh nach robh eòlach air càch a chèile. Na daoine a bha air tòiseachadh air gnìomh dìreach a phlanaigeadh, agus a bha air cur an aghaidh nan cìsean, bha iad nas cleachdte ri coinneamhan beaga far an robh aithne aig a h-uile duine air a chèile. Thòisich iad a' faireachdainn gun robh iadsan a thàinig a-steach gu h-às ùr dhan chùis, agus nach robh air tighinn fon lagh airson nach do phàigh iad a' chìs, a' gabhail thairis a' chomataidh 'acasan'. B' e bhuil gun robh 'sgioba' SKAT air leth o bhuill eile.

Smaoinich cuid againn mu dheidhinn structair a chur ri chèile airson bun-reachd deamocratach.

B' iad an 'sgioba' an fheadhainn a bha casaid an lagha ga chur às an leth. Bha eadhon suaicheantas sònraichte ann dhaibh. Bha cuid againn a' faicinn sin mar rud cunnartach, a dh'fhaodadh sgaradh adhbhrachadh san iomairt ri tìde. Cuideachd, bha a' cheist ann mu dheidhinn 'briseadh an lagha' seach dòighean eile fianais a thogail an aghaidh nan cìsean.

Bha sinn a-nist a' faighinn taic bho dhaoine sa choimhearsnachd a bha gu làidir air ar son, ach nach robh toilichte mun phoileasaidh againn mu bhith a' toirt aghaidh air an lagh. Thòisich cuid de bhuill SKAT a' smaointinn ann an dòigh caran dàna gun robh an fheadhainn nach robh 100% air ar cùl nar n-aghaidh. Dh'fhaodadh gun gabh seo a thuigsinn oir bha cuid a' faireachdainn gun robhar a' bagairt orra agus gun robh iad fo shèist, agus bha iad ag iarraidh luchd-taic ùr a chuidicheadh agus a mhisnicheadh iad, chan e bhith dol nan aghaidh, ach a-rithist dh'fhaodadh seo a bhith air sgaraidhean adhbharachadh sa choimhearsnachd.

Gu fortanach bha a' mhòr-chuid de bhuill SKAT rud beag nas tuigsiche agus ghabh iad ris gun robh barrachd air aon dòigh ann gus cur an aghaidh nan cìsean, agus gum bu chòir dhuinn obrachadh còmhla ri chèile gus ar n-amas a thoirt a-mach, eadhon nan dèanadh sinn seo ann an diofar dhòighean.

by all. This therefore was the beginning of a long series of court appearances for myself and many others over the Skye Bridge tolls saga.

*

Because the campaign had grown so large so quickly, and we had no structural basis as yet, some of us started to get concerned about developing a structure for a democratic constitution.

We recognised that our rapid growth, which we were all so pleased about, might also have a negative side if we did not handle the situation properly. For example we had continued to have regular weekly meetings, usually on a Saturday morning, and now these meeting were being attended by a large group of people not all of whom were known to each other. The people who had started to plan the direct action, and had first challenged the toll, had been used to smaller meetings where everyone knew each other. They started to feel that the newcomers, some of whom had not been charged for non-payment, were taking over 'their' committee. This led to the distinction which started to appear between 'crew' members of SKAT and other members.

Some of us started to get concerned about developing a structure for a democratic constitution.

The 'crew' members were the ones who had criminal charges against them. There was even a separate badge for 'crew' members. Some of us saw that as a dangerous development, and one which would lead to divisions in the campaign over time. Also there was the question of 'breaking the law' as against other forms of opposition to the tolls.

We were now attracting interest from people in the community who strongly supported our objective, but were not happy about our policy of confronting the law. Some SKAT members started to adopt the high handed view that those who are not 100% behind us, are against us. This may have been perfectly understandable for people who felt threatened and under siege, who wanted new supporters to encourage and assist them, not to challenge what they were doing, but of course this attitude could again have created divisions in the community.

Fortunately the great majority of SKAT members took a much more flexible approach. They accepted that there were different ways of resisting the tolls and that we should work together for our objective, even if we did so by different routes.

A' dol air ais gu leabhar Raibeart Danskin, air an tug mi tarraing san ro-ràdh, canaidh esan mu dheidhinn an diofar eadar poileasaidh SKAT agus poileasaidh an Skye Bridge Appeal Group 'The two pressure groups complement each other, so their joint efforts should surely bring the scandalous situation of the tolls to an end.'

Thachair a leithid aig toiseach na h-iomairte. Aig coinneamh air 10 an Gearran 1996 ann am Port Rìgh, chnuasaich SKAT air buidheann-riochdachaidh a chur sìos gu Taigh nan Cumantan. Chaidh iarraidh ormsa an dèidh seo a leithid de bhuidhinn a chur air dòigh às leth SKAT agus an dèidh sin a-rithist thug SKAT fiathachadh don SBAG tighinn còmhla rinn.

Chruinnich a' bhuidheann-riochdachaidh ann an seòmar 3 ann an Taigh nan Cumantan air Diciadain 5 an t-Ògmhios sa bhliadhna sin, far an do choinnich sinn ri 14 BPA agus a choinnich cuid eile againn ri BP ann an àite eile, Tony Benn nam measg. Aig a' choinneimh ann an Westminster b' i Myra Scott-Moncrieff, Rùnaire Coitcheann SKAT, a bha sa chathair. A' toirt seòladh dha na BP bha daoine o SBAG: Peter Findlay nach maireann (innleadair-thogalach), Iain Begg (ailtire), Bob Danskin, agus Pam Noble, Rùnaire SBAG. Às leth SKAT b' iad an luchd-bruidhne Myrna, an Comhairliche Andrew Millar agus mi fhìn.

Is dòcha gun robh na BP air tarraing a thoirt oirnne mar amadain neo ceannaircich ann an seòmar-tì nan Cumantan, ach chùm sinne coinneamh rianail dhòigheil agus chuir sinn deagh argamaid reusanta an cèill an aghaidh nan cìsean.

Is dòcha gun robh na BP air tarraing a thoirt oirnne mar amadain neo ceannaircich ann an seòmar-tì nan Cumantan, ach chùm sinne coinneamh rianail dhòigheil agus chuir sinn deagh argamaid reusanta an cèill an aghaidh nan cìsean, chun na h-ìre 's nach b' urrainn dha na BP ar cùis a bhriseadh sìos, agus chuir iad romhpa buidheann-riochdachaidh-eadar-phartaidheach a chur ri chèile a thigeadh dhan Eilean Sgitheanach gus a' cheist a rannsachadh. Bha toradh air seo oir chaidh a' bhuidheann seo a chur ri chèile, thàinig iad dhan eilean, agus chuidich iad san iomairt fhada phoilitigeach a lean sin.

Mus do thòisich a' choinneamh gu ceart, thàinig Tony Benn a bhruidhinn ris an fheadhainn againne a bha a' cruinneachadh ann an seòmar na Comataidh. Thuirt e rinn gun robh seòrsa de dheuchainn 'litmus' aige gus soirbheas iomairtean ionadaile a chualas ann an seòmar-tì nan Cumantan a thomhas. Thuirt e gum feumadh a leithid de dh'iomairtean, nan robh iad gu bhith leantainneach agus soirbheachail sa cheann thall, a dhol tro thrì ìrean a dheuchainn.

An toiseach, nuair a thogadh ceist ionadail aire nam meadhanan, chanadh buill phàrlamaid san riaghaltas; ''s e amadain a tha san luchd-iomairt sin nach eil a' tuigsinn na ceiste agus a tha a' dèanamh ùpraid mu neoni'.

San dara àite, 's e chanadh iad nam biodh an iomairt a' cumail a' dol agus a' togail aire nam meadhanan; 'tha na daoine seo cunnartach agus claon, agus chan fhaod sinn gèilleadh riutha idir'.

To quote from Robert Danskin's book, when addressing this question of the difference in policy between SKAT and SBAG (Skye Bridge Appeal Group) he writes: 'The two pressure groups complement each other, so their joint efforts should surely bring the scandalous situation of the tolls to an end.'

This was demonstrated very early in the campaign. At a meeting on 10th February 1996 in Portree SKAT first considered sending a delegation to the House of Commons. I was later asked to organise such a delegation on SKAT's behalf, and later still SKAT invited SBAG to join us in this delegation.

The delegation took place in Committee Room 3 in the House of Commons on Wednesday 5th June that year, where we met 14 Scottish MPs and some of us met other UK MPs elsewhere including Tony Benn. The meeting in Westminster was chaired by Myrna Scott-Moncrieff, the General Secretary of SKAT. Addressing the MPs were from SBAG, the late Peter Finlay, civil engineer; Ian Begg, architect; Bob Danskin; and Pam Noble, SBAG Secretary. For SKAT the speakers were Myrna, Councillor Andrew Millar, who ran the post office in Portree, and myself.

MPs may have been referring to us as fools or subversives in the Commons' tearoom but we conducted a well-organised meeting and a well-argued rational case against the tolls, to such an extent that the MPs could not break down our case, and decided to form a joint party delegation to visit Skye and investigate the issue. This activity was fruitful because this joint party group of MPs was formed, did visit Skye, and did assist in the long political campaign which followed.

MPs may have been referring to us as fools or subversives in the Commons' tearoom but we conducted a well-organised meeting and a well-argued rational case against the tolls

Before the meeting proper got under way Tony Benn MP came and had a talk with those of us who were congregating in the Committee Room. He told us that he had a litmus test for measuring the success of local campaigns which had managed to reach the MPs' tea rooms in the House of Commons. He said such campaigns, if they were persistent and eventually successful, had to go through three stages on his litmus test.

First, when a local issue got national media coverage MPs from the Government Party would be pronouncing that 'These campaigners are all idiots who do not understand the issue and are foolishly kicking up a fuss about nothing.'

Stage two was when the campaign persisted and managed to maintain media coverage. The line then would be, 'These people are subversives and dangerous and we must make no concessions to them.'

San treasamh àite, mura robh an iomairt a' stad agus gun robh i a' faighinn barrachd is barrachd taic bhon mhòr-shluagh, sann a chluinnte na BP ceudna ag ràdh, 'Feumaidh sinn cnuasachadh a dhèanamh air a' phuing aca, oir bha mi riamh a' smaointinn gun robh còir againn tuilleadh cnuasachaidh a dhèanamh air an sgeama seo'.

Dh'innis Tònaidh dhuinn gun robh ar n-iomairt air deireadh ìre a h-aon dhen deuchainn aige a ruigheachd agus gun robh e a' tighinn gu ìre a dhà mu thràth, agus mar sin chomhairlich e dhuinn cumail oirnn agus cuideam a chur orra.

Rud inntinneach eile is cuimhne leam on choinneimh sin, 's e gun robh SKAT air aontachadh £40 de chosgaisean-siubhail a thoirt don fheadhainn a chaidh sìos a Lunnainn. Bha againn ri Lunnainn a ruigsinn on eilean, leabaidh 's lòn fhaotainn, an latha an dèidh sin a chaitheamh aig coinneamhan agus a' togail fianais ann an Westminster, leabaidh 's lòn eile fhaotainn agus tilleadh don eilean an ath latha, air chosgais £40.

Nam chùis-lagha-sa shiubhail mi le mo chàr a' togail Ailig Mac a' Ghobhainn à Carbost 's e a' tighinn cuide rium. Dhràibh mi sìos gu Ath nan Damh far a bheil caraid agam, agus dh'fhan mi le Alf agus Lil Collier. Dh'fhàg mi an càr ann an Ath nan Damh agus fhuair sinn am bus gu Lunnainn. An dèidh dhuinn ar gnothaichean a dhèanamh ann an Lunnainn, ghabh mi fhìn is Ailig am bus air ais a dh'Ath nan Damh, far an tug Lil biadh math dhuinn agus far an d' fhuair sinn deagh chadal oidhche. An dèidh bracaist an ath mhadainn thill sinn don eilean. Mar sin, chosg sinn an £80 air peatrail – bha sin gu leòr airson a' pheatrail a phàigheadh sna làithean sin.

Mar a thachair, bha Alf na bhàillidh ann an Ath nan Damh sna làithean sin, agus mar sin saoil dè smaoinicheadh a cho-luchd-obrach dheth agus e 'a' dìon' dithis eucorach Albannach fhad 's a bha iad a' cur a' phròiseict 'eucorach' an gnìomh.

'S iad na rudan sin, a thachair sna ciad làithean dhen iomairt, a thug SKAT gu bith ann an dòigh shònraichte. Bhiodh an còmhnaidh coinneamhan cunbhalach dhen bhallrachd againn far am biomaid a' cur ar poileasaidh ri chèile. Bha sinn riamh dhen bheachd nach bu chòir dhuinn fòirneart a chleachdadh nar n-iomairt agus gur h-e a bhith a' cur ar n-argamaidean an cèill a bha fa-near dhuinn. Bha sinn a-nist a' cur an aghaidh nan cìsean gu ceart cùramach, gu fosgailte agus ann an dòigh a ghabhadh atharrachadh.

Mar a dh'ainmich mi a cheana bha sinn faiceallach gun 'Oifigearan' foirmeil a thaghadh ann an SKAT a chionn 's gun robh dragh oirnn gun rachadh a chur às leth buidhinn sam bith a bha a' cur roimhe 'lagh na h-eucorach' a bhriseadh gun robh iad ri foill. Cha robh seo na dhragh dhuinn aig toiseach 1996 ge-tà. Thuig sinn nach robh tìde no cothrom aig

Stage three, was when the campaign did not go away, and was gaining wider public support, then the same MPs could be heard pronouncing, 'We will need to consider the point they are making, I have always felt that this scheme needed more careful consideration.'

Tony Benn told us that our campaign had reached the end of stage one on his litmus test and was entering into stage two already, so he advised us to keep at it, and keep up the pressure.

Another interesting memory of that Westminster meeting was that SKAT had agreed to pay £40 expenses each to those who travelled to London. We had to get to London from Skye, pay for overnight accommodation, spend the next day at meetings and demonstrating in Westminster, spend another overnight, then get back to Skye the following day, all on £40.

In my case I travelled south with my car picking up Alex Smith, another pensioner from Carbost, who came with me. I drove to Oxford where I have a lot of friends, and we stayed with Alf and Lil Collier. I left the car in Oxford and we got the bus into London. After we were finished in London Alex and I took the bus back to Oxford, where Lil gave us a good dinner and we had another comfortable night's sleep. After breakfast next morning we drove on back to Skye. So we spent the £80 on petrol which may have been nearly enough to cover our fuel costs in those days.

Incidentally Alf was then a magistrate in Oxford, so one wonders what his colleagues on the bench would have though of him 'harbouring' two Scottish convicted criminals while they acted to develop their 'criminal' project.

These experiences, very early in the campaign, began to forge SKAT in a particular way. We had always had regular members meetings where policy was decided. We had always taken the view that our campaign must be non-violent, and must be directed towards getting the arguments across. We now had developed a tolerant, open, and flexible approach to resisting the tolls.

As indicated earlier we were careful at first not to establish formal elected 'Officers' of SKAT because we had been concerned that any such grouping which was planning to break the 'criminal law' was wide open to charges of conspiracy. By early 1996 this was no longer a concern for us. We recognised that the time or opportunity for the Government to

an Riaghaltas tuilleadh 'ceannardan' na h-iomairte a chur air leth agus eisimpleir a dhèanamh dhiubh, nam b' e 's gun robh riamh.

Bha fhios againn nam feuchadh an Riaghaltas ri ceannardan SKAT a chur air leth chor agus gun dèanadh iad eisimpleir dhiubh nach obraicheadh seo idir agus gum biodh iad nan cùis-bhùirt ri linn an taic mhòir a bha ar n-iomairt air fhaotainn gu h-ionadail, gu nàiseanta agus gu h-eadar-nàiseanta. Gu dearbh, na b' fhaide air adhart san iomairt sann a thug sinn air an Riaghaltas a dh'aona-ghnothach oifigear SKAT a chur fon lagh chor agus gun cuireadh sinn cuideam poilitigeach orra.

Uime sin bha comas aig structair ar ceannais sna làithean tùsail a bhith a' sìor atharrachadh: aig cha mhòr a h-uile coinneamh b' e neach-cathrach eadar-dhealaichte a bha ann. Thàinig ge-tà àireamh meadhanach mòr de 'luchd-gnìomha' am bàrr a bha gu bhith nan ceannardan air dòigh air choreigin.

Thàinig dà sheòrsa de cheannard am bàrr ri linn a' phròiseas seo. An toiseach bha daoine mar a bha Robbie-the-Pict, aig an robh 'eòlas' sònraichte air raon àraid a ghabhadh cur gu feum. An uair sin bha daoine a bha iomraiteach agus a bha nam fìor dheagh luchd-cainnte nan ceàrnaidhean fhèin.

Uime sin bha comas aig structair ar ceannais sna làithean tùsail a bhith a' sìor atharrachadh: aig cha mhòr a h-uile coinneamh b' e neach-cathrach eadar-dhealaichte a bha ann.

Tha an t-Eilean Sgitheanach gu math mòr, 50 mìle a dh'fhaid agus 30 mìle a leud agus mar a tha fhios tha tòrr bheanntan is lochan-mara a' dol tarsainn air, rud a dh'fhàgas mar is trice duilgheadasan-conaltraidh eadar sgìrean. Is dòcha gur e seo is adhbhar gu bheil coimhearsnachdan ionadaile fa leth dìleas dhaibh fhèin. Co-dhiù neo co-dheth tha e fìor ma tha taic làidir aig buidhinn sam bith o neach-gnìomha neo dhà à coimhearsnachdan air leth, gum bi a' bhuidheann a' faighinn taic làidir bhuapa sin. Tha seo a cheart cho fìor mun tìr-mòr agus Loch Aillse. Bha e cudromach dhuinne gum biodh daoine a' gabhail na h-uallach orra fhèin ballrachd a thogail ann an sgìrean sònraichte, agus far an robh meas aig na daoine às na sgìrean sin orra, rud a bha fìor mun mhòr-chuid dhiubh, bha taic làidir ri fhaotainn sna sgìrean sin.

San dòigh seo bha againn sa bhliadhna 1996 grunn 'Rùnairean': mar eisimpleir, b' e Robbie-the-Pict an rùnaire laghail, mi fhìn an rùnaire poilitigeach, Robbie Cormack (neo Robbie-the-Bridge mar a dh'ainmicheadh e) an rùnaire eagrachaidh, Liz Nic an t-Saoir, boireannach a dh'aithnicheadh mòran agus a bha ag obair sa Cho-op ann am Port Rìgh, an rùnaire ionmhais, agus Myrna Scott-Moncrieff an rùnaire coitcheann a thog na 'mionaidean' agus a bha ri conaltradh nar measg.

Bha pàirt cudromach aig a h-uile comhairliche, mar bu trice mar chathraichean.

An uair sin bha luchd-eagrachaidh ann às na sgìrean. Milly Simonini agus a fear-cèile Dànaidh (a bha uair na thogalaiche) à Slèite, dithis a bha

single out the 'ringleaders' of the campaign and make an example of them, was not available any longer, if indeed it ever had been.

We knew that if the Government tried to single out the SKAT leadership now in order to make an example of them, this would backfire badly and blow up in their faces, because of the massive local, national and international support our campaign had attracted. Indeed at a later stage of the campaign we actually deliberately pushed the Government into taking action against a SKAT official in order precisely to put political pressure on them.

Our leadership structure in the early days therefore had been fluid and flexible. Almost every meeting was chaired by a different person. Very soon however a fairly large number of 'activists' were identified in a number of leadership roles.

Two types of leaders emerged from this process. First there were people such as Robbie-the-Pict, who was seen to have particular expertise in a specific area which could be exploited. Then there were people who were well-known and good communicators in their own districts.

Our leadership structure in the early days therefore had been fluid and flexible. Almost every meeting was chaired by a different person. Very soon however a fairly large number of 'activists' were identified in a number of leadership roles.

Skye is a large island 50 miles long, and 30 miles wide and of course crossed by mountains and sea lochs so that communication between districts has traditionally been problematic. This may be why there is great loyalty to local communities. In any event it is true that if any organisation has strong support from one or more of the community activists, then that organisation is likely to get strong support from that community. The same, of course, also applies to associated mainland districts in Lochalsh. It was important to us that people took on the responsibility to organise the membership in particular districts and where they were popular in the district, as they were in almost all cases, the support from that district was strong.

In this way by early 1996 we had a number of 'secretaries' – Robbie-the-Pict for example was legal secretary; I was political secretary; Robbie Cormack, (or Robbie-the-Bridge) as he was known, was organising secretary; Liz MacIntyre, a well-known lady who worked in the Co-op in Portree, was fundraising secretary; and Myrna Scott-Moncreiff was the main minute and communications secretary or General Secretary.

All the councillors played leading roles, usually chairing the meetings.

Then there were organisers from the districts. Milly Simonini and her husband Danny a retired builder were well known in Sleat and gnìomhach sa Phartaidh Nàiseanta; an t-ùghdar Alasair Scott is a bhean Sheena à Caol Reatha mar riochdairean don sgìre sin; Ùisdean MacCoinnich is a bhean Màiri Anna à Dùn Bheagan don sgìre acasan; Ian Willoughby, tidsear a bha nist air chluaineas, às Ùig; Mòira NicDhòmhnaill, tidsear à Sgèabost; Anna Chamshron, aig an robh bùth fhlùraichean sa Chaol; Harry Slatter, aig an robh cafaidh ann an Caol Acainn, agus tòrr eile.

A bharrachd orrasan, bha daoine mar Seon Caimbeul, aig a bheil fìor alt mar chartùnaiche, agus a bha fiosrachail mu chùisean laghail, agus Ron Shapland a bha uaireigin ag obair do Choimisean na Coillte agus a bha glè eòlach air gnothaichean a thaobh airgead a chur ann am pròiseactan fad-thèarmach, agus thoir fa-near Ray Shields, a ruith làrach eadar-lìn dhuinn. Bha a h-uile duine a tha sin, agus tòrr eile, ri ceannaireachd ann an SKAT fada mus robh ar ciad Coinneamh Bhliadhnail againn, nach cumadh gu 23 an t-Samhain 1996.

Mar sin bha ar ciad structair air a dhèanamh suas le daoine a chaidh a chur an oifis ri linn cho measail 's a bha iad aig na buill air sgàth an 'eòlais' àraid air neo an ceanglaichean ri àite àraid, ach tha e nàdarrach gu leòr gun robh cuid dhiubh eòlach san dà dhòigh sin.

Aig a' chiad Choinneimh Bhliadhnail seo chaidh Drew Millar a thaghadh mar Neach-gairme, Alasdair MacIlleathain agus Màiri Anna NicCoinnich mar dhà Iar-Neach-Gairme, Ailig Mac a' Ghobhainn mar Ionmhasair, agus Myrna Scott-Moncrieff mar Rùnaire Coitcheann. Chaidh aontachadh cuideachd gun leanadh na 'rùnairean' eile air adhart nam puist, agus gun rachadh bun-reachd ceart a chur ri chèile. Chaidh gabhail ris a' bhun-reachd sgrìobhte leis na buill aig coinneimh air 18 am Faoilleach 1997.

Aig coinneimh air 7 an Dùbhlachd 1996 chaidh cur roimhe gun tigeadh obair SKAT fo cheithir comataidhean: Ionmhas, Lagh, Poilitigs agus Ballrachd. Bha rùnaire agus 'neach-labhairt' aig gach comataidh a bha seo. Shaoilte gun robh an structair seo freagarrach airson mar a bha ar buidheann a' tighinn air adhart agus sinn a' dèiligeadh ri cùisean o latha gu latha.

'S ann dìreach ron chiad Choinneimh Bhliadhnail a chunnaic sinn a' chiad chomharradh de dh'eas-aonta taobh a-staigh SKAT. Aig coinneimh san Taigh-òsta Rìoghail ann am Port Rìgh air 18 an Dàmhair '96, thog fear dhe na buill a bu ghnìomhaiche againn cuspair aig deireadh na coinneimh mar 'gnothach iomchaidh sam bith eile'. Thuirt e gun robh SKAT air Robbie-the-Pict a leigeil sìos gu mòr agus gun robh e gann de dh'airgead mar bhuil.

Thog seo aire a h-uile duine aig a' choinneimh. Lean e air a' cumail a-mach gun tugadh gealladh do Robbie-the-Pict leis na Comhairlichean

active in the SNP; Alastair Scott, the author, and his wife Sheena from Kylerhea, represented that area; Hugh and Mary Ann MacKenzie who had a restaurant in Dunvegan represented their district; Ian Willoughby, retired teacher from Uig; Moira MacDonald teacher from Skeabost; Ann Cameron who had a florist shop in Kyle; Harry Slatter who had a café in Kyleakin, and many others.

In addition there were people like John Campbell who has great talent as a cartoonist and was also knowledgeable on legal matters, and Ron Shapland who had worked for the Forestry Commission and was very knowledgeable about long term investment projects, and of course Ray Shields who ran a website for us. All of these people and many others were playing a leadership role in SKAT long before we had our first AGM which did not take place until 23rd November 1996.

So our early structure was composed of people appointed by the general acclaim of the members because of their particular expertise or of their geographical connections and of course many individuals had both.

At this first AGM Drew Millar was elected as Convener, Alasdair MacLean and Mary Ann MacKenzie were elected as Vice-Conveners, Alex Smith was elected as Treasurer, and Myrna Scott-Moncrieff was elected as General Secretary. It was also agreed that the other 'secretaries' should continue in post, and that a proper constitution would be drafted up for approval, later accepted by a meeting of the members on 18th January 1997.

At a meeting on 7th December 1996 it was decided that the work of SKAT should come under four committees: Funding, Legal, Political and Membership. Each of these committees had a secretary and a 'spokesperson'. This structure seemed to fit in with how our organisation had developed as we dealt with the day-to-day problems.

It was just before the first AGM that we witnessed the first sign of disagreement within SKAT. At a meeting in the Royal Hotel in Portree on 18th October 1996 one of our very active members raised a matter at the end of the meeting under any other business. He informed the meeting that Robbie-the-Pict had been badly let down by SKAT and was considerably out-of-pocket as a result.

This statement got the attention of the whole meeting. He went on to claim that Robbie-the-Pict had been promised by

Gavin Scott-Moncrieff agus Drew Millar gum faigheadh e tuarastal o SKAT nan tigeadh e chun an Eilein Sgitheanaich a chuideachadh anns an iomairt an aghaidh nan cìsean. Cha robh seo air tachairt: gu dearbh, 's e an dearg chaochladh a thachair, oir bha a phòcaid gu math falamh air tàillibh 's na rinn e air ar son. Bha Robbie-the-Pict an làthair aig a' choinneimh, ach cha tuirt e dad airson neo an aghaidh na tha seo.

Fhuair a' mhòr-chuid againn clisgeadh ceart a' cluinntinn seo, agus air barrachd air aon adhbhar a-mhàin.

(a) Bha Robbie-the-Pict air a bhith an sàs san iomairt fad còrr is bliadhna mun àm ud, agus b' e seo a' chiad uair a chuala sinn iomradh air seo.

(b) Bha sinn làn fhiosrachail gun robh Taghadh-pàrlamaid air fàire, agus bha mòran againn dhen bheachd gun rachadh cur às dha na cìsean leis an Riaghaltas ùr. Cha robh sinn an dùil gum biodh SKAT ann fada gu leòr gus cuideigin fhastadh.

(c) Càite am faigheadh SKAT airgead airson cuideigin fhastadh, saoil?

(d) Bha fear dhe na Comhairlichean ainmichte mar neach a gheall rud cho neònach, Gavin, an làthair mar neach-cathrach na coinneimh.

(e) Dè, dh'fhaighnich sinn, a dhèanadh Robbie-the-Pict nan rachadh fhastadh?

Bha a' mhòr-chuid againn cho mòr air ar clisgeadh le seo agus e air tighinn am bàrr faisg air deireadh na coinneimh 's nach do ghabh sinn mòran sùim dheth. Cha robh sinn airson 's gum biodh Robbie-the-Pict gun airgead na phòcaid on a bha e air mòran againn a chuideachadh ri linn na iomairte.

Thuirt cuideigin ciallach gum bu chòir dhuinn seo a dheasbad aig an ath choinneimh, agus dh'aontaich a h-uile duine ri seo sa bhad. Aig a' choinneimh a chumadh air 26 an Dàmhair chaidh aontachadh gun rachadh fo-chomataidh shònraichte a chur air bhonn gus a' cheist seo a chnuasachadh. Chaidh mi fhìn a chur nam neach-cathrach air an fho-chomataidh seo agus Ailig Mac a' Ghobhainn, Ùisdean MacCoinnich, Adam Gilmour, Seon Caimbeul is Brian Forehand nach maireann mar bhuill. Bha na Comhairlichean Millar agus Scott-Moncrieff gu tur airson an fho-chomataidh seo agus dh'aontaich iad còmhla gun rachadh rud sam bith a dhèanadh i a chur ann an aithisg. Thug mi fhìn seachad an aithisg seo aig a' Choinneimh Bhliadhnail air 26 an t-Samhain 1996.

'S ann ann an dà phàirt a bha aithisg na fo-chomataidh: bha pàirt a h-aon a' dèiligeadh ri fastadh duine do SKAT. Cha robh fianais ann gun deachaidh obair phàighte a thairgsinn do dhuine sam bith, agus chaidh a mholadh nach dèanadh SKAT a leithid.

Councillors Gavin Scott-Moncrieff and Drew Millar that if he came to Skye to help in the anti-tolls campaign he would be paid a salary by SKAT. This had not happened; on the contrary he was considerably out-of-pocket as a result of his efforts on our behalf. Robbie-the-Pict was present at the meeting, but did not add to, or contradict this statement.

Most of us at the meeting were shocked by this announcement and for more than one reason.

(a) Robbie-the-Pict had been involved in the campaign for over a year then, and this was the first time we had heard this suggestion.

(b) We were aware that the general election was not far off and many of us then believed that the tolls would come off with the new Government. We did not expect SKAT to be around long enough to employ someone.

(c) Where would SKAT get money to employ someone we wondered?

(d) One of the Councillors named as having made such a strange promise, Gavin, was chairing the meeting.

(e) What, we wondered would Robbie-the-Pict be employed to do?

Most of us were too stunned by this announcement, at this late stage in the meeting, to be able to give it serious consideration at that point. We did not want to see Robbie-the-Pict out-of-pocket as he had helped many of us in the campaign.

Someone sensibly proposed that this matter should be on the agenda for the next meeting on 26th October and this was readily agreed. When this came round on 26th October it was agreed to set up a special sub-committee to examine this question and to report back. I was appointed chairman of this sub-committee with Alex Smith, Hugh MacKenzie, Adam Gilmour, John Campbell and the late Brian Forehand as members. This sub-committee got the full co-operation of Councillors Millar and Scott-Moncrieff and unanimously agreed a report. This report was given by me to the AGM on the 26th of November 1996.

The sub-committee's report was in two parts: Part one dealt with the question of SKAT taking on an employee. The sub-committee had found no evidence that anyone had been promised employment by SKAT and went on to recommend that SKAT should not consider employing anyone.

Bha pàirt a dhà ag aithneachadh gun robh SKAT glè fhaiceallach a thaobh a bhith a' pàigheadh chosgaisean do dhaoine a bha ag obair air sgàth na buidhne. Chaidh aideachadh gun robh seo gu sònraichte cruaidh air na 'rùnairean' aig an robh tòrr ri dhèanamh agus a bha a' call 's a' cosg tòrr airgid ri linn. Chaidh aideachadh gun teagamh gun robh Robbie-the-Pict air duine dhiubh seo oir bha aige ri siubhal a-null 's a-nall gu Inbhir Pheofharain air ar son. Mhol an aithisg gum bu chòir airgead a bhith air a chur air leth air sgàth ball sam bith a bha ag obair do SKAT chor agus gum faigheadh iad gach sgillinn air ais le bhith a' toirt cunntasan dhuinn.

Chaidh gabhail ri seo aig a' choinneimh.

Feumar cuimhneachadh gur e an suidheachadh a bha ann aig an àm gun robh tòrr de bhuill SKAT, mi fhìn nam measg, a' tòiseachadh air àireamh mhòr de chàintean-cùirte troma a chruinneachadh, a bha sinn a' diùltadh pàigheadh. Aig an àm seo, leis a' Chìs Choimhearsnachd ud is daoine a' cur na h-aghaidh, bha an droch shiostam ud ris an can sinn 'warrant sales' fo làn uidheam ann an Alba. Bha e làn chomasach do Oifigearan Siorraim tighinn oirnn aig an taigh là, agus na poilis a' toirt taic dhaibh, a dh'fhaodadh briseadh a-steach dhan taigh againn agus rud sam bith a thogradh iad a thoirt às (gu ciallach rianail) agus sin a reic aig prìs ìseal gus na càintean sin 'fhaotainn air ais' mar gum biodh.

Bha sinne ann an SKAT a' faighinn fìor dheagh thaic, a' gabhail a-steach airgead agus maoin, ach bu leisg leinn an t-airgead sin a chaitheamh air rud sam bith eile seach sabaid gu dìreach an aghaidh nan cìsean.

Chaidh gabhail ris aig a' Choinneimh Bhliadhnail gun rachadh aithisg na fo-chomataidh a choileanadh chor agus gum faigheadh a h-uile duine a rinn obair shònraichte, agus a chosg airgead ri linn, na cosgaisean aca air ais, agus bha coltas ann gu robh a h-uile duine sàsaichte le seo. Cha do smaoinich sinn dad eile mun chùis seo agus chaidh sinn air adhart leis an iomairt. Ach bha mì-earbsa a-nist nar measg fhèin, rud nach robh feumail idir, agus ged a chuir sinn air dìochuimhne e gu luath, bha e air toirt air cuid againn ar suidheachaidhean pearsanta fhèin ann an SKAT a chnuasachadh. Do chuid againn, agus dhomh fhìn, bha an rud seo air teagamh agus mì-earbsa a thoirt a-steach dhan bhuidhinn, rud nach robh ann roimhe sin. ❒

Part two of the report acknowledged that SKAT had been very careful when paying expenses to members who were doing work on SKAT's behalf. It acknowledged that this was particularly hard on those 'secretaries' who had a lot of work and who were involved in a lot of out-of-pocket expenditure. It was recognised that Robbie-the-Pict was very much in this position because of our need for him to travel back and forth to Dingwall. The report recommended that special provision be made for any member doing work for SKAT so that they could get such expenditure fully refunded on production of receipts.

This report was accepted by the meeting.

What should be remembered about the situation at that time is that many SKAT members, myself included, were beginning to build up a number of heavy court fines which we were refusing to pay. At this time, in the wake of the notorious Poll Tax (Community Charge) method of local government taxation and popular resistance to it, the infamous warrant sales system was in full swing in Scotland. It was possible that we could get a visit any day at our homes by Sheriff 's Officers, supported by police, who could force entry into our homes and remove anything they wanted (with certain limited restrictions) and sell them at knock-down prices in order to 'recover' the fines.

We in SKAT were getting great support, including considerable financial support, but we were very reluctant to spend money other than to directly fight the toll.

The acceptance by the AGM of the sub-committee's report, and the promise to ensure that those who did particular work, which involved out-of-pocket expenses, must be reimbursed, seemed to satisfy everyone. The matter was then put to the back of our minds and we got on with the campaign.However this distrust among ourselves was the last thing we needed and although we quickly put it behind us, it had made many of us consider our relationships in SKAT. For some of us, myself included, this incident had introduced doubt and mistrust into the organisation, which had not been there before. ❐

Caibideil 3: Gnìomhan Poilitigeach

Ri linn 1996 bha mòran againn cinnteach misneachail gun robh an iomairt a' dol gu math. Bha sinn air casg a chumail air a' chùirt car tamaill, agus bha sinn a' dèanamh adhartas ann an saoghal nam poilitigs. Bha an Taghadh Pàrlamaid air fàire, agus shaoil sinn gun crìochnaicheadh ar n-iomairt ri linn 's gu biodh na cìsean air an toirt air falbh.

Bha SKAT mar bhuidhinn air leth le aon amas a-mhàin agus 's ann mar sin a dh'fhan e air feadh a h-uile rud, gun a bhith ceangailte ri partaidh politigeach sam bith, ach deònach taic gach aon dhiubh iarraidh airson ar n-amais a thoirt a-mach.

Bha sinn draghail, gu nàdarra, mu na barantais-reice a chuireadh iad oirnn, ach bha sinn air cur air dòigh gun cruinnicheadh sinn còmhla gu luath aig taigh sam bith a bhite a' feuchainn ri faighinn a-steach ann gus barantas-reice a chur an gnìomh, agus bha sinn deiseil is deònach cur an aghaidh seo gu fisiceach nan robh feum air. Bha a leithid de rud air tachairt ann an Alba roimhe seo, agus bha sinn ullamh a dhèanamh aon uair eile. Gu fortanach dh'aithnich na h-ùghadarrasan nach robh dol às aca agus cha d' rinn iad oidhirp sam bith barantas-reice a chur an gnìomh.

Mar a chuir mi an cèill a cheana, ged nach robh mi nam bhall dhen Phartaidh Nàiseanta, chaidh mi an sàs ann an SKAT ri linn coinneimh a lean coinneamh meur ionadail den Phartaidh. Aig an ìre thràth sin, gidheadh, ged a bha a' mhòr-chuid a bha an làthair nam buill ghnìomhach dhen Phartaidh Nàiseanta, chaidh aontachadh nach tigeadh iomairt nan cìsean fo bhuaidh partaidh politigeach sam bith.

Tha e fìor gun deachaidh cur às ar leth gu minig gun robh sinn mar phàirt dhen Phartaidh Nàiseanta, le cuid a' cumail a-mach gun robh am partaidh a' dèanamh feum dhinn air an sgàth fhein. Cha b' ann mar seo a bha, fiù 's aig an toiseach nuair a bha a' mhòr-chuid dhe na buill againn anns a' Phartaidh Nàiseanta, agus gu cinnteach cha robh e fìor an dèidh mar a spreigeadh daoine gus tighinn nam buill cuide rinn an dèidh ar ciad gnìomh dìreach. Bha SKAT mar bhuidhinn air leth le aon amas a-mhàin agus 's ann mar sin a dh'fhan e air feadh a h-uile rud, gun a bhith

Chapter 3: Political Activity

DURING 1996 many of us were confident that the campaign was going well. We had held the court at bay and were making progress on the political front. The General Election was not far away and we liked to believe the result would bring an end to the campaign and the removal of the tolls.

We were concerned of course about warrant sales being imposed, but had made arrangements to quickly gather at any property where there was an attempt to enter and execute a warrant sale, and we were prepared to stop this physically if we had to. Such things had happened in Scotland before and we were determined and prepared to do it again. Fortunately the authorities recognised the realities of the situation and never attempted to institute a warrant sale.

As I have indicated, although I was not a member of the SNP, my own route into SKAT came from a meeting which followed on from an SNP branch meeting. However at that early stage, although the vast majority of those present were active SNP members, it was decided that the anti-toll campaign would not be under the influence of any political party.

It is true that we were often accused of being an SNP front, implying that we were used by the SNP for their own political ends. This was not the case, even in the early days when the majority of our members were SNP members, and it was most certainly not the case after the great explosion of membership which took place following our first direct action. SKAT was, and remained thoughout, a single objective pressure group, free of any strings to any political party, but seeking the support of all of them to achieve our objective.

SKAT was, and remained thoughout, a single objective pressure group, free of any strings to any political party, but seeking the support of all of them to achieve our objective.

ceangailte ri partaidh politigeach sam bith, ach deònach taic gach aon dhiubh iarraidh airson ar n-amais a thoirt a-mach.

Aig deireadh na bliadhna 1995, agus air feadh 1996 air fad, bha sinn glè mhor an sàs ann an gnothaichean laghail. Thàinig oirnn tòrr aire a thoirt don lagh agus do na cùirtean, oir cha robh dol às againn. Chaidh ar gairm gu cunbhalach fa chomhair na cùirte, agus bha againn ri cumail ri cinn-làithean agus gnothaichean na cùirte.

Ach rinn sinn cinnteach gun robh sinn a' gabhail làn phàirt sna cùisean poilitigeach, agus mu dheireadh 1996 bha sinn a' toirt barrachd sùim do na bha sinn ris gu poilitigeach. Bha fhios againn gun robh an Taghadh a' tighinn dlùth, is mar sin rinn sinn a dhà uiread chor agus gum fàgadh sinn ar lorg is ar rian air sin cho math is a rachadh againn air.

Bho thaobh na comataidh phoilitigeach dheth, bha mise air a chur air shùilean dhaoine gum bu chòir dhuinn feuchainn ri faighinn a-mach gu poblach cò bha a' bhòtadh air ar son ann an sgìrean cudromach air feadh Alba, agus sa cheann thall thagh sinn trì dhiubh seo, àiteachan far an robh Ministearan Tòraidheach. B' iad sin Sruighlea, suidhe Mhìcheail Forsyth a bha mar Rùnaire Stàite dha na Tòraidhean ann an Alba; Dùn Èideann mu Dheas, far an robh am Morair Seumas Dùghlas-Hamilton, Ministear Còmhdhail aig Oifis na h-Alba; agus Pentlands Dhùn Èideann , far an robh Calum Rifkind.

Fhuair sinn co-obrachadh nach beag bhon phoball agus chuir na fhuair sinn mar thoraidhean air seo iongnadh oirnn.

Thoir fa-near, cha b' e rud cruinn tioram a bha sinn a' dèanamh ann a' seo, cha robh ann ach faighinn a-mach cò bha air ar taobh am measg nan daoine, ach aon uair 's gun robh sinn an sàs ann fhuair sinn co-obrachadh nach beag bhon phoball agus chuir na fhuair sinn mar thoraidhean air seo iongnadh oirnn.

'S e bhith a' faighinn a-mach dè cho soirbheachail 's a bha ar teachdaireachd a bha fa-near dhuinn ann a bhith a' dèanamh seo, cho math ri dè an taic a bha a' tighinn o na partaidhean poilitigeach. Cha robh e gun a thaobh fhèin, cha mhò gun robh taghadh ga dhèanamh a dheòin neo dh'aindeoin. Roghnaich sinn suidheachain shònraichte Tòraidheach, agus taobh a-staigh dhiubh sin na h-àiteachan far an robh na daoine an ìre mhath beairteach agus ann an deagh chothrom 's far an robh sinn an dòchas barrachd bhòtairean Tòraidheach a lorg.

B' iad a' chiad dà cheist a bh' againn ach dè cho eòlach 's a bha daoine air an Eilean Sgitheanach, agus dè an t-eòlas a bh' aca air iomairt nan cìsean. Bha fìor dheagh thoradh air seo (bha a' mhòr-chuid air tighinn don eilean air saor-làithean) agus bha an ìre mhath a h-uile duine air cluinntinn mun iomairt againn. Mar sin bha e soilleir dhuinn ged a bha sinn nar coimhearsnachd bhig iomallach gun robh sinn a' faighinn ar teachdaireachd thairis dha na h-Albannaich fhèin.

Fhuair sinn a-mach ri linn obair ar ceisteachain gun robh daoine

In late 1995, and during the whole of 1996, we were kept very busy with legal activity. We were forced to give our attention to the law and the courts, because we had no option. We were regularly summonsed to court and were obliged to comply with court dates and arrangements.

However we still made sure that we continued to play an active part in the political arena and by the end of 1996 we were giving ever more attention to our political activity. We knew that the General Election was close and so we doubled our efforts to make our mark on it as best we could.

From the political committee of SKAT I had suggested that our next collective effort should be to do well-publicised political polling in some significant constituencies in Scotland and eventually we chose three of these, each then the seat of Tory Ministers. These were Stirling, the seat of Michael Forsyth, then Tory Secretary of State for Scotland; Edinburgh South, then seat of Lord James Douglas-Hamilton Transport Minister in the Scottish Office; and Edinburgh Pentlands, then seat of Malcolm Rifkind.

We found great co-operation from the public and we were very surprised by the results (of our polling).

Of course we never intended our polling to be done in any standard scientific way. It was merely a rule-of-thumb publicity exercise we were undertaking, but once we got involved in it, we found great co-operation from the public and we were very surprised by the results.

Our survey was designed to give us feedback about just how effective we had been in getting our message across, as well as to find out levels of support for the various political parties. It obviously was not impartial, nor randomly selected. We chose particular Tory seats, and within them chose middle-class areas where we hoped to meet a higher proportion of Tory voters.

The first two questions on our survey were about people's knowledge of the Isle of Skye and of the anti-tolls campaign. Here we were delighted with the results. The vast majority were knowledgeable about Skye (many having visited Skye on holiday) and virtually everyone had heard of our campaign. So it was clear to us that although we came from a small isolated community, we appeared to be getting our message across to Scotland as a whole.

We found during our survey work that people were happy to

deònach bruidhinn rinn, 's dòcha a chionn 's nach robh sinn a' feuchainn ri toirt orra bhòtadh airson partaidh sam bith, dìreach a' faighneachd am beachdan air ceist nan cìsean. Fhreagair tòir dhiubh agus dh'innis iad dhuinn mu cò dha a bhòt iad an turas mu dheireadh agus cò bha iad a' dol a bhòtadh air a shon an ath thuras.

Nuair a chruinnich sinn na h-àireamhan fhuair sinn a-mach gun robhar a' dol an aghaidh nan Tòraidhean gu mòr anns gach sgìre-bhòtaidh. Cha robh sinn a' creidsinn gum biodh seo fìor san fharsaingeachd. Shaoil sinn gur e sampall car cam a bh' againn. Ma bha sinn ceart, bha na ministearan sin uile a' dol a chall an suidheachain aig an Taghadh. Cha ghabhadh e a chreidsinn. Gu dearbh aig an Taghadh-pàrlamaid sa Chèitean 's e sin a thachair, agus chaill na Tòraidhean ann an Alba a h-uile suidhe a bh' aca, agus bha na cunntasan-beachd a ghabh sinne os làimh sna sgìrean sin cha mhòr co-ionann ri toradh dà-rìribh an Taghaidh.

Mu dheireadh na bliadhna bha sinn gu math cinnteach misneachail gun robh cùisean a' dol gu math a thaobh poilitigs, ach cha robh sinn a' smaointinn idir gum b' urrainn dhuinn stad gus ar teachdaireachd fhaighinn thairis. Thug sinn fianais gu Oifis Sgrùdaidh Nàiseanta na h-Alba, fhritheil sinn co-labhairtean gach partaidh, rinn sinn obair-choiteachaidh ann, agus chuir sinn coinneamh phoilitigeach air chois ann am Port Rìgh le cuireadh ga thoirt dhan a h-uile neach a bha a' dol a-steach airson an Taghaidh.

Cha robh sinn air dèanamh cho math sna cùirtean, ach cha do smaoinich mòran againn gun dèanadh, agus co-dhiù bha sinn gan cumail nan tàmh mar gum biodh agus na h-uimhear a chùisean agus a thagraidhean a' dol ann. San t-Samhain chaidh an tagradh a rinn mise aig an àrd-chùirt, a' chiad tagradh a rinn SKAT, a dhiùltadh, ach mu dheireadh na mìosa bha tagradh eile air bhonn agam.

A thaobh na sgìre-bhòtaidh ionadail bha am BP a bh' ann, Teàrlach Ceanadach, air tighinn a-mach an aghaidh nan cìsean ged a bha e coltach nach b' e sin a rinn e an toiseach. Bha esan na bhall air an SBAG, ach bha cuid dhe na rudan a thuirt e ann an Taigh nan Cumantan ann a bhith a' cur fàilte air an drochaid air am faicinn aig daoine àraid mar thaic dha na cìsean. Bha Mairead Nic a' Pheadrais, a bha san Taghadh mar Nàiseantach, na ball air SKAT agus chaidh an lagh a chur oirre airson 's gun do dhiùlt i a' chìs a phàigheadh. Bha na Làbaraich, a bha air tighinn sa cheathramh àite san taghadh mu dheireadh, air neach-tagraidh glè ainmeil a chur air adhart – Donaidh Rothach, iar-sheinneadair Runrig. Bha Donaidh, a bha cuideachd air a bhith na bhall air an SBAG, air cumail a-mach nach robh a' chìs laghail.

Cha robh na Tòraidhean cudromach san taghadh, agus cha robh meas aig mòran orra co-dhiù, agus mar sin shaoil sinne gum b' urrainn dhuinn talk to us, perhaps because we were not trying to get them to vote for any party, just getting their views on the single issue of the Skye tolls. We got a high level of response and they told us about their previous voting and their likely vote next time.

When we collated the figures we found a significant swing against the Tories in each of the constituencies – all were in double figures. We just did not believe that this could be true in general. We thought that our sample must be untypical. If we were correct then all these ministers were going to lose their seats. It seemed unrealistic. In fact at the General Election in May that is exactly what happened – all the Tories in Scotland lost their seats and our polls for the constituencies we surveyed were very close indeed to the actual results.

By the end of the year we were fairly confident that things were going well on the political front, but we were certainly not complacent as we worked hard to get our message across. We gave evidence to the National Audit Office examination, we attended all the party conferences and lobbied there, and we organised a political meeting in Portree and invited all the prospective Parliamentary Candidates.

We had not done so well in the courts, but many of us had never expected to do well there. At least we were holding the courts at bay and were gumming up the works with the number of cases and appeals. In November my appeal to the high court, the first SKAT appeal was rejected, but by the end of the month I had another appeal in the pipe-line.

As far as the local constituency was concerned Charles Kennedy the sitting MP had now come round to a firm position of opposition to the tolls, although he did not appear to have started there. He was a member of the SBAG but some of his comments in the House of Commons welcoming the bridge had been seen by many as supporting the toll scheme. The SNP candidate, Margaret Paterson, was a SKAT member and had been charged for non-payment of the toll. Labour, who had been in fourth place at the previous election, had selected a very popular local candidate, Donnie Munro, who had been lead singer with the band, Run-Rig. Donnie, who had also been a member of the SBAG, had also challenged the toll on the basis of its legality.

The Tories were not a serious challenge and were not very popular, so it appeared to us that we had the luxury of voting for

bhòtadh airson an duine a b' fheàrr dhuinn gun a bhith draghail gun rachadh duine a bha airson nan cìsean a thaghadh.

Is cuimhne leam Donaidh Rothach a bhith a' bruidhinn rium mun taghadh, bha esan a' dèanamh dheth, no is dòcha gun cuala e, gun robh mise nam bhall sa Phartaidh Nàiseanta, agus dh'fhaighnich e dhìom mu dheidhinn. Dh'innis mi dha nach robh mi nam bhall sa Phartaidh sin neo am partaidh sam bith eile. Dh'fhaighnich Donaidh carson a dh'fhàg mi Am Partaidh Làbarach, agus thuirt mi nach robh mi a' smaointinn gun do'dh'fhàg' mi iad, seach gun robh iadsan air atharrachadh cho mòr 's gun robh iad air m' fhàgail-sa. Cha robh mo bheachdan poilitigeach air atharrachadh mòran, ach bha cuid a' saoilsinn a-nist gur e duine cusach sa Phartaidh Làbarach a bh' annam, agus mar sin bha mi air sgur a phàigheadh mo bhallrachd.

Dh'iarr Donaidh orm cuideachadh a thoirt dha na iomairt taghaidh. Thuirt mi gum bithinn deònach sin a dhèanamh, ach bha mi ag iarraidh airsan gun dèanadh e soilleir sa bhileig-fhoillseachaidh aige e gum biodh e a' sabaid airson 's gun rachadh cur às dha na cìsean. Aig an àm cha robh mi a' smaointinn gur e rud mòr a dh'iarr mi air, oir bha mi cinnteach gun robh Donaidh gu pearsanta an aghaidh nan cìsean. Bha mi cuideachd dhen bheachd gun robh Donaidh a' tuigsinn cho cudromach 's a bha a' chùis seo sa sgìre-bhòtaidh sin agus gun cuireadh am Partaidh Làbarach às dha na cìsean co-dhiù ri linn cho leibideach is a bha an siostam.

Thog Donaidh an rud a bha mi ag iarraidh air a dhèanamh gu ceàrr a chionn 's gun robh e a' smaoineachadh gun robh mise ag iarraidh air a' Phartaidh Làbarach a bhith dìleas dìcheallach mu cheist nan cìsean. Cha do dh'iarr mi air ach a bhith dìleas, mar a bha cuid eile dhe na BP Làbarach. Chuir e iongnadh orm mar sin gun robh Donaidh cho fada a' faighinn air ais thugam mun chùis seo. Nuair a fhuair, thuig mi gun robh e air mo thogail gu ceàrr, agus gun robh e a' feuchainn ri taic a' Phartaidh Làbaraich fhaighinn. Thuig mi cuideachd gun robh e doirbh dha seo fhaotainn.

Ann an deasbad ris, dh'fhaighnich Donaidh dhìom gu dè mo bheachd mun chìs a bhith air a lùghdachadh. Thuirt mi ris nach robh seo ciallach. Nan robh na cìsean air a bhith mar a bha cìsean air drochaidean eile ann an Alba, bha mi glè chinnteach nach robh iomairt SKAT air tòiseachadh sa chiad àite. Ach cha robh seo a' dèanamh ciall a thaobh an eaconamaidh. Bha an àireamh de charbadan a bhiodh a' dol air Drochaid an Eilein Sgitheanaich glè ìseal an taca ri Drochaid an Fhoirthe neo Drochaid Arasgain, agus mar sin bhiodh na cosgaisean a bha an lùib a bhith a' togail nan cìsean ro dhaor.

Mar sin b' e mo bheachd nach robh dol às aig an Riaghaltas agus gum b' e drochaid gun chìsean a bha a dhìth, agus b' e sin an rud a bha sinn ag iarraidh bhuapa.

the candidate we preferred with no danger of a pro-tolls candidate being elected.

I recall that Donnie Munro spoke to me about the election. He assumed, or had heard, that I was a member of the SNP and he asked me about that. I told him I was not a member of the SNP, nor any other party. Donnie asked why I had left the Labour Party, and I told him that I did not feel that I had 'left' them, rather that they had moved so far to the right so fast that they had left me. My own political views had not changed very much, but I now appeared an extremist in the New Labour Party, so I had stopped paying my membership fees.

Donnie asked me if I would assist him in his election campaign. I told him that I would be happy to do that, but I wanted him to make a clear commitment in his manifesto to fight for the abolition of the Skye Bridge tolls. At the time I did not see that as much of a condition, because I was sure that Donnie was personally opposed to the tolls. I also considered that Donnie was aware that this was a major issue in this constituency and thought that, if returned to government, the Labour Party was very likely to ditch the tolls in any event because the system was in such a mess.

Donnie misunderstood what I was asking of him, because he thought I wanted the Labour Party to make a firm commitment on the tolls, but I hadn't meant that at all. I had merely asked him to make his commitment, as indeed some other Labour MPs had already done. I was surprised therefore that Donnie took some time to get back to me on this. When Donnie did come back to me I realised that he had misunderstood me, and was trying to get a commitment from the Labour Party on this. I also realised that he was having difficulty getting such a commitment.

In discussion, Donnie asked me what my view would be about the toll being reduced. I told him that is was not a sensible option. If the tolls had been at the same, or similar levels, as the tolls on other Scottish bridges, then I very much doubted if the SKAT campaign would have got off the ground in the first place. However this would make no economic sense. The traffic flow on the Skye Bridge was very low relative to the Forth or Erskine bridges, so the collection costs for a toll was bound to be relatively high. It was not possible to have a toll on the Skye Bridge of the same level as these other bridges, because the collecting costs would be proportionately high and this would not be viable.

It was therefore my view that the only sensible option was a toll free bridge and that was the commitment we wanted.

An dèidh tòrr tighinn is falbh thuirt na Làbaraich gu daingeann gun cuireadh iad às dha na cìsean air Drochaid an Eilein 'within the shortest practical timescale', ach gu dè a bha sin a' ciallachadh? An dèidh a h-uile càil bha Micheal Forsyth, Rùnaire Tòraidheach na h-Alba, a' gealltainn gun cuirte às dha na cìsean 'as soon as possible', 's bha e a' ciallachadh gun robh sinn air cìsean àrda a phàigheadh fad bhliadhnaichean agus gun robh an companaidh air tòrr airgid a dhèanamh asainn. Mar sin gu dè bu chiall do ghealltanas nan Làbarach? Cha do chreid sinn gealltanas nan Làbarach, agus a' coimhead air ais air a' chùis bha sinn ceart.

Mar sin cha tug mise taic sam bith do dhuine sam bith san taghadh, agus saoilidh mi gun do chaill Donaidh Rothach ri linn cho rongach 's a bha na Làbaraich mu na cìsean, oir bhathar a' toirt taic mhòr dhaibh air feadh na dùthcha agus ged a bha Donaidh san dara àite agus gu math faisg air Teàrlach Ceanadach, tha mi cinnteach gun robh e air buannachadh nan robh na Làbaraich air a dhol gu glan soilleir an aghaidh nan cìsean, oir bha teagamh neo dhà ann mu sheasamh a' Cheanadaich.

A' coimhead air ais, gidheadh, tha mi a' smaointinn gur e deagh rud a bha ann do Dhonaidh. Saoilidh mi gu bheil Donaidh ro onarach a bhith na BhP ann an Riaghaltas Nuadh-Làbarach. Tha mi cinnteach gun robh e air a dhìcheall a dhèanamh do na daoine sa sgìre-bhòtaidh aige agus gun robh e air a bhith dìleas dhan phartaidh, agus bha tòrr dhuilgheadasan uabhasach air a bhith aige ri linn seo. Air sgàth a chiall agus a shocrachd-inntinn fhèin saoilidh mi gur e deagh rud a bha ann nach deachaidh Donaidh a thaghadh.

Air 7 an Gearran 1997 chuir SKAT coinneamh phoblach air chois ann an Talla-cruinneachaidh Phort Rìgh gus cuireadh a thoirt dha na daoine uile a bha a-steach airson an taghaidh san eilean, coinneamh a bha fosgailte dhan mhòr-shluagh. 'S e an dòigh a chleachd sinn gun rachadh a h-uile ceist a chur thugainn ann an cruth sgrìobhte agus gun dèanadh an Neach-Cathrach taghadh dhiubh sin airson an cur ris na tagraidhean. Bhiodh 50% dhen oidhche ga chaitheamh air ceist cìsean na Drochaide, agus 50% air gnothaichean eile. Chaidh a' choinneamh seo gu fìor mhath, agus chùm sinn oirnn a' cleachdadh an dòigh seo aig coinneamhan poblach poilitigeach eile a chùm SKAT an dèidh sin.

Thàinig Bill Speirs, a bha gu bhith na Rùnaire Coitcheann don STUC an dèidh sin, nar lùib is sinn a' togail fianais, agus chaidh e na bhall air SKAT ann an 1996. Thug e fhèin agus àrd-oifigearan eile o na h-aonaidhean luchd-obrach, leithid Matt Smith, taic fhollaiseach do SKAT. Chuidich seo dhuinn ann a bhith a' faighinn barrachd de mheuran nan aonaidhean a bhiodh deònach buinteanas a bhith aca ri SKAT, rud a thug taic chudromach mhaoinis dhuinn agus taic phoilitigeach – rud a bha a cheart cho cudromach.

Anns a' Ghearran 1997 bha sinne ann an SKAT a' coimhead air adhart

After some hesitation we finally got a commitment from Labour that they would remove the tolls from the Skye Bridge 'within the shortest practical timescale'. But just what did that mean? After all Michael Forsyth the Tory Secretary of State for Scotland was promising to remove the tolls 'as soon as possible'. He meant after we had paid high tolls for years and the company had made a fortune out of us. So what did Labour's promise mean? We did not buy that promise from Labour and subsequent events show that we were right.

I did not therefore play any role in supporting a candidate at the election and I believe that Labour's hesitation over the tolls cost Donnie Munro the seat. There was a strong swing to Labour all over the UK and while Donnie came a close second to Charles Kennedy, I'm sure that he would have managed to take the seat if Labour had been identified with clear opposition to the tolls while there remained some ambiguity about Charles Kennedy's position.

On reflection however I think that was probably a good thing for Donnie Munro. I think Donnie is too honest to have made a good MP in a New Labour government. I'm sure he would have done his very best to have represented his constituents properly and to be loyal to his party, and I think the problems this would have presented him with would have been horrific. For his own sanity and peace of mind I think it is a good thing Donnie wasn't elected.

On 7th February 1997 SKAT organised a public meeting in the Gathering hall in Portree to which they had invited all the candidates for the Skye constituency and which was open to the general public. The pattern we adopted was that all questions must be submitted in writing, and that the Chair would select the questions from these to put to the candidates. 50% of the time would be on the Bridge tolls and 50% on other matters. This was a very successful meeting and we continued to adopt this pattern for public political meetings that SKAT held in future.

Bill Speirs, who later became General Secretary of the STUC, came up to Skye, joined one of our demonstrations and became a member of SKAT in 1996. He and other senior trade union officers such as Matt Smith, the Scottish Regional Secretary of Unison, gave active support to SKAT. This helped us to get a number of trade union branches to affiliate to SKAT which brought important financial support and also, of course, no less important political support.

In February 1997 we in SKAT were confidently looking

ris an Taghadh-phàrlamaid le misneachd agus sinn ann am beachd gun tigeadh deireadh air cìsean Drochaid an Eilein Sgitheanaich. Shaoil sinn gun robh ar strì fhada shearbh a' tighinn gu crìch, agus bha sinn cinnteach gun sealladh sgrùdadh ceart gun robh sgeama seo nan cìsean na bhùrach. Bha sinn cinnteach gum faiceadh an Riaghaltas ùr ciall na cùise mar a thug sinne seachad i.

Ach 's ann a bha ar bruadar ri briseadh. ❐

forward to the General Election and anticipating the end of the tolls on the Skye Bridge. We thought that our long and bitter struggle was nearing an end and we were confident that any objective examination of the facts would show this tolling scheme to be a shambles. The new Government we were sure would see the logic of the case we had presented.

Our dreams were about to be shattered. ❐

Caibideil 4: Ar Strì Laghail

Ri linn làithean tràth SKAT bha tòrr ùine is oidhirp is, gu nàdarra, airgid ga chaitheamh a' dèileigeadh ris an lagh. Mar eisimpleir, bho 16 an Dùbhlachd 1996 gu 3 an t-Samhain 1997, chruinnich SKAT £17,964 agus chosg iad £17,024, le £11,000 a' dol gu dìreach air cosgaisean laghail 's a leithid. Thòisich cuid dhe na buill a' fàs cleachdte ris a bheachd gur ann air sgàth na rudan seo a chaidh ar buidheann a chur ri chèile. Cha b' ann mar seo a bha, ge-tà, agus cha b' urrainn cùisean a bhith mar seo nan robh sinn airson an strì a bhuannachadh.

On a tha ùidh mhòr agam ann an eachdraidh bha mi riamh air mo ghlacadh leis na daoine agus na rudan sin a thachair ann an eachdraidh a sheallas mar a dh'aithnich daoine aig an robh duilgheadasan gun robh aca ri cùisean atharrachadh dòigh air choreigin gus faighinn thairis air na duilgheadasan sin.

'S iadsan a thuig gum fàillig iad ma chumas iad ris na riaghailtean, agus gum feum iad coimhead ri dòighean diofraichte gus faighinn thairis air cùisean. Is iad na daoine seo a bheir buaidh air cùisean. Ann an Cogaidhean na Saorsa ann an Albainn, b' e Wallace a' chiad duine a thuig gum feumadh e na riaghailtean atharrachadh nan robh e a' dol a bhuannachadh an aghaidh nàmhaid a bha na bu lìonmhora, aig an robh uidheamachd armachd na b' fheàrr agus aig an robh barrachd maoin ri làimh.

Thuig Wallach nach buannaicheadh e an aghaidh nàmhaid cho mòr ach nan taghadh e fhèin àm is àite gach catha, agus bha e deiseil is deònach sabaid fada 'buail is ruith' a chleachdadh. Dhearbh am Brusach an dèidh sin gum faodadh a leithid a bhith soirbheachail.

Bha an suidheachadh san robh sinne nuair a thòisich sinn a' cur an aghaidh nan cìsean car coltach ri seo – bha sinn a' toirt aghaidh air nàmhaid ro mhòr. Bha e soilleir cuideachd gun robh an Riaghaltas air blàr a' chatha ullachadh gu math. Bha iad air lagh sònraichte a chur air dòigh ann an Taigh nan Cumantan ann an 1991 a bha a' cur an cèill gum biodh muinntir an àite a' dol an aghaidh nan cìsean agus bha iad air a leithid seo a dh'aimhreit a dhèanamh na eucoir.

Chapter 4: Our Legal Struggle

IN THE EARLY period of SKAT's existence the great bulk of our time, our efforts and of course our money was used up in legal battles. For example in the period 16th December 1996 until 3rd November 1997, SKAT collected £17,964 and spent £17,024, of which £11,000 went directly on legal costs or expenses. Some members became accustomed to the idea that our organisation was designed for that purpose. This of course was not the case and, in my view, could not be the case if we wanted to win this struggle.

As someone with a deep interest in history I have always been impressed with those figures and events in history that show how people confronted with problems recognise that they have to alter the rules, or change the pattern in some way, if they are to overcome the problem.

They have recognised that if they stick to the normal or expected pattern they will fail, so they look for different ways to overcome the problem. It is people who have acted like this who influence events. In Scotland's Wars of Independence William Wallace was the first to understand that when confronted with an enemy who was much larger, had more effective equipment and had many more resources, then he could not win unless he changed the rules.

Wallace recognised that against such odds he could only win if he chose the time and place of each battle and was prepared to fight a long protracted hit-and-run type of warfare. Later Bruce, following that lesson, proved that it could be successful against such odds.

The situation we were in when we took up the anti-tolls campaign was the same. We were up against overwhelming odds. It was also clear that the Government had prepared the battlefield well. They had put special legislation through the Commons in 1991 which anticipated local resistance to the tolls and had made such resistance a criminal offence.

Bha e soilleir gun robh an Riaghaltas ag iarraidh oirnn ar cùis gu lèir a thogail sna cùirtean, far am biodh iad cinnteach gun dèanadh iad a' chùis oirnn. Ach nan robh mearachd air bith san fheallsanachd seo aca, b' e gun robh cus misneachd aca agus nach tug iad aire cheart air cùisean lagha. Bha againn ri sabaid an aghaidh nàmhaid fada na bu mhotha, air blàr catha a thagh iad fhèin, aig àm a bha iad ga iarraidh. B' e cuireadh a bha seo, mar gum biodh, dhuinne coiseachd a-steach gu ribe a chaidh a dheagh ullachadh ro-làimh.

Gidheadh, thàinig e a-steach ormsa gur e a bu chòir dhuinn dèanamh, nam b' e 's gun robh againn ri sabaid sna cùirtean, ach sin a dhèanamh ann an leithid a dhòigh 's gun cuireadh sinn casg air an t-siostam 's fhàgail gun fheum gun èifeachd fhad 's a chumadh sinn a' sabaid ann an dòighean a bu fhreagarraiche dhuinn fhèin. 'S ann mar seo a bha mise a' coimhead air an t-suidheachadh gu pearsanta, ach saoilidh mi gun robh a' chuid as motha de bhuill SKAT air an aon ràmh rium. Bu leamh leis a' mhòr-chuid againn dol gu cùirt. B' fheàrr linn dèiligeadh ris a' chùis seo air a sgàth fhein am fianais dhaoine.

Bha againn ri sabaid an aghaidh nàmhaid fada na bu mhotha, air blàr catha a thagh iad fhèin, aig àm a bha iad ga iarraidh. B' e cuireadh a bha seo, mar gum biodh, dhuinne coiseachd a-steach gu ribe a chaidh a dheagh ullachadh ro-làimh.

Bu chòir a ràdh cuideachd gun robh an Riaghaltas air ceum mòr eile a ghabhail gus aimhreit sam bith a chur fo chois. San achd lagha 'the New Roads & Street Works Act 1991', bha iad air diùltadh pàigheadh na cìse gu h-iomlan a dhèanamh na eucoir. Sa bhad, bha iad air ar ceartan sìobhalta a thoirt bhuainn. Eu-coltach ri cùis-chùirt shìobhalta far am faodamaid a bhith air ìre na cìse agus ceartas na cùise a chnuasachadh, 's ann a bha sinn gun chead an rathad seo a ghabhail. Cha robh fa-near dha Cùirt nan Eucorach ach; an d' rinn neo nach d' rinn sinn an 'eucoir'.

Nam bite a' dol tarsainn drochaid phàighidh sam bith eile ann an Albainn agus a' diùltadh pàigheadh, dh'fhaodadh gum b' i a bhuil gun toireadh ùghdarras na drochaide na h-eucoraich gu cùirt, agus 's ann gu Cùirt Shìobhalta a bheirte iad. Bha Drochaid an Eilein Sgitheanaich air leth anns an Rìoghachd Aonaichte leis gum b' e cùis laghail a bh' ann, chan e cùis shìobhalta.

Bha buannachdan nach beag sa chùis seo don chompanaidh phrìobhaideach a bha a' togail nan cìsean. Nan diùltadh duine a' chìs a phàigheadh, chan fheumadh an companaidh a' chùis a thogail an aghaidh an duine iad fhèin neo a' chùis ullachadh don chùirt shìobhalta neo ceistean cruaidh sam bith mu ìre nan cìsean a fhreagairt. Cha robh aca ach fios a chur air na poilis agus rudan fhàgail acasan. B' ann às an sporan phoblach a thigeadh cosgaisean na cùise laghail an uair sin, chan ann às an sporan aca fhèin.

Chuir mi mo dhraghan a thaobh seo an cèill mu thràth 's mi a' smaointinn mu dhol an aghaidh lagh na h-eucorach mun ghnothach-sa, agus ghabh mi beachd air cia mheud duine againn a bhiodh deònach seo a dhèanamh. Bu leisg leam e a chionn 's gun do dh'aithnich mi air dòigh gun

Clearly the Government wanted us to channel all our opposition through the courts where they were confident that they could easily take care of us. Indeed if they made any mistake at all it was in being over confident and not paying sufficient attention to the legal processes. We were to be forced to fight a much superior force, on ground which suited them, at the time of their choosing. This was an invitation to walk into a trap well prepared for us in advance.

However it did seem to me that if we had to fight in the courts we should do so in such a way that we tried to gum up the system and make it ineffective, while we carried the fight elsewhere to ground more suitable for our forces. This was my own personal assessment of the situation, but I believe that the majority of SKAT members held a similar view. Most of us were very reluctant to fight in the courts. We much preferred to deal with this matter on its merits in the public arena.

It should also be noted that the Government had taken a further major step to undermine any resistance. In the legislation, the new Roads & Street Works Act 1991, they had defined the refusal to pay the full toll demanded as a criminal act. This had removed from us, at a stroke, our civil rights. Unlike a case in the civil court where we could have debated the level of toll and whether or not it was reasonable, this option was closed to us. The only issue before the criminal court was: did we, or did we not, commit 'the crime'.

We were to be forced to fight a much superior force, on ground which suited them, at the time of their choosing. This was an invitation to walk into a trap well prepared for us in advance.

Crossing any other toll bridge in Scotland and refusing to pay the toll could well result in the bridge authority taking legal action against the non payer, and if they did take such action then it would be before a civil court. The Skye Bridge toll was unique in the UK, in that refusal to pay was a criminal matter.

This had great advantages for the private company operating the toll. If confronted by anyone refusing to pay, they did not need to take action against the individual themselves, or to prepare a case for the civil court, or answer any awkward questions about the level of the toll. All they had to do was contact the police and put the matter in their hands. The cost of any prosecution would then fall on the public purse, not theirs.

I have already indicated how concerned I was when I first contemplated challenging the criminal law on this issue and how I wondered just how many of us would do this. My reluctance was partly a recognition that the Government had thought this robh an Riaghaltas gu math air cùl a' ghnothaich agus nach biodh e furasta a' chùis a dhèanamh orra. Dh'fhalbh an t-eagal seo gu ìre mhòir nuair a fhuair sinn taic làidir aig tòrr dhaoine a bha deònach an dùbhlan a ghabhail os làimh, ach cha do dh'fhalbh e buileach. Bha mi fhathast a' tuigsinn gur dòcha gum biodh an latha leis an Riaghaltas sa cheann thall.

Thuig mi agus mi thall 's a chunnaic gur tric a thòisicheas iomairt dhen t-seòrsa-sa gu math agus gu dìcheallach ach gum fàs e car fuar ri tìde. 'S e rud mòr a bh' ann do choimhearsnachd bhig a leithid a dhèanamh 's a chumail a' dol agus casg a chur air an lagh 's air na cùirtean is eile. Bha seo air a bhith a' dol fad ùine nach beag ach cha ghabhadh a chumail a' dol gun chrìoch.

B' e mo bheachd fhìn nan robh sinn a' dol a bhuannachadh a' chatha seo gum feumamaid a dhèanamh gu poilitigeach. Is dòcha gum b' e seo beachd a' mhòr-chuid de bhuill SKAT, ach aig deireadh 1996 bha e coltach nach robh eas-aonta taobh a-staigh SKAT mun ghnothach seo.

Gu dearbh, a' coimhead air na nòtaichean a sgrìobhadh sìos aig ar coinneimh san Àth Leathann air 5 an Dàmhair 1996, dìreach mun do nochd mi fhìn san Àrd-Chùirt ann an Dùn Èideann gus mo thagradh a thogail, bha coltas air buill SKAT gun robh iad dòchasach mun chùis ud.
'S ann mar seo a nochd e sna nòtaichean: 'Robbie (the-Pict) is hopeful, Andy pessimistic.'

. . .nan robh sinn a' dol a bhuannachadh a' chatha seo gum feumamaid a dhèanamh gu poilitigeach.

Chan e mo bheachd fhìn gun robh mi eu-dòchasach mun chùis-tagraidh, ach bha mi mothachail gun robhar a' cur dòchas agus creideamh ann an ceartas an t-siostaim laghail, rud nach robh mi fhìn a' dèanamh, agus b' e mo bheachd gum biodh a' chùis car searbh agus gun dòchas a thaobh nam ball againne. Tha fhios gun do mhothaich an neach a bha a' sgrìobhadh nan nòtaichean seo sìos gun robh mi fhìn car amharasach mu dheidhinn.

Mo chùis-lagha fhìn

Mar a sheall mi mu thràth, cha robh eòlas sam bith agamsa air mar a thèid cùisean laghail air adhart gus an do thòisich mi air an iomairt seo a dhèanamh. Gu dearbh, b' e an aon rud a rinn mi ann an taigh-cùirte ach a bhith nam shuidhe air diùraidh iomadh bliadhna ron a sin. Bha an rud gu lèir car achrannach agus neònach leamsa.

Nuair a chaidh mo ghairm gu Cùirt an t-Siorraim ann an Inbhir Pheofharain son a' chiad uair, chaidh iarraidh orm a ràdh an robh mi ciontach neo neochiontach, cha robh dol às sam bith agam. Air dhomh comhairle fhaighinn aig Robbie-the-Pict agus aig Seon Caimbeul, cha d' rinn mi rud seach rud, agus chaidh mi chun na cùirte a dh'fhaighneachd airson deasbaid air dè cho comasach agus cho cothromach is a bha na casaidean nam aghaidh.

Bha seo a' ciallachadh gum biodh èisteachd eile ann 1 am Màrt ann an through and were not going to be easily defeated. This fear was largely overcome by the huge level of support we got and the large numbers of people prepared to take this challenge, but it was not completely overcome. I still recognised that time was on the Government's side.

I knew from experience that such campaigns often start with great enthusiasm but then, over time, they fizzle out. It was expecting a lot from a small community to keep finding more people prepared and able to continue taking up the legal challenge and gumming up the courts. This had gone on for a remarkably long time but it could not be sustained indefinitely.

My view was that if we were going to win this battle, our best chance was to win it in the political arena. This may well have been the view of the majority of SKAT members, but at the end of 1996 there did not seem to be any division within SKAT on this matter.

Indeed in looking at the minutes of our meeting in Broadford on 5th October 1996, just before my first appeal at the High Court in Edinburgh, SKAT members seemed to be fairly optimistic about the outcome of that appeal. The minute reads: 'Robbie (the-Pict) is hopeful, Andy pessimistic.'

I don't think I was particularly pessimistic about the outcome of the appeal, but I was aware that there was a lot of hope and faith in the fairness of the legal system, which I did not share, and which I thought could lead to bitter disappointment for our members. No doubt whoever was taking the minutes noted my caution at that time.

If we were going to win this battle, our best chance was to win it in the political arena.

My own legal case

As I have indicated I had no experience of procedures in the criminal law before this campaign began. Indeed my only involvement in a criminal court was as a member of a jury many years before. The whole process seemed to me complex and confusing.

When I got my first summons to the Sheriff Court in Dingwall I was invited to plead guilty or not guilty. No other option was offered. On advice from Robbie-the-Pict and John Campbell I did neither and went to the court to ask for a debate on the competency and relevancy of the charges.

This then meant that there was a further hearing called for

Cùirt an t-Siorraim an Inbhir Pheofharain gus a' chùis a chnuasachadh. Thuirt Robbie-the-Pict gun cuireadh e neach-lagha air dòigh air mo shon, agus air an latha fhèin chuir e Mgr Niall Moireach QC air m' aithne, agus thuirt esan gun robh e deònach ar riochdachadh gun phàigheadh agus gum biodh e a' bruidhinn às mo leth aig an èisteachd seo. Mhìnich e dhomh mar a bhiodh agus mar a b' fheàrr a shaoil e a rachamaid air adhart, agus bha mise toilichte gu leòr dol leis.

B' iad na puingean as cudromaiche san deasbad mar a thuig mi fhìn iad:

(a) gus dèanamh cinnteach gu laghail gum b' urrainnear cìsean Drochaid an Eilein a thogail.

(b) gus ceist a chur dè cho cothromach 's a bha e cìs a thogail ann an Albainn a-mhàin seach san Rìoghachd Aonaichte, agus an robh seo a' dol an aghaidh riaghailtean an Aonaidh.

(c) gus cur an aghaidh a' phròiseas laghail a bha an gnìomh sa ghnothach seo.

Thug an Siorram breithneachadh sgrìobhte seachad air na rudan seo aig èisteachd eile ann an Inbhir Pheofharain air 8 am Màrt .

Dè a bha iad a' feuchainn ri chumail falaichte? Bha, an cùmhnant a rinn iad ris an Riaghaltas.

Cha dèilig mi ris na pàirtean neo-inntinnteach dhen deasbad fhada seo, seach dol gu cnag na cùise.

An toiseach b' i a' cheist cò aig a bha ùghdarras laghail na cìsean a thogail, agus bha tòrr argamaidean ann mu mhìneachadh agus eadar-theangachadh phàipearan sònraichte. Nam measg sin bha: an Achd fhèin (1991), an A87 Trunk Road Extension Special Road Scheme (1992), an Toll Order (1992), pàipearan beaga eile agus an rud a tha nist air droch chliù a thogail, an Concession Agreement agus an Development Agreement. Chaidh tòrr fhàgail às an dà phàipear mu dheireadh sin.

Chuir mise gu mòr an aghaidh a' bheachd gum bu chòir earrainnean mòra dhe na pàipearan seo a chumail air falbh bho shùilean na cùirte agus iad mas fhìor 'commercially sensitive'. Tuigidh mi mar a bhiodh suidheachadh far a bheil companaidh ann an còmhstri ri companaidhean eile agus iad airson a bhith a' cumail chùisean dìomhair. Ach cha robh companaidh eile ann sa ghnothach seo. Dè a bha iad a' feuchainn ri chumail falaichte? Bha, an cùmhnant a rinn iad ris an Riaghaltas. An e gun togadh companaidh eile drochaid eile agus dol an co-fharpais riutha?

Bha e soilleir an seo gun robh an companaidh nan èiginn, agus is dòcha an Riaghaltas cuideachd, gus an cuid foill a cheil air a' mhòr-shluagh.

March 1st in Dingwall Sheriff Court to consider this. Robbie-the-Pict offered to arrange representation for me and on the day of the hearing he introduced me to Mr Neil Murray QC who advised me that he was prepared to help us by acting without fee on our behalf and he would represent me at this hearing. He did explain to me the procedure and how he thought we should proceed and I was happy to agree with his proposals.

The main points of the debate, as I understood it, were:

(a) To establish lawfully authority for collecting tolls on Skye Bridge.

(b) To challenge the right to collect a tax in Scotland which was not applicable elsewhere in the UK and whether this was a breach of the Treaty of Union.

(c) To challenge the procedural process which had been applied in this case.

The Sheriff gave a written judgement on these matters at a further hearing in Dingwall on 8th March.

What (the bridge company) was anxious to keep secret was its agreement with the Government.

I will not bore the reader with the long and protracted arguments around these issues. I will just deal directly with the core issues and how they were dealt with.

On the question of who had legal authority to collect tolls, a great deal of the arguments were around the meaning and interpretation of certain documents. These included: the Act itself (1991), the A87 Trunk Road Extension Special Road Scheme (1992), the Toll Order (1992) other minor documents, and the now infamous Concession Agreement, and the Development Agreement. The last two documents were copies which both had considerable areas of deletions.

I objected strongly to the suggestion that large parts of these important documents should be hidden from the court in a criminal trial on the basis that this material was 'commercially sensitive'. I can appreciate the concept of commercial sensitivity in a situation where a company, in competition with others, is reluctant to have some of its production methods and costs made available to its competitors. However the Skye Bridge Company did not have a competitor. What it was anxious to keep secret was its agreement with the Government. Was it suggesting that if other companies knew about this they could build another Skye Bridge and compete with them?

It was obvious that what we had here was a desperate attempt by the company, and probably the Government, to keep their secret deal away from the public.

Cha neach-lagha mise, agus chan eil mi eòlach air an lagh, ach bha aon rud car soilleir bunaiteach dhomh. A rèir lagh na h-eucorach, feumar an duine a tha sa chùirt a bhith air fhaicinn neochiontach gus an tèid a dhearbhadh nach eil, agus tha dleastanas air an luchd-casaid a' chùis a dhearbhadh gun teagamh gun do bhris an duine an lagh. Feumaidh, mar sin, a h-uile pìos pàipear no fianais sgrìobhte neo eile a thèid a chleachdadh a bhith ri fhaotainn aig an taobh eile gus dèanamh cinnteach gun dèan iad freagairt ceart mar gum biodh.

Nam b' ann ann an cùirt shìobhalta far an dèanar breithneachadh air chothrom a bha sinn, bha rudan air a bhith eadar-dhealaichte, agus gu deimhinne bha còir a' chùis seo a bhith air a cumail ann an cùirt shìobhalta. Gidheadh, cha b' ann, 's ann ann an cùirt na h-eucorach a bha sinn, agus 's e an luchd-poilitigs a chuir ann sinn, agus mar sin bha sinne daingeann gun cùmte cùisean fo laghan cearta na cùirte sin.

Thuirt neach-casaid a' chrùin gum faodadh mo riochdaire laghail na pàipearan iomlan fhaicinn cho fad agus nach leigeadh e leamsa na pìosan a chaidh a thoirt a-mach asta fhaicinn neo bruidhinn mun deidhinn. Rinn mi glè shoilleir do Mhgr Moireach nach gabhainn ri seo idir. Bha seo, gu dearbh, a' dol an aghaidh mar a bhios eadar duine agus an neach-lagha aige. Mura biodh am fiosrachadh sin agam cha bhithinn comasach air treòrachadh a thoirt dom neach-lagha. A bharrachd, nam biodh am fiosrachadh aigesan agus nach biodh e agamsa, thigeadh airsan a bhith gam threòrachadh-sa.

Dhiùlt Mgr Moireach coimhead air na pàipearan nach robh rim faotainn agamsa, agus gu dearbh dh'aontaich an Siorram rinn a thaobh seo – rud nach do thachair ro thric.

Dh'fheuch a' chùirt ri bonn laghail a chur air dòigh do na h-earrainnean ath-sgrìobhte seo le bhith a' cur airson clèireach sìobhalta, Mgr Geoffrey Andrew Owenson, oifigear leis an roinn Policy, Finance and Strategy ann an Oifis na h-Alba mar neach-fianais. Thug Mgr Owenson fianais fo mhionnan gun robh na pàipearan seo nam pàirt de phàipearan dearbhte a chunnaic e fhèin agus a bha air an cumail ann an Oifis na h-Alba. Nuair a chaidh a cheasnachadh ge-tà, thàinig e an uachdar nach robh Mgr Owenson air duine dhe na h-oifigearan a chuir na h-earrainnean seo ri chèile, dìreach oifigear a chunnaic iad.

Nist tha seo glè inntinneach a thaobh mar a thachair an dèidh làimhe. Bha tòrr argamaidean laghail ann mu na pàipearan seo agus bhathar gan deasbad am measg nan daoine fhèin fad bhliadhnaichean. B' e an car an adharc an daimh an turas seo gun tuirt Mgr David Hingston, Iar-Neach-Casaid a' Chrùin aig Cùirt an t-Siorraim ann an Inbhir Pheofharain, agus gu dearbh an duine a bha a' togail na casaid nam aghaidh aig an èisteachd ud, agus gun tuirt e gu poblach e, nach robh e air na Concession and

I am not a lawyer, nor am I very familiar with the law, but one thing seemed fundamental to me. In the criminal law the accused must be seen as innocent until proved guilty and it is the duty of the prosecution to prove, beyond reasonable doubt, that the accused committed the crime. Any and every document, or other piece of evidence which is to be used and seen by the prosecution, must be made available to the defence to ensure a full response.

If we had been in a civil court where judgements can be made on the balance of probability, then it would have been different, and indeed this issue was much more appropriate to a civil court. However we were not in a civil court, we were in a criminal court, and it was politicians who had put us there, so we were determined to ensure that they operated under criminal court conditions.

The Procurator Fiscal offered to allow my legal representative to see the complete documents, on condition that he did not allow me to see the deleted parts, or discuss their content with me. I made it clear to Mr Murray that this was totally unacceptable to me. This indeed was turning the lawyer-client relationship on its head. If I did not have the information relating to the evidence against me I would be unable to instruct my lawyer. Indeed if he had it, and I did not, he would be obliged to instruct me.

Mr Murray refused to see the documents which were not available to me and indeed the Sheriff agreed with our view on this. It was one of the few things we did agree on.

The court attempted to give some legal basis to the copied partial documents by calling a civil servant, Mr Geoffrey Andrew Owenson, an officer of the Policy, Finance and Strategy Division of the Scottish Office as a witness. Mr Owenson gave evidence under oath that these documents were copies of parts of certified documents the originals of which were held in the Scottish Office and which he had seen. Under cross examination it emerged that Mr Owenson was not one of the officers who had drafted these documents, he was merely an officer who had seen them.

Now this is very interesting in view of subsequent events. These documents and their missing parts were the subject of many legal arguments and public debate over the years since that time. The latest twist in that public debate is that on January 3rd 2006 Mr David Hingston, the ex-Procurator Fiscal of Dingwall Sheriff Court, and indeed the Procurator Fiscal who was prosecuting me at that hearing, publicly claimed that he had never seen the Concession

Development Agreements fhaicinn, agus shaoil e nach robh sna pàipearan a chunnaic e ach rudan nach robh ceart idir.

Nist ma tha Mgr Hingston ceart an sin, rinn Mgr Owenson eitheach sa chùirt. Ma bha Mgr Owenson ceart, tha sin a' ciallachadh nach fhaca an duine a bha a' togail casaid nam aghaidh fianais sgrìobhte sam bith e fhèin, fianais a bha e a' diùltadh dhomh fhaicinn. Dè nì duine dhe sin?

Rud inntinneach eile mun deuchainn seo, b' e ceist Treaty of Union. A-rithist, shaoil mi gur e cùis shìmplidh a bha ann. Tha Achd an Aonaidh a' dèanamh soilleir nach gabh cìs a chur air aon dùthaich gun a chur an gnìomh san dùthaich eile, agus gum feum iad a bhith co-ionann. Ma choimheadas duine air mar a chaidh an achd a tharraing suas tha e furasta fhaicinn ciamar a dh'èirich a' cheist seo, agus tha e soilleir dè bha e a' ciallachadh dhan fheadhainn a chuir ri chèile i. Chùm sinne a-mach gur e cìs a bha seo (chaidh an ceòl air feadh na fìdhle a thaobh seo an dèidh tamaill leis an Riaghaltas a' cumail a-mach anns na cùirtean Albannach nach cìs e, ach ag ràdh an dearbh chaochladh sa chùirt Eòrpaich). O nach robh seo a' buntainn ach ri Alba, chùm sinne a-mach gur ann an aghaidh Achd an Aonaidh a bha e.

Bha mi dhen bheachd nach robh san dol-a-mach seo uile ach dòigh gus ar n-iomairt a chumail air falbh bhon luchd-poilitigs air chor agus gun rachadh ar spionnadh agus ar neart, gun luaidh air ar maoin, a chur air mì-bhuil.

San fhreagairt fhada a thug e dhan phuing shìmplidh seo, thug an Siorram a' bhreith seo, stèidhte air breith eile, a ghabhas cur an cèill mar a leanas: Dhaingich Pàrlamaid na h-Alba agus Pàrlamaid Shasainn an Cùmhnant seo, an uair sin chaidh iad à bith, agus mar sin chan eil cumhachd aig gin seach gin aca an cùmhnant a **chur an gnìomh**. Cha dèan seo ach Pàrlamaid Bhreatainn, agus mar sin cha tèid aig buidheann sam bith eile an cùmhnant a mhìneachadh ach Pàrlamaid Bhreatainn. Air neo ga chur ann an dòigh nas sìmplidhe: 'A thaigh na galla le do chùmhnant, tha e a' ciallachadh an rud a chanas Westminster a tha e a' ciallachadh, agus chan urrainn dhut dad a dhèanamh mu dheidhinn'.

Abair cumhachd rìoghail nan daoine neo an deamocrasaidh. Ach tha na rudan sin a' buntainn ris an luchd-poilitigs, chan aithnich na cùirtean ach cumhachd a ghabhas cur an gnìomh an aghaidh toil dhaoine. Gheibhear neart thar ceart sna cùirtean, chan e Cothrom na Fèinne.

Cha ruigear a leas a ràdh gun do dhiùlt an Siorram èisteachd ris na h-argamaidean againn, agus chaidh m' fhaotainn-sa ciontach aig an deuchainn agam air 11 an Giblean, rud a thog mi tagradh na aghaidh. B' e seo aon bhuannachd a bha againn le bhith sna cùirtean agus gun againn ri pàigheadh air a shon, mar a thachradh sa chùirt shìobhalta. Mar sin ghabh sinn làn chothrom air a' chothrom gus cas-bhacag a chur air an t-siostam.

Nuair a chaidh a thogail san Dàmhair mus deachaidh mi chun na cùirte airson mo chùis-tagraidh gun robh mi car eu-dòchasach 's ann a bha mi dhen bheachd nach robh san dol-a-mach seo uile ach dòigh gus ar

and Development Agreements and the documents he had been shown he believed were fake.

Now if Mr Hingston is correct in that public statement, then Mr Owenson committed perjury at my trial. If Mr Owenson was correct, then the man who brought the prosecution against me did not himself see documentary evidence, which he was refusing to allow me to see. What can one make of that?

Another interesting aspect of this trial was the Treaty of Union issue. Once again to me it seemed simple. The Treaty clearly states that taxes in both countries were to be the same after the Union and taxes should not be applied in one country differently from the other. If one looks at the historical context in which the treaty was drawn up it is easy to see why this question arose and it is clear what it meant to those who wrote it. We argued that this toll was a tax. (This particular argument also took on wings, with at a later stage the Government maintaining in the Scottish courts that it was not a tax, but in the European court that it was a tax.) As a tax which only applied in Scotland we argued that it was a breach of the Treaty of Union.

I saw this whole court process as a stitch-up designed to divert our campaign away from the politicians and to dissipate our energies and resources.

In his long response to this simple point the Sheriff, quoting other judgements, gives a judgement which can be summed up as follows: The Scottish Parliament and the English Parliament ratified this Treaty, then they both ceased to exist, so neither of them has the power to **enforce** the terms of the Treaty. The enforcing power is the British Parliament, so only the British Parliament can **enforce** the Treaty, therefore only the British Parliament can interpret the Treaty. Or more simply: 'Stuff your Treaty – it means what Westminster says it means and you are powerless to do anything about it.'

So much for the sovereignty of the people, or democracy. However these are concepts for politicians; courts only recognise enforceable power. One very good reason why fairness can't be looked for in law courts.

Needless to say the Sheriff rejected our arguments and went on to find me guilty at my trial in Dingwall on 11th April, which I appealed against. One of the advantages we did have from being forced through the criminal courts was that we could use the appeals system without having to pay for it, as we would have had to do in civil matters. So we took full advantage of that, to help us to gum up the system.

When it was noted in October before I went for my appeal that I was pessimistic then I was reflecting very much the fact that I saw this whole court process as a stitch-up designed to divert our campaign away from

n-iomairt a chumail air falbh bhon luchd-poilitigs air chor agus gun rachadh ar spionnadh agus ar neart, gun luaidh air ar maoin, a chur air mì-bhuil. Ach 's ann a bha tuilleadh ri thighinn.

Chaidh mo chùis-tagraidh a chur air dòigh san Àrd-chùirt ann an Dùn Èideann air 9 an Dàmhair. Bha mi air bruidhinn gu goirid ri Mgr Moireach an dèidh na deuchainn agus bha rud neo dhà aige ri ràdh a bu chòir a chur air adhart aig an Tagradh. Bha mise ag iarraidh a dhol a Dhùn Èideann a dheasbad na cùise ri Mgr Moireach mar ullachadh ron èisteachd, ach cha do dh'aontaich esan ri càil a bha agam ri ràdh gus an tàinig feasgar 8 an Dàmhair, an dearbh latha ron èisteachd.

Air an latha ud choinnich mi ri Mgr Moireach, agus ri Mgr Niall Caimbeul, an neach-lagha a bha ag obair dhuinn ann an Dùn Èideann. 'S ann feasgar a bha ar coinneamh agus rachadh èisteachd ris an Tagradh an ath mhadainn. Bha mi mothachail gun robh mòran de bhuill agus de luchd-taic SKAT a' siubhal sìos a Dhùn Èideann on Eilean an latha ud gus an Tagradh a fhrithealadh. Thoir fa-near, b' e seo a' chiad tagradh aig SKAT, 's mar sin bhathar a' togail ùidh mhòr san toradh.

Chuir Mgr Moireach iongnadh orm bhon chiad dol a-mach le bhith ag ràdh gum bu chòir a h-uile pàirt dhem thagradh, rudan a bha e fhèin air togail còmhla rium, a bhith air an cur a thaobh ach a-mhàin aon phuing. B' esan an QC agus bha meas is urram agam do a bheachd proifeiseanta, ach cha robh mi idir toilichte mun atharrachadh luath seo cho fada san latha.

Bha mise air fichead bliadhna a chaitheamh a' riochdachadh buill nan aonaidhean agus nan co-chomann, agus cha bhithinn riamh air cùis a thogail ri cùirt gun bruidhinn mu dheidhinn ann an doimhneachd ris a' bhall ris am bithinn a' dèiligeadh, agus cha mhotha gum bithinn air rudan aontachadh ro-làimh agus an uair sin an tilgeil air falbh ron èisteachd. Chuir mi mo dhiomb an cèill gu làidir do Mhgr Moireach.

Chuir e air shùilean dhomh nach robh mi fo dhleastanas a chomhairle a ghabhail, agus gum faodainn Comhairliche eile fhaighinn nan tograinn, ach mhol e gu mòr gun dèanainn mar a bha e ag iarraidh orm. Aig an ìre sin san deasbad, thuirt Niall Caimbeul gun robh an taic laghail a bha sinn a' sireadh air tighinn tron oifis aige am feasgar sin, agus stad sinn airson strùpag on a bha an seòmar air fàs car teth.

Chaidh mi a-mach sa ghàrradh airson toite agus tòrr smaoineachaidh romham. Bha mi eadar dhà leann: nam faighinn cuidhteas mo Chomhairliche agus nan cuirinn dàil sa chùis-lagha beagan, is dòcha gum faighinn cothrom mo chùis-tagraidh a chur ri chèile; ach nan dèanainn sin, b' ann air siubhal gun siùcar a bhiodh an luchd-taic on eilean air tighinn agus bhiodh bristeadh-dùil aca. Mus deachaidh mi air ais dhan t-seòmar bha fhios agam dè bha agam ri dhèanamh.

the politicians and to dissipate our energies and resources. However we had a lot more of it to put up with.

My appeal was arranged in the High Court in Edinburgh for 9th October. I had discussed the appeal briefly with Mr Murray following the trial and he had suggested a number of points which should be put forward at the Appeal. I wanted to go to Edinburgh to discuss the Appeal with Mr Murray in preparation for the hearing, but none of the proposals I made for a meeting proved to be satisfactory to Mr Murray, until the afternoon of 8th October, i.e. the day before the hearing.

On that day I met with Mr Murray and Mr Neil Campbell our Edinburgh solicitor. Our meeting was in the afternoon and the Appeal was to be heard the following morning. I was aware that a large number of SKAT members and supporters were travelling to Edinburgh from Skye that day to attend the Appeal. This of course was the first appeal for SKAT and so there was a great deal of interest in the outcome.

Mr Murray surprised me straight away at our meeting by proposing that all the points of appeal, which he had raised previously with me, should be dropped with the exception of one point. I of course respected that he was the QC and therefore I should use his professional judgement in such matters, but I was very unhappy at this eleventh hour change of plan.

I had twenty years of experience representing trade union members, and I would never have taken a case to a hearing without having discussed it carefully with my member, giving him or her all the facts as I saw them, nor would I have suggested a number of points to be raised, and then withdrew nearly all of them just before the hearing. I was not happy and made that clear to Mr Murray.

He pointed out that I was not obliged to take his advice and indeed could change my Counsel if I wished to, but strongly recommended that I follow the route he was proposing. At that stage in the discussion Neil Campbell informed us that the legal aid approval had come through to his office that afternoon. At that point we broke for a cup of tea as the atmosphere in the room had been hot.

I went into the garden and did some serious thinking. I was faced with a dilemma – if I got rid of my Counsel and got the hearting postponed I might have a chance of preparing a case. However if I did that, the supporters coming from Skye would be travelling for nothing and be very disappointed. Before I went back into the room I knew what I had to do.

Nuair a thòisich a' choinneamh a-rithist dh'fhaighnich mi dhe Mgr Moireach gu dè an suidheachadh a thaobh nam puingean a bha sinn air cur an cèill dhan chùirt ach nach robh gu bhith againn a-nist. Am biodh iad seo a-mach às an rathad buileach, air neo an togadh ball eile de SKAT iad a-rithist. Chaidh Mgr Moireach an urras dhomh gum faodadh gun rachadh rud sam bith nach do thog sinn aig an àm ud a ath-thogail a-rithist le ball eile aig àm eile.

Dh'fhaighnich mi dheth an uair sin mu ciamar a bu chòir dhomh mo Chomhairliche atharrachadh. Ciamar a bhiodh sin ag obair agus an èisteachd ann an ath latha 's gun cothrom ann cuideigin ùr a lorg 's a chur air eòlas. Thuirt esan nan robh mi airson atharrachadh a dhèanamh gum biodh tìde agam agus gun leigeadh a' chùirt leam 's gun cuireadh iad dàil san èisteachd.

Thuirt mi ris gun robh mi nist soilleir mu na bh' agam ri dhèanamh. Bha sinn dìreach an dèidh cluinntinn gum faighinn cobhair laghail, 's mar sin bha mi dìreach a' sireadh Comhairliche. Thuirt e gum bu chòir dhomh innse don chùirt an ath-latha gun robh feum agam air beagan tìde gus bruidhinn ri mo chomhairliche ri linn cho fada 's a bha mi a' faighinn a-mach mun chobhair laghail. Thuirt esan gun robh tìde air a bhith againn on Ghiblean gus ar cùis ullachadh, agus nach robh mòran coltais ann gun gabhadh na h-urrachan mòra ri dàil a chur sa chùis on a bha an t-Àrd-Neach-Tagraidh gu bhith ann.

Thuirt mise nach robh seo ceart. Bha e fìor gun tuirt e sa Ghiblean gun dèanadh e mo riochdachadh saor 's an asgaidh, ach cha robh sinn air faighinn còmhla. Ach b' e rud prìobhaideach a bha sin 's cha robh fios aig a' chùirt mu dheidhinn. Bho thaobh na cùirte dheth, b' e a' chiad uair a chuir mi steach airson cobhair laghail an latha ud nuair a bha e ri fhaotainn, agus uime sin bu chòir dhaibh a thuigsinn gu reusanta gum feumainn barrachd tìde. Thug mi taing dha air sgàth a chòbhrach agus a chomhairle, ach rinn mi soilleir e nach rachainn chun an Tagraidh gun gnothaichean ullachadh gu làn 's gu ceart.

Dh'fhaighnich e dhìom dè thachradh mura cuireadh na h-urrachan mòra an dàil sa chùis, am bu chòir dha dìreach dol air adhart air mo sgàth. Thuirt mi nach bu chòir, agus mhìnich mi dha on a bha mi air iarraidh gu reusanta air a' chùirt gun rachadh dàil air gnothaichean agus gun cuirinn làn fheum air mo chobhair laghail, nan rachadh seo a dhiùltadh leotha gun cumainn air adhart a' bruidhinn às mo leth fhìn. Cha robh càil a dhùil agam gum buannaichinn a' chùis, thoir fa-near, ach bhiodh deagh chothrom agam tagradh a chur a-steach dhan Chùirt Eòrpach a dh'innse dhaibh gun deachaidh riochdachadh ceart laghail a dhiùltadh dhomh le Àrd-Chùirt nan Tagraidhean.

Dh'aidich Mgr Moireach gun robh mi ceart a thaobh sin co-dhiù, ach shaoil leis gum bu chòir dhomh faighinn deiseil gus mo chùis a chur air

When the meeting restarted I asked Mr Murray what the position would be on the points we had identified to the court, but were now not proposing to argue. Would these points now fall, or could they be taken up again by some other SKAT appellant at a later date. Mr Murray assured me that any of the points we did not raise would remain untested and could indeed be raised by another appellant at a later date.

I then asked him about his assertion that I could change my Counsel. How would that work since the hearing was due the next morning. I would not have time to find and brief Counsel. He said that if I wished to change Counsel the court would allow me time and would postpone the hearing.

I told him I was now clear what I had to do. We had just been informed that legal aid was available to me, so in theory I was just beginning to look for Counsel. I said he should tell the court next day that I needed time to brief my Counsel because of the delay in granting legal aid. He pointed out that we had had since April to prepare the case and it was unlikely that their lordships would accept a postponement as the hearing had been arranged to accommodate the Lord Advocate who was to be in attendance.

I said that this was not in fact correct. It was true that he had offered to act without fee for me in April, but we had not managed to get together. That however was a private arrangement which was not known to the court. As far as the court was concerned my first opportunity to arrange for legal representation had been that very day when the legal aid was available, therefore it should be entirely reasonable to them that I should need time. I thanked him for his assistance to me and advice, but made it clear that I was not going before the Appeal without fully preparing my case.

He asked me what would happen if their lordships did not agree to postpone the case, should he then just proceed to act on my behalf. I said no, and explained that having made a reasonable request to the Appeal Court for a postponement in order to make full use of my legal aid, if I were refused this by the court, then I would go ahead and represent myself. I could not expect, of course, to win the case, but I would have perfect grounds for an application to the European Court that I was denied proper legal representation by the High Court of Appeal.

Mr Murray acknowledged that I was correct in that at least, but he thought that I should be prepared to put the case next day just in case.

adhart air eagal 's nach soirbhicheadh leam. Dh'aontaich sinn gun dèanainn seo aig Èisteachd an Tagraidh.

Nuair a dh'fhàg mi oifis Mhgr Moireach, chuir mi air dòigh an làrach nam bonn gum faighinn uiread 's a b' urrainn dhomh de mo cho-bhuill ann an SKAT cruinn còmhla airson coinnimh air an dearbh oidhche ud. Thoir fa-near, cha b' urrainn dhomh a h-uile ball a bha ann an Dùn Èideann an oidhche sin fhaotainn, no dad coltach ris, ach chaidh agam air faighinn an coluadair ri mu 12 dhiubh, Myrna an Rùnaire Coitcheann agus Robbie-the-Pict an Rùnaire Laghail nam measg.

Dh'innis ni dhan a h-uile duine mar a chaidh mo choinneamh ri Mgr Moireach agus dè dh'fhaodadh tachairt mar bhuil. Chaidh mi air adhart a ràdh gum b' e mo bheachd gum faigheamaid dàil a chur an Èisteachd an Tagraidh, agus on a bhiodh rudan eile ri èisteachd ann an Cùirt an t-Siorraim an Inbhir Pheofharain air 11 an Dàmhair, dh'fheumadh iadsan a bhith air an cur dheth gu latha eile cuideachd.

Bha dragh air Robbie-the-Pict mu na bha agam ri ràdh agus thuirt e gum bu chòir dhuinn dol gu na meadhanan. Cha robh mise airson seo, agus cha robh càil a dh'fhios a'm dè chanamaid ris na meadhanan seach nach robh sinn sàsaichte leis a' chomhairle laghail a fhuair sinn, agus shaoil mi nach b' e rud glic a bha ann seo a ràdh. Dh'aontaich na buill nach rachamaid an coluadair ris na meadhanan aig an ìre seo.

Chaidh aontachadh gun cumadh sinn oirnn a' togail fianais agus a' caismeachd gu ruige Taigh na Cùirte mar a bha sinn air a phlanaigeadh. Dh'iarradh Mgr Moireach air na h-urrachan mòra gun dèigheadh dàil a chur sa gnothach aig toiseach an Tagraidh. Nan gabhte ris a' seo, chuirinn air dòigh sa bhad neach-tagraidh eile a lorg. Mura faighinn dàil sa chùis, bhithinn gam riochdachadh fhìn, agus b' ann an uair sin a dhèanadh sinn gearan gu geur ris na meadhanan agus dèanamh deiseil tagradh a chur a-steach dhan Chùirt Eòrpach. An dèidh na coinneimh seo chaidh mi air ais gu mo thaigh-loidsidh agus bha mi fad na h-oidhche ag ullachadh airson an Tagraidh gun fhios nach biodh feum ann.

Air an ath-latha rinn sinn caismeachd air cùl grunn phìobairean sìos Sràid a' Phrionnsa 's suas gu ruige an Àrd-Chùirt agus chaidh sinn a-steach airson 's gun rachadh èisteachd ri ar cùis. Cha do mhair a' chùis ach 10 mionaidean. Dh'iarr Mgr Moireach na rudan a bha sinn a' bruidhinn mu dheidhinn. Cha robh na Britheamhan mòra ro shona ach dh'aontaich iad. Thug mi taing do Mhgr Moireach, agus dh'innis mi dha nach biodh a sheirbhisean a dhìth tuilleadh.

Air an aon latha dh'fhastaidh mi Magaidh Scot, Neach-tagraidh, airson mo riochdachadh aig an'èisteachd. Cha robh ise fada a' cur air dòigh gun tigeadh i gam fhaicinn gus gnothaichean a dheasbad. Rinn i mo riochdachadh aig an ath èisteachd agus na mo bheachd-sa rinn i fìor

We agreed to proceed in that manner at the Appeal hearing.

When I left Mr Murray's office I made immediate arrangements to get as many of my SKAT colleagues together for a meeting that night. It was not of course possible for me to contact all the SKAT members who were in Edinburgh that night, or anything like it, but I did manage to contact about twelve, including Myrna the General Secretary and Robbie-the-Pict the legal secretary.

I gave a full report to the others of my meeting with Mr Murray and its implications. I went on to say that I believed that we would probably get a postponement of the Appeal Hearing and since there were further hearings scheduled for the Dingwall Sheriff Court for 11th October these would have to be rescheduled also.

Robbie-the-Pict was disturbed by my report and suggested that we should contact the media. I was opposed to this and could not see what we could say to the media other than that we were unhappy with our legal advice and I did not consider that wise. Members agreed that we should not approach the media at this stage.

It was agreed that the demonstration and march to the court should proceed as planned. Mr Murray would ask their lordships at the start of the Appeal for a postponement. If this was accepted I would make immediate arrangement to get another advocate. If I was not granted a postponement I would represent myself and we would then complain bitterly to the media and prepare to make an application to the European Court. After this meeting I went back to my B&B and sat up half the night preparing my case for the Appeal just in case I had to present it.

The following day we marched behind pipers down Princes Street, and up to the High Court and filed in for the Hearing. The Appeal hearing lasted no more that ten minutes. Mr Murray asked for a postponement on the grounds that I had only got my legal aid through the day before and needed time to prepare my case. Their lordships were not happy but agreed. I thanked Mr Murray and told him his services would no longer be required.

The same day I engaged Advocate Maggie Scott to represent me at the Appeal hearing. Miss Scott made early arrangements for me to come and see her and go through the case with her. She did represent me at the subsequent Appeal and in my opinion

dheagh obair. Gidheadh, cha do bhuannaich sinn an tagradh, rud nach do chuir iongnadh sam bith ormsa.

Tha mi air a h-uile rud a thachair, mar a thuig mi fhìn iad, a chur sìos an seo, agus a' coimhead air ais orra tha mi dha-rìribh dhen bheachd gun robh na rinn mi ceart agus glic, agus mar sin gun deachaidh agam air tuilleadh bacadh chur air na cùisean laghail. Oir bha Clèireach Cùirt an t-Siorraim ann an Inbhir Pheofharain air cur air dòigh gun dèigheadh èisteachd ri tòrr dhaoine 's an cùisean air 11 an Dàmhair. Tha mi a' dèanamh dheth gun robh dùil aige nach soirbhicheadh le Èisteachd mo Thagraidh air 9 an Dàmhair, rud a bhiodh air fàgail gum faighte mi ciontach uair is uair eile air an 11mh. Leis gun tug mise orra dàil a chur sa chùis cha do thachair seo agus bha aca ris a h-uile cùis a chur air dòigh a-rithist, agus an dèidh sin bha barrachd cùraim agus faicill aca, agus cha do chuir iad cùisean Cùirt an t-Siorraim taobh ri taobh ri Èistidhean Tagraidh tuilleadh.

Ach ghabhadh a h-uile rud a tha seo fhaicinn ann an dòighean eadar-dhealaichte seach mar a thuig mi fhìn iad agus tha mi cinnteach gur ann mar sin a bha. Bhiodh e furasta thuigsinn carson a chitheadh cuideigin eile fìrinn na cùise mar a leanas:

> Fhuair Andaidh MacIllAnndrais cuideachadh bho QC a bha cho èasgaidh air SKAT a chuideachadh 's gun d' rinn e a chuid obrach gun phàigheadh. B' e cleas a' QC grunn phuingean àraid a chur sa chùis-Tagraidh a dh'fhàgadh an t-Àrd-Neach-Tagraidh gun seasamh coise aige, agus an uair sin dìreadh air aon phuing a-mhàin aig an tagradh fhèin gus bualadh le buaidh sa bhad. Cha do dh'innis an QC dè bha e ris do Andaidh, agus sheachain e coinneachadh ris an oidhche ron tagradh a chionn 's nach robh e ag iarraidh gum faigheadh an taobh eile leus dhe na bha air chois aige.
>
> Nuair a chaidh innse do Andaidh mun phlana gus aon rud a-mhàin a chur air adhart cha do thuig e idir dè bha air chois, agus dhiùlt e deagh chomhairle laghail.
>
> Tha e cho fada sa cheann agus dàna gun do smaoinich e gun dèanadh e na b' fheàrr leis fhèin, gus mu dheireadh chaidh ìmpidh a chur air cuideachadh fhaighinn, ach mun àm ud bha e air na britheamhan agus siostaman na cùirte fhàgail cho troimh-a-chèile co-dhiù 's gun d' rinn e obair an Neach-Tagraidh do-dhèanta, agus chaill i an tagradh.

Leis an fhìrinn innse tha e cheart cho ceart seo a ràdh 's a tha e an taobh eile dheth a mhìneachadh. 'S e tha cudromach, dè am beachdachadh is am breithneachadh a chuireas duine an cèill o thaobh nan rudan fìrinneach seo, agus dè cho mòr 's a tha e a' creidsinn anns an t-siostam laghail agus anns an luchd-lagha.

did a first class job. We did not however win the appeal, which was not a great surprise to me.

I have set out here the events, and how I saw them at the time, looking back at these events I am convinced that I acted wisely and in so doing helped to further gum up the legal works for the Clerk of the Sheriff Court at Dingwall had arranged a large number of cases to be held in Dingwall on 11th October. Presumably he was expecting my Appeal Hearing to go ahead and be unsuccessful on 9th October, which would have opened the way for a stream of convictions on the 11th. By my forcing a postponement this could not happen and all these cases had to be rescheduled. After that they acted more cautiously and never again scheduled Sheriff Court cases to follow immediately after Appeal hearings.

Of course all of these events could have been seen quite differently from the way I have interpreted them and no doubt were. It would be perfectly logical for someone to read these same facts in this way:

> Andy Anderson got the help of a QC who was so keen to help SKAT that he worked without fee. The QC's plan was to put in a number of points for Appeal in order to wrong-foot the Lord Advocate, then at the actual appeal hone in on only one point in order to deliver an effective strike. The QC did not tell Andy his strategy and avoided a meeting until the night before the appeal because he did not want the opposition to get prior warning of his tactics.
>
> When Andy was told about the plan to put forward only one point he completely failed to grasp the strategy and rejected sound professional advice.
>
> He is so big headed he thought he could do a better job on his own. Eventually he was persuaded to get professional help, but by that time he had so upset the judges and the whole court procedures, that his new Advocate's task was made impossible and she lost the appeal.

In logic this is just as valid an interpretation as the one I have given of the same facts. It is merely what value judgements one makes of these facts and crucially what faith one puts in the legal system and lawyers.

Bha mòran de bhuill SKAT aig an àm ud an dùil 's an dòchas gun cuidicheadh an Luchd-lagha iad. Bha mi fhìn air a bhith an làthair aig na coinneamhan seo, bha mi air cluinntinn na bhathar ag ràdh agus bha mi air tuigsinn dè bha dol o thaobh nan daoine a bha an làthair – rud nach robh na buill air a dhèanamh idir. Cha robh acasan ach na chaidh innse dhaibh mun chùis. Chuireadh e iongnadh orm mura biodh cuid de bhuill SKAT ann a chreid gun robh mi air butarrais a dhèanamh dhen chothrom agam san Tagradh le mo dhol-a-mach fhìn.

Is e seo cunntas dhen chiad uair a nochd mi san Àrd-Chùirt. Bha a' chùis seo glè chudromach do bhuill SKAT oir b' e a' chiad chùis am measg tòrr eile a rachadh cho fada ri Cùirt an Tagraidh. Bha mo chùis-sa air bàrr an liosta, air thoiseach air cùisean eile a lean i.

An t-Slighe air Adhart

Mu dheireadh na Dàmhair 1996 bha buill SKAT air a' chiad chùis a chaidh gu cùirt fhaicinn, cùis a bha gu bhith mar thoiseach-tòiseachaidh a thaobh a bhith a' dol gu Cùirt an Tagraidh. Ged nach robh sinn air buannachadh le buaidh mhòr aig an àm ud, bha a' mhòr-chuid againn glè thoilichte leis mar a fhuair sinn air adhart ann an saoghal an lagha.

Bha sinn air tòrr taic fhaotainn nar gairm an aghaidh pàigheadh nan cìsean agus gus dol ri uchd nan cùirtean, agus bha mòran dhaoine ùra fhathast a' tighinn air adhart gus ar cuideachadh. Bha sinn air a' chùis fhàgail glè dhoirbh do Chùirt an t-Siorraim leis a' mheud de dhaoine a bha a' dol ann. Tha tòrr eisimpleirean dhen seo ann, ach is dòcha gun seall an sgeulachd seo mu aon chùis-lagha na duilgheadasan a bha aig Cùirt an t-Siorraim ann an Inbhir Pheofharain ri linn an cuideim a chuirte orra.

Anns an t-Sultain 1996 fhuair Bob Dàibhidh à Bhatairnis ann an ceann an iar-thuath an eilein bàirlinn sa phost gus nochdadh sa Chùirt agus e air a chur às a leth gun do dhràibh e thairis air Drochaid an Eilein gun a' chìs a phàigheadh. Chaidh iarraidh air a ràdh an robh e ciontach neo neochiontach.

Nist chuir seo annas air Bob. Cha robh Bob air a bhith an gaoth na drochaide ùire riamh 's cha robh e fiù 's air a faicinn. Cha robh càr aig Bob, agus cha robh comas dràibhidh aige, agus bha Bob air a bhith ag obair air an tuathanas-èisg ann an Bhatairnis, aon 50 mile on drochaid, air an latha fhèin agus aig an àm ud, rud a dhearbhaich a luchd-fastaidh, Marine Harvest.

Cha d' fhuaireadh guth o oifis an Fhioscail gu na meadhanan ach, 'Tha e neònach gu bheil seo air tachairt'. Bha na thuirt Myrna Scott-Moncrieff ris na meadhanan na b' fhaisge air cnag na cùise, oir mhìnich i gun robh cus uallach obrach air Oifis an Fhioscail agus air na poilis ri linn 's gun robhar a' feuchainn ri cùis shìobhalta a làimhseachadh ann an dòigh a

Many SKAT members at that time had pinned a lot of hope and faith in lawyers. I had been present at these meetings. I had heard what was said and seen the body language. They had not. They had nothing but the bare facts as reported to go on. I would be surprised if there were not a few SKAT members who believed that I had blown my chances of a successful Appeal outcome by my own conduct.

This is an account of my first appearance at the High Court. This case was of great significance to SKAT members because it was the first of a very large number of SKAT cases which would get to the Court of Appeal. My case was at the apex of a large pyramid; once it was dealt with a steady stream of other cases followed on.

The way forward

By the end of October 1996 SKAT members had seen the first, of what was now a large number of criminal cases go before the Appeal Court. Although we had not won any significant case at that time, most of us were very pleased with our progress so far on the legal front.

We had managed to get a great response to our call to refuse to pay the toll and face the legal consequences and new people were still coming forward. We had flooded the Sheriff Court to an extent that it was finding life extremely difficult. There are many examples of this, but perhaps this story of one incident can illustrate the difficulties the Sheriff Court in Dingwall had got into because of the pressure on them.

In September 1996 Bob Davie from Waternish in north west Skye got a summons in the post to appear at Dingwall Sheriff Court to answer charges of driving over the Skye Bridge and refusing to pay the toll. He was asked to plead guilty or not guilty.

Now this was very puzzling for Bob. Bob had never been near the new Skye Bridge and had never even seen it. Bob did not have a car and couldn't drive and Bob had been at work on the fishfarm in Waternish, some 50 miles from the Skye Bridge on the day and at the time in question, which his employers, Marine Harvest, were able to confirm.

The comment from the Fiscal's office to the media was: 'It is strange that this has happened.' Myrna Scott-Moncrieff's comment to the media was perhaps more to the point, she explained that the Fiscal's office and the police were stretched to the limit because of this attempt

bhuin ri lagh na h-eucorach, agus mar sin bha e do-sheachanta dhaibh gun mhearachdan a dhèanamh.

Bha beagan fealla-dhà ann mun ghnothach-sa, ach b' e rud dha-rìribh a bh' ann. Nan robh càr air a bhith aig Bob, nam biodh e na dhràibhear, agus mura robh e air a bhith ri 'obair an latha ud 's gun duine ann a chanadh gun robh e ann, bhiodh air e fhèin a dhìon sa chùirt, agus is dòcha gum biodh e air a bhith air fhaighinn ciontach ri linn an sìor-ùpraid a bha air chois sa chùirt ann an Inbhir Pheofharain aig an àm ud.

Mun àm seo bha sinne cuideachd air a dhol an aghaidh na cùirte a thaobh peanasachadh, agus bha coltas air cùisean a-nist nach b' urrainn dhaibh dèiligeadh ris an dùbhlan againn. Mar eisimpleir, nuair a chaidh mi fhìn fhaighinn ciontach a' chiad uair sa Ghiblean '96 chuir an Siorram càin £30 orm mu choinneamh gach turas a bhris mi an lagh, 's e sin £150, agus b' e a bhreith aig an aon àm gun gabhadh a' chàin seo a togail le 'civil diligence', neo warrant sales nam biodh feum ann.

Cha robh mise air dad a phàigheadh dhaibh mar chàin, agus a-nist bha mòran dhaoine eile san aon suidheachadh. Bha, thoir fa-near, litrichean a' bagairt orm iad a phàigheadh, agus bha eadhon na Bàillidhean a' tighinn a choimhead air an taigh agam 's mar sin, ach cha robh na h-ùghdarrasan air oidhirp a dhèanamh reic barantais a chur an gnìomh, tha mi cinnteach a chionn 's nach tigeadh na duilgheadasan a bha iad a' fulang an ceartuair leis na poilis agus leis a' Chùirt an uisge na stiùrach na dh'fhuilingeadh iad nam feuchadh iad sin. Cha do chleachd iad riamh reicean barantais nar n-aghaidh, ach bha iad glè mhothachail gun robh sinne deiseil air an son. Mheas sinn an eu-comas aca mar bhuaidh laghail eile dhuinne.

> **Bha sinne air tighinn chun a' cho-dhùnaidh gur e seo a bhathar gu dearbh a' dèanamh, agus thuig sinn gun robh iad air ar saorsa shìobhalta a bhriseadh.**

Bha e cuideachd a' fàs soilleir mun àm ud gun robhar a' diùltadh cobhair laghail do bhuill SKAT, ge b' e dè an suidheachaidhean pearsanta a thaobh airgid. Fhuair mise cobhair laghail ri linn mo Thagraidh san Àrd-Chùirt mar a' chiad chùis-lagha, ach an dèidh sin bha a h-uile tagradh bho SKAT a' faighinn diùltadh. Dh'aithnich sinn gun robh seo a' tachairt cho tric 's nach e co-thuiteamas a bha ann. Gu dearbh anns an aithris phoblach a rinn Mgr Hingston, Iar-Neach-Casaid a' Chrùin, sa bhliadhna 2006, air an tug mi tarraing na bu tràithe, tha esan cuideachd ag ràdh gun deachaidh cobhair laghail a chumail bho bhuill SKAT gu cunbhalach. Bha sinne air tighinn chun a' cho-dhùnaidh gur e seo a bhathar gu dearbh a' dèanamh, agus thuig sinn gun robh iad air an saorsa shìobhalta a bhriseadh, rud a dh'fhaodadh a bhith a' ciallachadh gun rachadh againn air cur an aghaidh nan cìsean gu soirbheachail aig a' Chùirt Eòrpach.

Leis a h-uile rud a bha a' tachairt, bha sinn misneachail gun robh sinn air sabaid air ais gu math an aghaidh an Riaghaltais sna cùirtean, agus gum b' urrainn dhuinn an aon rud a dhèanamh ann an saoghal nam poilitigs agus Taghadh Pàrlamaid cha mhòr oirnn.

to handle a civil matter under criminal procedures and in such circumstances mistakes were inevitable.

This incident did cause some hilarity but it was a very serious matter. If Bob did have a car, if he was a driver, and if he was not at work that day, and had no witnesses as to his whereabouts, he would have been forced to defend himself in thc criminal court and could well have been found guilty in the sausage machine process then applying in Dingwall Sheriff Court.

By this time we had also defied the court as regards penalties and it was beginning to look as though they felt unable to deal with our defiance. For example when I was first found guilty in April 1996 the Sheriff had fined me £30 for each of the five offences, i.e. £150, and had at the same time ruled that this fine be 'recoverable by civil diligence', i.e. warrant sales if necessary.

I had paid not a penny in fines and by now there were many others in the same situation. I had of course had threatening letters and I even had Sheriffs Officers coming around looking at my property, but the authorities had not made any attempt to implement a warrant sale, no doubt because they realised that their current problems with police and court time, were as nothing to what they would get if they tried that. They never did use warrant sales against us, but they were well aware that we were ready for them to try. We counted their inability to use warrant sales as another legal victory to us.

> **We had come to the conclusion that (refusal of legal aid) was indeed being done and we appreciated that this was a breach of civil liberties**

It was also becoming clear by that time that SKAT members, irrespective of their personal financial circumstances, were being refused legal aid. I had been awarded legal aid for my Appeal at the High Court as the first case, but following that every SKAT application was being rejected. We recognised that this was too regular to be a coincidence. Indeed in the public statement made by Mr Hingston, ex-Procurator Fiscal, in 2006, which I referred to earlier, he also says that legal aid was regularly withheld from SKAT members. We had come to the conclusion that this was indeed being done and we appreciated that this was a breach of civil liberties which could open the door to a successful challenge at the European Court.

All things considered we were confident that we had held the Government's attack on us in the criminal courts and that we could mount a counterattack in the political arena with the General Election looming.

'S ann aig an àm seo a thachair an dàrna rud a chuir cuideam air aonachd SKAT. An dèidh mo chùis-Tagraidh ann an Dùn Èideann bha dragh air cuid de na buill againn mun dòigh anns an do thachair rudan. Dh'innis duine dhe na rùnairean againn dhomh gu lom dìreach an dèidh na h-Èisteachd gun robh i fhèin agus a teaghlach air tòrr airgid a chall a dh'fhaotainn sìos a Dhùn Èideann airson Èisteachd mo Thagraidh, agus an dèidh na caismeachd bha iad air an Àrd-Chùirt a ruigsinn làn dòchais ach cha do mhair a' chùis ach 10 mionaidean agus los sin bha mise air dàil iarraidh sa chùis.

Bha e nàdarra gum biodh i feargach agus ag iarraidh faighinn a-mach dè bha dol air adhart, agus thoir fa-near mar a thuirt i bha càch a' smaointinn an aon rud. Rinn i gearan rium cuideachd gun robh Myrna Scott-Moncrieff air a bhith a' mìneachadh do na buill gun deachaidh an co-dhùnadh a dhèanamh an oidhche roimhe le cuid de bhuill SKAT, is mar sin carson nach deachaidh innse dhaibh uile? Bha fios a dhìth oirre.

Ach bha Myrna air feuchainn ris an t-suidheachadh a mhìneachadh do na buill, cuid aca a bha feargach agus troimh-a-chèile, dìreach an dèidh na h-Èisteachd, fhad 's a bha mi fhìn fhathast a-staigh a' feuchainn ri riochdachadh is eile a chur air dòigh airson an Tagraidh ùir. Mar sin 's i Myrna a fhuair a a' chuid is motha dhen chàineadh.

> **Aon rud 's e cho aonaichte is a bha a'choimhearsnachd mun chùis seo is gun robh sinn air daoine dhen a h-uile h-aois a tharraing a-steach.**

B' ann air Diciadain 9 an Dàmhair a bha seo, agus rinn mi soilleir e dha na buill a choinnich rium ann an Dùn Èideann gum biodh aithisg làn mhionaideach agam mun t-suidheachadh aig an ath choinneimh air Disathairne 12 an Dàmhair. Aig a' choinneimh sin air 12 an Dàmhair thug mi cunntas làn dha na buill air mar a bha an suidheachadh ron Tagradh, agus rinn mi leisgeul gu pearsanta airson na duilgheadasan a bha seo air adhbharachadh dha na buill agus chaidh na thuirt mi a ghabhail ris aca, rud a thug rud beag dhen chuideam dhe Myrna.

Gidheadh, bhathar fhathast a' cur cuideam oirre, agus chaidh i cho fada agus gun do leig i dhi a ballrachd ann an SKAT, a' sgrìobhadh chun an neach-cathrach. Chuir iomadach ball, mi fhìn nam measg, ìmpidh air Myrna fuireach sa phost aice agus gun gèilleadh ris a' chuideam a bha a' bheag-chuid a' cur oirre.

Ach cha robh na frionasan sin nam pàirt ro mhòr dhen bhuidheann SKAT aig an àm ud: gu dearbh, cha tug mòran dhe na buill neo an luchd-taic feart orra. Anns a h-uile rud a rinn SKAT gu poblach bha coltas air a' bhuidhinn gun robh iad gu math air cùl a' ghnothaich, rud a bha fìor mu 98% dhe na buill.

Aon rud a bhuaileas ormsa a' coimhead air ais chun na h-ama sin, 's e cho aonaichte is a bha a' choimhearsnachd mun chùis seo is gun robh sinn air daoine dhen a h-uile h-aois a tharraing a-steach. Seadh, bha e fìor gur iad na daoine bu shine a bu fhollaisiche nar n-iomairt taobh a-muigh dhen

It was at this time when the second incident occurred that challenged the unity of SKAT. Following by Appeal case in Edinburgh there had been some concern among members about how things had happened. One of the SKAT secretaries told me bluntly after the Hearing that she and her family had made a great financial sacrifice to get down to Edinburgh for my Appeal Hearing, and after the march through Edinburgh they had arrived at the High Court full of hope, to be confronted by a ten minute hearing, at which I had requested a postponement.

She was naturally angry and wanted to know what that was all about and of course as she pointed out, others felt the same. She also complained to me that Myrna Scott-Moncrieff had been explaining to members that the decision to seek an adjournment of the Hearing had been made the night before by some SKAT members, so why had they all not been informed? She wanted to know.

Myrna of course had tried to explain the situation to angry and confused members immediately after the Hearing, while I had still been inside trying to secure representation and arrangements for the new Appeal. So Myrna had taken much of the flak.

This was on Wednesday 9th October and I made it clear to the members I met at Edinburgh that I would give a full and detailed report of the situation to the next meeting on Saturday, 12th October. On the Saturday I gave the members a full account of the situation preceding the Appeal and apologised personally for the difficulties this had caused members and this statement, which was well received, took some of the pressure off Myrna.

However pressure was kept up on her and she even went so far as to tender her resignation in writing to the Convener. Many members, myself included, urged Myrna to stay in post and not to succumb to the pressure being applied by a minority.

The community was so united around this activity that we had broken down the generation gap in our public activities.

These frictions were not a significant aspect of the SKAT organisation at that time; indeed they probably went unnoticed by the vast majority of supporters. In all its public activities SKAT appeared to be an active, vibrant and united body, as indeed 98% of it was.

One thing that strikes me looking back at that time was how the community was so united around this activity that we had broken down the generation gap in our public activities. It was of course true that in the representation of our cause outwith

Eilean Sgitheanach. Tha e nas fhasa dhan luchd-peinnsein ùine a ghabhail dheth gus frithealadh air Comataidhean na Pàrlamaid ann an Dùn Èideann agus an Sruighlea agus air Co-labhairtean Poilitigeach ann an Inbhir Àir agus an Obar Dheathain na tha e dhan òigridh a tha ag obair. Ach nuair a bhite a' togail fianais ann am meàrsailean ioma-dhathach san eilean, b' iad na daoine òga a ghabhadh thairis. B' e an rud mun leithid, agus bha tòrr dhiubh againn, gun robh tarraingeachd is spòrs is fealla-dhà gu leòr air chois aca. Thàinig seo uile, thoir fa-near, bho mar a bha na daoine òga a' cur rudan air dòigh. Gu dearbh, is gann gun urrainn dhomh smaoineachadh mu dheidhinn gnothach SKAT gun smaointinn air na bh' ann de dh'òigridh.

Dh'fhàg seo gun robh na gnìomhan againn aotrom agus làn spòrs. Is cuimhne leam, mar eisimpleir, aon turas nuair a bha grunn againn air a bhith shìos ann an Dùn Èideann gus Comataidh na Pàrlamaid a fhrithealadh, agus chualas am Morair Seumas Dùghlas-Hamilton, a bha mar Mhinistear Albannach na Còmhdhail aig an àm, a' leughadh aithisg mu sgeama cìsean Drochaid an Eilein Sgitheanaich agus e a' toirt fìor dhroch ionnsaigh air SKAT. Thuirt e gun robh buill uile SKAT nan 'Luddites agus Lunatics' – 's ann mar sin a thòisich e 'aithisg, aithisg nach robh ro mhath co-dhiù.

Is gann gun urrainn dhomh smaoineachadh mu dheidhinn gnothach SKAT gun smaointinn air na bh' ann de dh'òigridh.

Air ar slighe air ais don eilean an latha an dèidh sin bha sinn a' bruidhinn nar measg fhèin mu dè an t-adhbhar a bheireadh sinn do na poilis an turas seo agus sinn a' diùltadh pàigheadh nan cìsean. Bha seo ri linn a h-uile uair a bhiodh sinn a' dol tarsainn na drochaide a-nist bhiodh sinn a' feuchainn ri adhbhar eile a lorg airson diùltadh, chor agus gum feuchadh sinn gach adhbhar sa chùirt, agus is dòcha ann an cùirt an tagraidh.

Thuirt cuideigin nach robh adhbhar a dhìth oirnn airson 's nach pàigheadh sinn a' chìs, oir a rèir Ministear na Còmhdhail b' e luchd-cuthaich a bh' annainn, agus mar sin bha sinn ciorramach, is uime sin gun againn ri pàigheadh idir. Bha seo sgoinneil, deagh adhbhar gun a bhith a' pàigheadh.

Nuair a fhuair mise chun na drochaide chaidh fhaighneachd dhìom le neach-togail nan cìsean gu foirmeil an robh mi a' dol a phàigheadh na cìse. 'Cha leig mi leas pàigheadh', arsa mise ris, 'fo earrainn 36 (2) (d) dhen Achd, tha mi saor o phàigheadh'. Cha d' rinn e ach coimhead orm agus aire nam poileas, a bha nan seasamh a' feitheamh rinn, a tharraing orm. 'Dè tha seo ma-tha, Andaidh?' arsa an sàirdseant. 'Uill', arsa mise, 'tha earainn 36 (2) (d) ag ràdh nach feum ciorramaich pàigheadh'. 'Uill, ars' esan, 'chan e ciorramach a th' annad, neo co-dhiù cha b' e nuair a chaidh thu sìos a Dhùn Èideann an-dè,' thuirt e.

'À, uill, dh'fhaodadh gur h-e ged nach robh fhios agam fhìn air aig an àm sin, ach tha e dearbhte a-nist aig Ministear sa Riaghaltas agus feumaidh mi gabhail ris'. Cha chreideadh tu fiamh an iongnaidh air aodann.

Skye it was the older generation which was prominent. It is easier for pensioners to take time to attend Scottish Grand Committees in Edinburgh and Stirling and political conferences in Ayr and Aberdeen than young employed people. However when it came to organising colourful demonstrations in Skye the young people took over. Such activities, which we had a great number of, were invariably characterised by excitement, fun and humour. This of course came from the organisation and activity of young people. Indeed I can't think of a SKAT demonstration on the bridge without thinking of lots of young people and children.

This in turn tended to make all our activities more light-hearted and humorous. I recall, for example, one occasion when a number of us had been to Edinburgh to attend a Scottish Grand Committee and heard Lord James Douglas-Hamilton, who was then Scottish Minister of Transport, open a report on the Skye Bridge toll scheme with a blistering attack on SKAT. He announced that SKAT members were all 'Luddites and Lunatics' in his introduction to what was a pretty poor report.

I can't think of a SKAT demonstration on the bridge without thinking of lots of young people and children.

On our way back to Skye the following day we were discussing amongst ourselves what reason we would give to the police this time for our refusal to pay the toll. This was because every time we crossed the bridge now and of course refused to pay the toll, we attempted to find a different reason for refusing, so that we could test out each reason in the court, and possibly the appeal court.

Someone pointed out that we did not need a reason for not paying the toll, because according to the Transport Minister we were lunatics, and therefore disabled, and therefore exempt. This we thought was excellent; we would use this as our reason for not paying.

When I got to the Bridge I was formally asked by the toll collector if I was going to pay the toll. 'I am not required to pay,' I told him, 'under section 36 (2) (d) of the Act, I am exempt from payment.' He just looked blank and handed over to the police who were there waiting for us. 'What's this then Andy?' the police sergeant said. 'Well section 36 (2) (d) says that the disabled are not required to pay.' 'Well,' he said, 'you're not disabled, at least you weren't when you went down to Edinburgh yesterday.'

'Ah well, I may have been, but I didn't know it at that time. However now that it's been confirmed by a Government Minister I have to accept it.' The puzzlement on his face was priceless.

Mhìnich mi dha gun robh mi dìreach air a bhith aig Coinneamh Comataidh na Pàrlamaid ann an Dùn Èideann agus gun robh am Morair Seumas Dùghlas-Hamilton air a ràdh gur e neach-cuthaich a bha sa h-uile ball de SKAT. Nist cha bhith Ministearan ag innse bhreugan ri linn gnothaichean Thaigh nan Cumantan is mar sin 's e an fhìrinn a bh' aig a' Mhinistear agus tha fhios gun robh fianais aige gur ann mar seo a bha. Cò bh' annam a chuireadh an aghaidh meas a' Mhinisteir?

Nist nam b' e neach-cuthaich a bh' annam, mar a chreid am Ministear, bha e soilleir gu robh mi nam chiorramach agus mar sin thiginn fo earrainn (36) (2) (d), agus bha mi a' dearbhadh sin, agus nan rachadh cur nam aghaidh sa chùirt mu dheidhinn 's e am Morair Seumas Dùghlas-Hamilton a bhiodh agam mar mo chiad neach-fianais.

B' e neònachas is gòraiche an t-saoghail seo againn gun do chuir am poileas an lagh orm agus gun do sgrìobh e sìos gu foirmeil a h-uile rud a dh'innis mi dha.

Cha ruigear a leas a ràdh nach do nochd mi sa chùirt fon chasaid seo. Cleas tòrr eile dhiubh, tha mi cinnteach gun deachaidh a thilgeil a-mach le Neach-Casaid a' Chrùin. An dèidh gach rud foirmeil a bhith seachad, thuirt am poileas rium agus e ri fealla-dhà, 'Uill, Andaidh, tha e a' cur iongnadh orm gun do ghabh thu ris cho luath gun robh thu nad neach-chuthaich, is cinnteach gum b' urrainn dhut faighneachd dhe do dhotair am b' e neach-cuthaich a bh' annad.'

'Ach cha b' urrainn dhomh sin a dhèanamh, 'arsa mise ris. 'Tha an dotair agam ann am fear dhe na càraichean air mo chùlaibh a' diùltadh a' chìs a phàigheadh. Neach-cuthaich a th' annsan cuideachd 's cha robh earbsa agam ann.'

Taghadh Pàrlamaid, Cèitean 1997

Bho thaobh poilitigs dheth bha cùisean a' dol gu math. Bha e coltach gun robh na Tòraidhean ann an staing agus gun cailleadh iad an taghadh. Bha Aithisg Oifis Nàiseanta nan Sgrùdairean deiseil mu dheireadh a' Mhàirt 1997, ach cha deachaidh fhoillseachadh ri linn 's cho dlùth 's a bha an Taghadh. Gidheadh, bha rud beag de dh'fhiosrachadh againn a chaidh a leigeil a-mach, fiosrachadh a dh'innis dhuinn gun robhar a' càineadh sgeama cìsean Drochaid an Eilein Sgitheanaich gu dubh. Suas gu ruige àm an taghaidh bha buill SKAT làn misneachd.

Gu pearsanta, bha mi fhìn daingeann aig an àm sin gun tigeadh crìoch air cìsean na drochaide nan cailleadh na Tòraidhean an taghadh, rud a bha a' coimhead glè choltach. Chan àbhaist dhomh geall a chur no leithid, ach bhithinn toilichte geall a chur air gum biodh an drochaid gun chìsean mu dheireadh 1997. Nach math nach do chuir mi an geall sin.

Thoir fa-near, nuair a fhuair sinn toradh an taghaidh sa Chèitean 1997

I explained to him that I had just been at a Scottish Grand Committee Meeting in Edinburgh and that Lord James Douglas-Hamilton had announced that all SKAT members were lunatics. Now Ministers never tell lies to Parliament during Commons procedures, so it was obvious that the Minister was telling the truth, and that he must have evidence that this was so. In the circumstances who was I to challenge the Minister's assessment.

Now if I was a lunatic, as the Minister believed, then I was clearly disabled and therefore would come under section 36 (2) (d) and I was making a statement to that effect and if challenged in court I would call as my first witness Lord James Douglas-Hamilton.

In the unreal world we inhabited then the police officer formally charged me and then formally took down a written statement from me to this effect.

Of course this charge never reached the courts. Like so many others, it was no doubt dumped by the Procurator Fiscal. After the formal business was over the police officer said to me jokingly, 'Well Andy I'm surprised you accepted that you were a lunatic just like that, surely you could have gone to your doctor to ask him if you were a lunatic.'

'No I couldn't do that,' I said. 'My doctor is in one of the cars behind me refusing to pay the toll. He's a lunatic as well, I couldn't rely on him.'

General Election May 1997

On the political front things looked good. The Tories appeared to be in difficulty and looked like losing the election. The National Audit Office report was ready by the end of March 1997 but was not published because of the run-up to the election. However we had some knowledge of its leaked comments which were highly critical of the Skye Bridge Toll Scheme. In the run-up to the election SKAT members were in confident mood.

I personally was convinced at that time that if the Tories lost the vote, which seemed very likely, the days of the Skye toll were numbered. I am not a betting man, but would have been confident to bet that there would be no toll on the Skye Bridge by the end of 1997. Just as well I am not.

Of course when we got the results of the election in May

bha sinn air ar dòigh. Cha b' e a-mhàin gun do chaill na Tòraidhean na trì suidheachain a bha sinn am beachd a chailleadh iad, ach chaill iad a h-uile suidhe a bh' aca ann an Alba. Tha mi cinnteach gun robh a h-uile ball ann an SKAT dhen aon bheachd is a bha mi fhìn, gur e dìreach tamall beag a bhiodh ann a-nist mus cuireadh an Riaghaltas ùr às dha na cìsean.

Gu dearbh chuir SKAT stad air 'a' chogadh' bhon taobh againn fhèin 's cha do lean sinn oirnn a' diùltadh pàigheadh neo a' togail fianais le meàrsailean is eile fhad 's a bha sinn a' feitheamh ri fios bhon Riaghaltas ùr mu dè bha iad a' dol a dhèanamh. Bha na cùirtean gu math ciùin ri linn an ama seo cuideachd, cha deachaidh daoine a ghairm gu Cùirt an t-Siorraim ann an Inbhir Pheofharain, agus bha coltas air cùisean gun robh Neach-Casaid a' Chrùin an dùil ri atharrachadh mòr cuideachd.

Chuir Dòmhnall Mac an Deòir, Rùnaire Stàite ùr na h-Alba, air dòigh coinneachadh le Comhairle na Gàidhealtachd gus na cìsean a dheasbad. Chaidh tìde seachad agus thòisich fathannan nach robh an Riaghaltas a' dol a thoirt nan cìsean air falbh idir. Mu dheireadh thall, air 3 an t-Iuchar thug Dòmhnall Mac an Deòir freagairt do Theàrlach Ceanadach mun choinneimh a bh' aige ri Comhairle na Gàidhealtachd mu na cìsean. Bha a fhreagairt soilleir: bha an Riaghaltas ceangailte ris na dh'aontaich na Tòraidhean ri Companaidh Drochaid an Eilein Sgitheanaich Earranta. Bhiodh e a' cosg £30m gus cur às dha na cìsean, airgead nach robh ri fhaotainn. Bhiodh an Riaghaltas a' coimhead air dòighean gus sgeama nan cìsean a dhèanamh 'nas cothromaiche'.

Bha seo na chùis uabhais dhòmhsa, agus tha mi cinnteach gun robh mòran de luchd-taic iomairt SKAT san aon chàs. Bha e soilleir dhòmhsa, airson a' chiad uair, nach robh m' innleachd fhìn gus na cìsean a thoirt air falbh gu feum sam bith.

Bha an Riaghaltas ùr seo, às an robh uiread de chreideas againn, a' dol a chumail agus a dhìon sgeama sgreataidh seo nan cìsean, agus bha e soilleir bhon chuid a bu mhotha dhe na bhòtaichean a fhuair iad gun robh iad a' dol a bhith fo rèim airson a' chiad ghreis fhathast. Nan robh'àm sam bith ri linn na h-iomairte fada seo a bha mi a' dol a thoirt thairis, b' e sin e. Cha robh dol às agam, shaoil mi, agus thàinig e a-steach orm gun robh saoghal gu lèir nam poilitigs nar n-aghaidh, cha b' e dìreach na Tòraidhean. Dè an cothrom dha-rìribh a bh' againn air Riaghaltas fhaighinn ann an Westminster a chuireadh às dha na cìsean seo? B' e mo bheachd nach cuireadh aon dhiubh às dhaibh.

Saoilidh mi, leis an fhìrinn innse, gun robh mi air coiseachd air falbh on strì agus gabhail ris gun robh mi air mo dhìcheall a dhèanamh ach gun do chaill mi an aghaidh nàmhaid na bu làidire, ach cha robh an roghainn sin romham. Nan sguireadh sinne ann an SKAT dhen a h-uile rud a rinn sinn an aghaidh nan cùirtean agus an luchd-poilitigs, bhiodh iadsan na bu chruaidhe oirnne. Bha casaidean agam rim freagairt agus càintean nach do

1997 we were delighted. The Tories had lost not only the three seats we had surveyed, but all their seats in Scotland. Most SKAT members felt like I did I'm sure. It was now just a matter of time until the new Government got round to abolishing the tolls.

Indeed SKAT operated a one-sided truce and did not continue with organised non-payment runs or demos while we waited to hear what the new Government was going to do. The Courts had also been quiet during this period, people were not being called to the Sheriff Court in Dingwall and it looked very much as though the Procurator Fiscal was also expecting a big change.

Donald Dewar, the new Secretary of State for Scotland, made arrangements to meet the Highland Council to discuss the Skye Bridge tolls. Time passed and rumours started to spread that the Government were not going to take the tolls off. Finally on 3rd July Donald Dewar gave an answer to Charles Kennedy in Parliament about his meeting with the Highland Council on the subject of the Skye Bridge tolls. His answer was clear: The Government were tied to commitments made to Skye Bridge Ltd. by the previous Government. The abolition of the tolls would cost £30 million which was not available. The Government would look at options to make the toll scheme 'fairer'.

This announcement had a devastating effect on me and I'm sure on many of the SKAT campaigners. It was clear to me, for the first time that my own strategy for getting the tolls off had run straight into a brick wall.

This new Government, which we had put so much faith in, was going to retain and defend this appalling toll scheme and it was clear that with the majority they had, they were in power for a full term. If there was a time during this long campaign when I felt like throwing in the towel it was then. I just could not see a way out and I realised that the whole political establishment were against us, not just the Tories. What realistic chance did we have of getting a Government at Westminster which would abolish this toll? I thought none.

I think in all honesty that if I could have walked away from the fight and just accepted that I had done my best, but lost to a stronger opponent, I would have done that. But the problem was this escape was not open to me. If we in SKAT stopped pushing the courts and the politicians, then the courts would have started pushing us. I had a large number of charges still outstanding against me. I had a lot of

phàigh mi fhathast, coltach ri mòran eile. Nam faiceadh Neach-Casaid a' Chrùin gun robh sinn a' gèilleadh, gheibheadh e cothrom dèiligeadh rinn agus càin a chur air gach duine fa leth againn, rud nach robh na chomas thuige seo.

Bha sinn eadar an diabhal 's an donas, mar a chanas iad, agus air mo shon fhìn chuir mi romham nach rachainn sìos gun sabaid. Is dòcha nach robh a h-uile ball dhe SKAT cho diombach rium fhìn mu bhrathadh seo a' Phartaidh Labaraich; gu dearbh, is dòcha nach do chuir e suas neo sìos an fheadhainn aig nach robh creideas ann am freagairt poilitigeach co-dhiù.

Ge b' e dè bh' ann, chaidh an iomairt air adhart mar as àbhaist, agus ged a chuir sinn fàilte air an naidheachd gun rachadh prìs nan cìsean a lùghdachadh beagan, cha do ghabh sinn ri seo mar fhreagairt dhan duilgheadas.

Air 10 an t-Iuchar shoirbhich gu mòr mòr leinn aig Cùirt an t-Siorraim ann an Inbhir Pheofharain. Ri linn èisteachd àbhaisteach a thaobh gun a bhith a' pàigheadh nan cìsean, thuirt an Neach-Tagraidh Mgr Michael Upton, a bha a' riochdachadh nan daoine air an robh casaid, rud sìmplidh cudromach. Chuir e air shùilean don t-Siorram Friseal nach do rinn an lagh soilleir cò gu sònraichte a bha a' briseadh an lagha nan robh dràibhear a' diùltadh na cìse a phàigheadh; am b' e an dràibhear, an duine aig an robh an càr, companaidh a leig a-mach an càr air fhastadh, air neo iomadh seòrsa eile de dhuine.

> **Nam faiceadh Neach-Casaid a' Chrùin gun robh sinn a' gèilleadh, gheibheadh e cothrom dèiligeadh rinn agus càin a chur air gach duine fa leth againn.**

Bha coltas ann gun robh an achd ag ràdh gur e an **carbad** a bhris an lagh, oir ann an deuchainn-cùirte eucorach b' fheudar dhan lagh a bhith dìreach ceart sònraichte, agus cha robh e ceadaichte dhan chùirt a bhith a' dèanamh dheth gur e an dràibhear a rinn an eucoir mura robh seo sgrìobhte gu deimhinne san reachd-lagha. Bha an rud sìmplidh seo, dha nach robh duine sam bith eile air toirt fa-near ron a seo, na bhuille chruaidh an aghaidh na h-achd. Cha robh rian gun cuireadh an Siorram an aghaidh ciall cnag cùise Mhgr Upton agus ghabh e ris gun robh e ceart ann an lagh, agus mar sin cha robh an duine ciontach.

B' e rud glè chudromach a bha seo oir bha e fìor mun a h-uile cùis ris an do dhèilig a' chùirt ron a sin agus ris a h-uile cùis a thigeadh na dhèidh, agus mura rachadh an Achd atharrachadh neo an rud seo a thilgeil a-mach às a' chùirt, 's ann mar seo a bhiodh. Thug a' bhuaidh laghail seo, agus e a' tachairt dìreach an dèidh dhuinn am bristeadh-dùil o thaobh poilitigs dheth fhulang, misneachd dhuinn an àm na h-èiginn. Thuig sinn gur dòcha gun deigheadh dhuinn anns na cùirtean a-nist.

outstanding fines, as indeed did many others. If the Procurator Fiscal saw us packing in, this would give him the opportunity to pick us off one by one and enforce their fines, which they had been unable to do to this point.

We were between a rock and a hard place as they say and for my own part I decided if I had to go down, I would go down fighting. It may be that not all SKAT members took this betrayal by the Labour Party as badly as I did; indeed those who had little faith in a political solution were probably little affected.

In any event the campaign went on regardless and while welcoming the toll reduction, which was to be implemented by the new Government, we continued to reject this as a solution to the problem.

Then on 10th July we had a major success at the Sheriff Court in Dingwall. During one of the normal hearings dealing with refusal to pay the toll, Advocate Mr Michael Upton, appearing for the accused, made a simple but very significant point. He pointed out to Sheriff Fraser that the legislation did not identify **who** was specifically committing the crime, if a driver refused to pay the toll; was it the driver, or the owner, or the employer, or the hire company, or a range of other possible people.

The act appeared to say that it was the **vehicle** which had committed the offence. In a criminal case the law had to be specific and the court could not assume that it was the driver who committed the offence if this was not specified in the statute. This simple observation, which no-one had previously observed was a major blow against the Act. The Sheriff was unable to challenge the logic of Mr Upton's point and accepted that he was correct in law and therefore found the accused not guilty.

If the Procurator Fiscal saw us packing in, this would give him the opportunity to pick us off one by one and enforce their fines.

This point and this legal decision was very significant because of course it applied to all cases previously dealt with, and any case yet to come, unless and until the Act was amended or this legal decision was overturned. Such a legal victory, following on so closely from our political disappointment, gave us heart when our campaign badly needed a pick-up. We saw the possibility that we might get a breakthough in the courts.

Gu nàdarra rinn Neach-Casaid a' Chrùin tagradh an aghaidh breith an t-Siorraim ann an làrach nam bonn, agus bha e annasach mar a dh'atharraich an siostam laghail gus seo a thoirt gu buil. Nuair a bha mise air mo thagradh a thogail san Àrd-Chùirt an aghaidh breith an t-Siorraim air 11 an Giblean, bha mi air feitheamh gu 8 an Dàmhair mun d' fhuair mi cobhair laghail air a shon; gidheadh, cha robh duilgheadasan mar sin aig a' Chrùn. Fhuair an Tagradh èisteachd, deasbad is cnuasachadh, agus thugadh breith seachad mu 26 an t-Iuchar. Gach rud taobh a-staigh 16 làithean. Cò a chanadh nach bi ar siostam laghail ag obrachadh gu ceart? Dh'obraich e glè mhath dhan Riaghaltas, agus gu nàdarra thug e seachad a' bhreith a bha a dhìth air cuideachd, a' cur aonta ri tagradh an Riaghaltais. Bha coltas ann gur e siostam laghail gun tighinn 's gun fhalbh a bha seo.

A dh'aindeoin seo bha sinn làn misneachd a-rithist. Nan robh aon bheàrn san lagh bhiodh feadhainn eile ann. Nan robh an Siostam Laghail cho fada nar n-aghaidh a-nist, is dòcha gun dèanadh sinn an gnothach orra ann an Cùirt Eòrpach airson Còraichean a' Chinne-daonna.

Bha an Riaghaltas air gealltainn gearradh 50% dhe prìs nan cìsean air 4 an t-Iuchar ach cha bhiodh iad comasach a chur an gnìomh gus an do bhruidhinn iad ris a' chompanaidh.

Bho thaobh saoghal nam poilitigs dheth bha an Riaghaltas air gealltainn gearradh 50% dhe prìs nan cìsean air 4 an t-Iuchar ach cha bhiodh iad comasach a chur an gnìomh gus an do bhruidhinn iad ris a' chompanaidh. Chaidh na càintean seo air adhart fad mhìosan, agus thuirt iomadach Ball Pàrlamaid Làbarach gu poblach gun robh iad seachd searbh sgìth dhen dòigh sa robh an Riaghaltas a' dèanamh mì-bhuil dhen phròiseact PFI seo. Cha b' ann gus an Dùbhlachd a chaidh an siostam ùr a chur an gnìomh.

Rinn SKAT cruaidh-sgrùdadh air seo agus san fharsaingeachd rinn sinn dubh-chàineadh air. Bha lùghdachadh prìs nan cìsean ann do na daoine a bha a' cleachdadh na drochaide 'gu cunbhalach' ach chuir e rud ùr an cèill a bha a' ciallachadh gum biodh daoine ionadail a bha air tuarastail ìseal na bu mhiosa dheth na bha iad fon t-seann siostam. Thàinig e an uachdar cuideachd gum pàigheadh an Riaghaltas subsadaidh uabhasach mòr dhan chompanaidh, rud a leigeadh leis a' chompanaidh subsadaidh fhaotainn air tigeadan nach rachadh a chleachdadh. Mar sin, nach math a rinn an companaidh dheth.

Thug Alasdair MacIlleathain, Iar-Neach-Gairme SKAT, deagh aithris air na rudan seo dha na pàipearan-naidheachd air 15 an Dùbhlachd 1997 nuair a sgrìobh e:

> This fudge of a toll-reduction scheme simply pumps a further £15 million of tax-payers money into the Bank of America. Bear in mind that the Skye Bridge has already been funded by the tax-payer to the tune of £14.6 million.

Of course the Procurator Fiscal appealed immediately against the Sheriff's judgement and the legal system showed a remarkable ability to change gear. When I had appealed to the High Court against the Sheriff's judgement after my first trial on 11th April, it had taken until 8th October for me to get legal aid for this Appeal; however the Crown had no such problem. The Appeal was heard, considered, and judgement passed by 26th July. They did it all in sixteen days. Who says our legal system can't work efficiently? It worked well for the Government and of course it delivered for them too, upholding the Government's appeal. It seemed that the legal system operated on the basis of 'heads they win, and tails we lose.'

In spite of this setback our spirits were beginning to lift again. If we could find one loophole in the law we might find others. If the legal system was forced to become so obviously biased against us, we might beat them in the European Court of Human Rights.

On the political front the Government had promised a 50% cut in the toll price on 4th July, but would not be able to implement it until they negotiated the arrangements with the company. These negotiations went on for months and many Labour MPs went public in their frustration with the Government in mishandling this Public Finance Initiative. It was not until December that the new package was implemented.

Government had promised a 50% cut in the toll price on 4th July, but would not be able to implement it until they negotiated the arrangements with the company

This was examined carefully by SKAT and roundly condemned by us. The scheme did introduce significant reductions in the tolls for 'regular users' but it redefined such users in such a way that local people on low incomes would actually be worse off than under the old system. It also emerged that the Government would pay a huge subsidy to the company, which would in fact allow the company to claim subsidy on tickets not used. So the company came out of the deal very well.

A good assessment of how SKAT felt about these measures was made in a press statement by Alasdair MacLean, SKAT Vice-Convener, on 15th December 1997. Alasdair wrote:

> This fudge of a toll-reduction scheme simply pumps a further £15 million of taxpayers money into the Bank of America. Bear in mind that the Skye Bridge has already been funded by the taxpayer to the tune of £14.6 million.

Gidheadh, bha a' choimhearsnachd san Eilean Sgitheanach toilichte gu leòr gun deachaidh co-dhiù an rud beag seo a dhèanamh dhaibh, agus bha iad glè chinnteach nach biodh e air tachairt às aonais strì SKAT. Mar sin, neònach agus gu bheil e, bha mar a thachair ann an saoghal nam poilitigs – agus a dh'fhàg cho mòr gun dòchas mi fhìn agus buill eile dhe SKAT – a' fàgail gun robh sinne na bu mheasaile aig a' choimhearsnachd. ❒

However the community in Skye were pleased that this concession had been made and were quite clear that it would not have been without SKAT's efforts. So strangely enough the political outcome which had been so depressing to me and other SKAT members was increasing our popularity in the community. ❐

Caibideil 5: A' Chiad fheadhainn a chuireadh an grèim

Chaidh na ciad daoine a chur an grèim air Diciadain 4 an t-Ògmhios 1997. Chaidh Art MacCarmaig, seinneadair is ceòladair cliùiteach ionadail, agus Drew Millar, an Comhairliche ionadail, a chur an grèim ann am Port Rìgh airson 's nach do nochd iad aig Cùirt an t-Siorraim an Inbhir Pheofharain na bu tràithe an latha sin.

Chaidh Drew is Art a chumail ann an ceallan am Port Rìgh. Taobh a-staigh dà uair a thìde, bha 100 duine air cruinneachadh ann am Port Rìgh a' togail fianais agus ag iarraidh gun rachadh an leigeil mu sgaoil. Chaidh iad uile timcheall Ceàrnaig Shomhairle le dithis phìobairean. Chaidh seo air adhart fad uairean a thìde ann am Port Rìgh, agus gu dearbh an dèidh dha bhith seachad bha càraichean fhathast a' tighinn gu Port Rìgh às a h-uile ceàrnaidh dhen eilean le daoine ùra ag iarraidh a bhith an sàs ann cuideachd.

Mar as àbhaist bha mar a chaidh na daoine a chur an grèim na chulaidh-amaideis, agus bha òrdugh is rian na cùirte caillte. A thaobh Airt chòir, bha iad air èisteachd na bu tràithe a chur dheth greis, agus bho thaobh Drew dheth cha robh ann ach deuchainn eadar-mheadhanach far nach rachadh iarraidh air ach tighinn gus fiosrachadh a thoirt seachad. Bha seo uile mar phàirt dhen mhì-rian is dhen t-sàrachadh a bha ceangailte ri siostam na h-eucorach.

Tha e coltach ge-tà gun do dh'ionnsaich na poilis rudeigin bhon eacarsaich seo. Cha do chùm iad ball sam bith de SKAT sna ceallan ann am Port Rìgh a-rithist tuilleadh. Thuig iad gun robh a' bhuidheann SKAT ro fhaisg air làimh, agus gum faodamaid sluagh mòr a chruinneachadh taobh a-muigh stèisean a' phoilis gus ar casaid a thogail. An dèidh na thachair ann a' seo chaidh a h-uile ball de SKAT a thoirt 130 mìle gu ruige stèisean poilis Inbhir Pheofharain agus a chumail ann. Bha sin ga dhèanamh cha mhòr do-dhèanta dhuinn sluagh mòr fhaighinn an ceann a chèile agus casaid a thogail taobh a-muigh stèisean a' phoilis.

Chapter 5: First Arrests

The first arrests of SKAT members took place on Wednesday 4th June 1997. Arthur Cormack, a popular local Gaelic singer and musician, and Drew Millar the local Councillor were arrested in Portree for failing to turn up at the Dingwall Sheriff Court earlier that day.

Drew and Arthur were held in cells in Portree Police Station. Within a couple of hours of their arrest, 100 people had gathered in Portree demonstrating and calling for their release. The demonstrators marched around the square led by a couple of pipers. The demonstration went on for hours in Portree and indeed even after it eventually dispersed cars were still arriving from around the island with new people wanting to join the demonstration.

As usual the arrests were more of a legal mix-up than policy on the part of the Court. In Arthur's case they had postponed an earlier hearing and had not even informed him of the new hearing date, and in Drew's case it was merely an intermediate trial where he would have been asked to turn up just to confirm a few details. This was all part of the disorganisation and the harassment associated with the criminal process.

It appears however that the police at least learned something from this exercise. The police never again held any SKAT member in the police cells in Portree. They realised that this was too handy for SKAT and that we could quickly get a large number of people together at short notice to demonstrate outside the police station. After this incident all SKAT members arrested later were driven the 130 miles to Dingwall police station and held there. That made it virtually impossible for us to get a crowd to quickly collect and demonstrate outside the police station.

A' leantail air bho sin uile, bha grunn dhaoine eile a chaidh cur an grèim agus a chumail sa phrìosan fad aon oidhche, mar bu trice a chionn 's gun robh iad nan cnap-starra aig bùth nan cìsean air neo gun do thòisich iad ag argamaid ri luchd-togail nan cìsean neo ris na poilis. Thachair a leithid sin glè thric ann an 1997, ach is dòcha gum faighear dealbh cruinn ceart air mar a bha na poilis a' cur cuideam oirnn gus ar briseadh aig bùth nan cìsean bhon tachartas shònraichte seo a leanas.

Air Disathairne 8 an t-Samhain thàinig Mgr Raibeart Stiùbhart à Crombaidh chun an Eilein Sgitheanaich agus ghabh e pàirt ann am fear dhe na tachartasan againne air an drochaid. Tha Raibeart clàraichte mar chiorramach agus mar sin chan eil aige ris a' chìs a phàigheadh fo earrainn 36 (2) (d) den Achd. Mar as àbhaist bha tòrr luchd-casaid an làthair a' togail fianais an aghaidh nan cìsean, agus gu dearbh bha dràibhearan eile a' tighinn cuide rinn agus bha sinn aon uair eile a' dol an lùib dhaoine eile air an rathad.

Tha mi cinnteach nach robh seo uile a' tighinn ri càil nam poileas idir agus iad a' feuchainn ris na carbadan is na càraichean a chumail a' gluasad agus gus stad a chur oirnn bho bhith a' cur cas-bhacag air obair nam bùthan-cìse. Chaidh Raibeart chun na bùtha-cìse agus dh'innis e dhan duine a bh' ann nach robh aige ri phàigheadh fo earrainn 36 (2) (d) dhen Achd. Cha robh fios aig an duine dè bha sin a' ciallachadh agus chuir e ìmpidh air Raibeart gum bu chòir dha a' chìs a phàigheadh. Nuair a dhiùlt Raibeart fhuair an duine na poilis.

Nuair a fhuair iad air a dhèanamh thàinig dithis oifigear poilis chun a' chàr aig Raibeart, agus dh'fhaighnich iad dheth carson nach do phàigh e a' chìs. Rinn Raibeart gearan riutha ag ràdh gun tuirt e ri neach bùth nan cìsean nach robh aige ri phàigheadh, ach gun robh an duine sin air a chur air mhì-shùim, agus gun do dhiùlt e dha dol seachad air. Bha Raibeart ag iarraidh air na poilis coimhead a-steach dhan chùis agus rudeigin a dhèanamh mu dheidhinn.

Thuirt na poilis ris nach robh ùidh sam bith aca na ghearan an aghaidh neach na bùtha agus thuirt iad ris gu làidir gun robh aige ris a' chìs a phàigheadh. Dh'innis Raibeart dhaibh nach robh aige ri pàigheadh, ach mum b' urrainn dha an suidheachadh a mhìneachadh gu làn dh'fhosgail fear dhe na poilis doras a' chàr le tarraing mhòr, chuir e glas-làmh air agus thòisich e air a shlaodadh gu garbh a-mach às a' chàr.

Aig an ìre seo thuig an t-oifigear eile gur h-e ciorramach a bh' ann an Raibeart agus chuir e stad air a cho-obraiche bho bhith ga làimhseachadh gu garbh. An uair sin chuidich na poilis Raibeart air ais dhan chàr aige agus thug iad an glas-làmh dheth. Chuir iad air dòigh an uair sin gun rachadh am maide-bacaidh a thogail chor agus gum faigheadh Raibeart troimhe le chàr.

Following on these first arrests there were others arrested and held overnight, usually accused of obstruction because they stopped at the toll barrier and argued with toll staff or police. There were many such incidents in 1997. This particular one however might give some idea of the pressure the police were under to break our campaign at the toll booth.

On Saturday 8th November Mr Robert Stewart from Cromarty came over to Skye and joined one of our demonstrations on the Skye Bridge. Robert is registered disabled and so is not required to pay the toll under section 36 (2) (d) of the Act. As usual there were many protesters present challenging the tolls and indeed we were getting other road users to join us and once again we were mingling with other road users.

The police were becoming irritated no doubt in their efforts to keep the traffic moving and stop us from blocking up the toll booths. Robert went to the toll booth and told the attendant that he was not required to pay under section 36 (2) (d) of the Act. The attendant did not know what that meant and insisted that Robert must pay the toll. When Robert refused to pay the toll the attendant called the police.

When they got round to it two police officers approached Robert's car and asked why he had not paid the toll. Robert raised a complaint with them stating that he had explained to the attendant that he was not required to pay, and the attendant had ignored him, and refused to allow him to pass. He wanted the police to look into this and do something about it.

The police told him they were not interested in any complaint he may have against the toll booth attendant and insisted that he pay the toll. Robert told them he was not required to pay, but before he could explain the situation fully one of the police officers pulled open his car door handcuffed him and started to manhandle him out of the car.

At this point the other police office noticed that Robert was disabled and stopped his colleague from manhandling him any further. The police then helped Robert back into the car and removed the handcuffs. They then arranged for Robert to get the barrier lifted and get his car through.

B' ann ainneamh a chìte na poilis a' dèanamh rudan mar seo, ged a bha e air tachairt roimhe. Gidheadh, ri linn na h-uimhear a thachartasan dhen t-seòrsa seo nuair a bhiodh ar buill a' togail aimhreit ris na poilis thairis air naoi bliadhna, b' ann ainneamh a bha againne ri gearan a dhèanamh. Gu dearbh, saoilidh mi gum b' e seo aon turas a-mach às a dhà dhiubh nuair a rinn sinn gearan fhad 's as cuimhne leam, agus gach turas bha freagairt gu math luath aig Maor ionadail nam Poileas.

Bha sinn ag iarraidh a dhèanamh soilleir dhan Riaghaltas ùr Làbarach gun robh sinn deiseil is deònach cumail oirnn leis an iomairt againn agus barrachd trioblaid a dhèanamh, is mar sin thug sinn sùil air Drochaid an Fhoirthe. Nam b' urrainn dhuinn cur an aghaidh pàigheadh chìsean ann a' sin cha robh dòigh nach toireadh daoine fa-near dha.

Air 23 an t-Ògmhios 1997 chuir SKAT buidheann dhaoine sìos gu luchd-obrachaidh Drochaid Fhoirthe. Rinn sinn deasbad riutha mu shuidheachadh an Eilein Sgitheanaich agus dh'iarr sinn orra rudeigin a ràdh gu poblach a' cur an aghaidh cìsean na drochaide againne. Chuir sinn an cèill dhaibh mura cumadh an Riaghaltas ùr Làbarach ris a' ghealladh aca na cìsean a thoirt air falbh bhon drochaid gur dòcha gun tòisicheadh sinn iomairt eile air Drochaid Fhoirthe.

Thog sin an aire, agus rinn iadsan aithris a' toirt taic dhan choimhearsnachd san eilean.

Aithisg Choimisean nan Sgrùdairean

Dh'fhoillsich Oifis Nàiseanta nan Sgrùdairean an aithisg aca sa Chèitean an dèidh an Taghaidh Phàrlamaid agus abair gun robh gu leòr ri ràdh aca, sgrìobhte, thoir fa-near, anns a' chànan neònach aca fhèin, a chuir uabhas air daoine.

Sgrìobh iad gun do chosg a h-uile rud £20m, agus gun deachaidh £14.6m de dh'airgead poblach a chaitheamh air a' phròiseact, agus a bharrachd air a sin bha an t-aiseag air prothaid de £1m a dhèanamh gach bliadhna.

Sheall sinne nan robh iad air airgead an aiseig a chleachdadh cho math ri airgead Eòrpach 'Ìre a h-Aon' gun robh e air a bhith comasach an drochaid a thogail le airgead poblach, a' sàbhaladh £4.6m bhon sporan phoblach an taca ris a' PhFI agus gum biodh an drochaid gun chìsean.

Tha an aithisg seo a' sealltainn cho gòrach mì-rianail is a bha Oifis na h-Alba, rud a tha duilich a thuigsinn, agus tha e a' sealltainn cuideachd gun gabhadh ìre nan cìsean àrdachadh le 30% (a' gabhail phrìsean àrda san àireamh) fon chùmhnant a bha ann aig an àm leis a' chompanaidh.

Mun Ògmhios 1997 bha SKAT cuideachd air sùil a thoirt air cunntasan

This type of conduct from the police was unusual, although unfortunately not unique. However in the very many cases of our members arguing with police officers, over the nine years of the campaign, there were very few when we felt compelled to make a complaint. Indeed I think this was one of only two cases I recall when we did so and on both occasions we got a quick response from the local Police Inspector.

We wanted to make it clear to the new Labour Government that we were prepared to escalate our campaign if necessary, so we took a look at the Forth Road Bridge. If we could mount a no-payment protest there it would not go unnoticed.

On 23rd June 1997 SKAT sent a delegation to the operators of the Forth Road Bridge. We discussed with them the situation on Skye and sought a public statement from them opposing the Skye Bridge tolls. We did indicate that if the new Labour Government did not carry out their promise to take the tolls off the Skye Bridge, we may decide to mount a no-pay campaign on the Forth Road Bridge.

This got their attention and we did get a statement expressing sympathy for the Skye Community.

Audit Commission Report

The National Audit Office issued its report in May following the General Election and its findings, couched of course in formal civil service language, were devastating.

They showed the total bridge construction costs as £20 million and that public funds of £14.6 million went into the project. In addition the ferry had generated a profit of £1 million per annum.

We demonstrated that with the use of the ferry surplus and European 'Objective One' funding, the bridge could have been constructed with public money and saved the taxpayer £4.6 million compared with the Public Finance Initiative and been operated without a toll.

This report shows a level of mismanagement or sheer incompetence in the Scottish Office which was very difficult to comprehend and indicates that under the existing agreements signed with the company tolls could rise by a further 30% (over and above inflation).

By June 1997 SKAT also had examined the accounts of Skye

Skye Bridge Ltd agus thòisich sinn a' faicinn fianais gun robh an Riaghaltas, luchd-pàighidh chìsean na dùthcha agus a' choimhearsnachd ionadail air call trom fhulang tron PhFI seo fhad 's a rinn an companaidh glè mhath dheth aig an aon àm.

Dh'fhoillsich dithis bhall againn, Iain Caimbeul agus Ron Shapland, aithisg ann an dà earrainn a bha a' coimhead air na bha ann de dh'fhianais agus a' cur cheistean cruaidh mun rud PFI seo. Cha leigear a leas a ràdh gu bheil na ceistean cudromach seo gun fhreagairt chun an latha an-diugh.

Dh'fhoillsicheadh a' chiad aithisg san Lùnastal 1997, an dara tè san Dùbhlachd. Tha iad seo a' sealltainn rud glè chudromach mun iomairt againn, rud a bhiodh a' ciallachadh gum biodh sinn a' toirt sùil dhomhainn air sgeama nan cìsean agus gan toirt gu aire a' mhòr-shluaigh. Chuidich an obair seo a rinn Ron is Iain ann a bhith a' misneachadh ar ball agus a' toirt air càch tighinn còmhla rinn.

Mu shamhradh 1997 bha Comataidh nan Cunntasan Poblach aig Pàrlamaid Westminster a' sgrùdadh sgeama nan cìsean agus a' coimhead air aithisg nan sgrùdairean, is mar sin thug sinne barrachd fianais dhan chomataidh agus bha sinn dòchasach gum biodh an aithisg acasan ri fhaotainn gu poblach a dh'aithghearr, rud a chuidicheadh sinne nar n-iomairt.

A' Chiad Turas gun Phàigheadh

Air Disathairne 18 an t-Iuchar chuir SKAT latha eile air dòigh anns nach pàigheadh mòran dhaoine na cìsean. An turas seo b' e an dòigh a bh' againn ach tighinn a dh'ionnsaigh bùth nan cìsean bho dhà thaobh na drochaide, a' dol an lùib an luchd-turais agus eile. Shoirbhich le seo gu mòr, agus gu dearbh chaidh againn air 30 luchd-turais a tharraing gu ar n-iomairt ann a bhith a' diùltadh pàigheadh.

Beagan an dèidh meadhan-latha bha sreath fhada charbadan againn air tìr-mòr a' sìneadh cho fada air ais agus gun robh i a' gabhail a-steach baile Chaol Loch Aillse. Thàinig air na poilis an uair sin na geataichean ri taobh na bùtha fhosgladh agus leigeil le 100 carbad dol troimhe gun chìs gun bhagairt chor agus gun cumadh iad smachd air an t-suidheachadh.

Bha SKAT air an dòigh le seo. Bha e a' sealltainn gum b' urrainn dhuinn stad a chur air na cìsean le bhith a' dèanamh ar dìchill aig amannan sònraichte nuair a bhiodh an drochaid trang. Cuideachd, thug e tòrr misneachd dhuinn faicinn gum b' urrainn dhuinn daoine ùra fhaighinn nam buill bho am measg an luchd-turais nan dèanadh sinn gu ceart e, le bhith a' toirt bhileagan dhaibh agus a' bruidhinn riutha sin a bha air an cuingealachadh san earball charabadan.

Bridge Ltd. and was starting to see a pattern emerging which showed that the Government, the taxpayer and the local community had all lost out heavily in this project, while the company had secured a very good deal indeed.

Two of our members, John Campbell, and Ron Shapland, produced a report in two parts, looking at all the available evidence and asking some searching questions about this PFI agreement. Needless to say, many of these pertinent questions remain unanswered to this day.

The first report was published in August 1997 and the second one in December of the same year. These reports demonstrate a very important aspect of our campaign which was to probe into the toll scheme and bring our findings to public attention. This work by Ron and John and others helped encourage our members and inspire others to join us.

By the summer of 1997 the Public Accounts Committee of the Westminster Parliament were examining the Skye Bridge toll scheme and looking at the National Audit Office report. So we gave further evidence to the committee and were hopeful that their report would soon be available in the public arena and would help our cause.

First free crossing

On Saturday 18th July 1997 SKAT organised another massive non-payment campaign day. This time the tactic was to come at the toll in waves from both sides of the bridge, mingling in with tourists and other bridge users. This turned out to be very successful and indeed we managed to persuade thirty tourists to join the protest and refuse to pay.

By the early afternoon we had a huge line of traffic on the mainland stretching back to and through the village of Kyle. The police were then forced to open the gates at the side of the toll booth and allow 100 vehicles to pass through without payment, or any charges, in order to get the traffic situation under control.

SKAT was delighted with this. It showed that we could stop the toll payments for a few if we concentrated our efforts at particular peak periods. It also gave us a great deal of encouragement to see that we could recruit new campaigners from among the tourists if we went about it the right way and leafleted and talked to those held up in the traffic jams.

Air an t-samhradh sin bha SKAT glè thrang a' cur air dòigh gun togte fianais aig an drochaid agus a' dèanamh seo ann an tòrr diofar dhòighean. Bha mòran bhall, mar a bha Anna Chamshron às a' Chaol, Sìne Scott à Caol Reatha agus Liz Nic an t-Saoir à Port Rìgh, mìorbhaileach ann a bhith a' togail airgead tro bhith a' cur rudan air chois, agus bha a leithid seo na chuideachadh mòr dhuinn nar n-iomairt.

Mu foghar na bliadhna sin, a dh'aindeoin an droch bhuille a dh'fhulaing sinn nuair a dhiùlt am partaidh Làbarach an gealladh a thaobh nan cìsean a choileanadh, bha sinn a-rithist làn misneachd. Bha cunntas-bheachd gu bhith air a chumail air 11 an t-Sultain airson na Pàrlamaid Albannaich, agus thug seo dòchas ùr dhuinn o thaobh saoghal nam poilitigs dheth. A thaobh rudan laghail bha sinn air dèanamh glè mhath agus bha sinn a' buannachadh fhathast ann an dòighean beaga. Agus bhathar a' toirt deagh ionnsaigh air na h-argamaidean eaconamach airson nan cìsean le bhith a' faighinn fiosrachadh a bha a' sìor-thighinn am follais. Bha a h-uile rud a tha sin a' toirt misneachd dhuinn agus gar cumail a' dol.

Ach bha dà rud mun iomairt a bha a' cur dragh air cuid againn. Sa chiad dol-a-mach, bha frionas a' fàs am measg buill SKAT, eadar beag-chuid a bha a' tòiseachadh air smaointinn gum b' e an dòigh laghail an aon dòigh sam faighte cuidhteas nan cìsean, agus bha iad seo diombach mu cho mòr is a bha SKAT an sàs ann am poilitigs: san dàrna h-àite, bha a' mhòr-chuid deònach rud sam bith a dhèanamh gus an iomairt a chumail a' dol.

Ged a ghabhas an sgaradh seo a thuigsinn, 's ann a bha gach taobh a-nist a' toirt ionnsaigh air càch a chèile gu pearsanta, agus b' e droch rud a bha seo ann am buidhinn deamocrataich.

Gu dearbh aig coinneamh SKAT a chumadh ann am Port Rìgh air Disathairne 27 an t-Sultain 1997, chuir Anna Chamshron ìmpidh air a h-uile duine obair le chèile agus 'stop the squabbling and factionalism'. Sa mhìos cheudna bha aithisg ann an Cuairt-litir SKAT gun robh Myrna Scott-Moncrieff agus Robbie-the-Pict air an dreuchdan, mar gum biodh, ann an SKAT a leigeil dhiubh. B' ann air an taobh 'laghail a-mhàin' a bha Robbie, agus bha Myrna air taobh 'an t-saoghail fharsaing phoilitigeach'.

Dh'adhbhraich a h-uile rud a bha seo sgaradh eadar buill SKAT, agus bha diomb ann eadar daoine gu pearsanta cuideachd a-nist. B' e an duilgheadas eile againn nach gabhadh ar dùbhlan sna cùirtean a chumail a' dol ro fhada agus gun tigeadh latha sam biodh ar neart traoghte.

That summer SKAT was very active in organising demonstrations at the bridge and used a wide variety of different tactics in these demonstrations. Many members, such as Ann Cameron from Kyle, Sheena Scott from Kylerhea, and Liz Macintyre from Portree showed a remarkable talent in organising fundraising events, which enabled us to do a great deal of campaigning.

By the autumn of that year, in spite of the heavy blow we had suffered by Labour's refusal to honour their promise on the tolls, our spirits were rising again. There was to be a referendum on 11th September on the establishment of a Scottish Parliament. This gave us some hope again on the political side. On the legal front we had held our own and were making some small inroads, while the economic case for the tolls, was being consistently undermined by the information which was now being uncovered. All these factors helped to build up our spirits and encouraged us to keep going.

There were however two aspects of the campaign which were worrying to some of us. First there was an increasing tension developing in the SKAT membership between a minority who were beginning to believe that the legal route was the only way to get the tolls off and were critical of the time and effort SKAT was spending on political campaigning; and the majority who wanted to use all available means of campaigning.

While the basis of this dichotomy was perhaps understandable, the different adherents to each side were beginning to attack each other on a personal basis and this was not healthy for a democratic organisation.

Indeed at a SKAT meeting held in Portree on Saturday 27th September 1997 Ann Cameron made a plea to the members to work together and to 'stop the squabbling and factionalism'. The same month the SKAT Newsletter reported that Myrna Scott-Moncrieff and Robbie-the-Pict had both resigned from their respective roles in SKAT. Robbie was very much in the 'legal only' camp and Myrna was in the 'wider political' camp.

This division between those who believed that legal means only should be used to get the tolls off and the great majority of members who felt that we should employ a range of options, was eventually to drive a wedge between SKAT members and cause separation. But it was already causing division in the organisation and much ill-feeling. The other problem we had was that our challenge in the courts was not sustainable in the long term and must eventually lead to us running out of steam.

A' Cur Aghaidh ris a' Phrìosan

As t-fhoghar 1997 bha fìor dheasbad cruaidh agam ri Rod Stewart-Lidden nach maireann. Bha Rod air a bhith na oifigear san arm, caiptean san SAS tha mi a' creidsinn, duine aig an robh croit ann an Gleann Hìnneasdail, pìos beag shìos an rathad bhuamsa.

Bu tric a dheasbad mi an iomairt ri Rod. B' e duine foghlamaichte tuigseach a bha ann agus bha eòlas aige air a leithid. Bha sinn le chèile dhen bheachd nach gabhadh an iomairt phoilitigeach seo a chumail a' dol ro fhada. Thuig sinn gum b' e an duilgheadas againn gun robhar a' bagairt oirnn dol gu prìosan fad na h-ùine. Bha e soilleir nach biodh e ro mhath dhan mhòr-chuid dhe na buill againn dol gu prìosan. An fheadhainn aig an robh obair, is dòcha gun cailleadh iad sin nan rachadh an cur dhan phrìosan. Dh'fhaodadh e bhith gun rachadh cuid de dhaoine proifeiseanta a chur à dreuchd agus an ainm a thoirt air falbh bhon chlàr aca, air neo bhiodh e doirbh do oileanaich òga a cheumnaich obair fhaotainn nan robh e clàraichte gun robh iad air a bhith sa phrìosan, agus cha bhiodh e idir comasach do dhaoine aig an robh clann òga smaoineachadh mu dhol gu prìosan agus an teaghlaichean fhàgail.

> **Chuir Rod is mi-fhìn romhainn gum feumadh sinn stad a chur air a' bhagairt seo air neo bhiodh droch bhuaidh aige air ar n-iomairt gu lèir.**

Bha sinn cuideachd cinnteach gu leòr gur e bagairt gun bhrìgh a bha seo, bagairt a bha na h-ùghdarrasan a' cur an cèill gus cùisean a dhèanamh doirbh dhuinn chor agus gun gèilleadh sinn, ach bha làn fhios againn cuideachd gun robh e èifeachdach. Bha na h-ùghdarrasan gar sàrachadh, a' toirt oirnn uair is uair tighinn gu Cùirt Inbhir Pheofharain, rud a bha a' toirt tòrr tìde is airgid, agus a' dèanamh rudan glè dhoirbh dhuinn, ach nan diùltadh sinn tighinn dh'fhaodadh iad ar cur an grèim agus ar cur sa phrìosan.

Gu dearbh bha na poilis a' cur barrachd is barrachd dhaoine an grèim agus gan cur fon lagh mar luchd-casg is eile. Bha mi fhìn air a bhith air mo chur an grèim 's a chumail fad aon oidhche ann an stèisean poilis Inbhir Pheofharain air 1 an t-Samhain agus chuir iad às mo leth gun robh mi nam chnap-starra, agus bha seo a' tachairt tric is minig a-nist.

Chuir Rod is mi-fhìn romhainn gum feumadh sinn stad a chur air a' bhagairt seo air neo bhiodh droch bhuaidh aige air ar n-iomairt gu lèir. Shaoil sinn gum b' e an dòigh a b' èifeachdaiche gus seo a dhèanamh ach toirt air na h-ùghdarrasan a dhèanamh turas neo dhà chor agus gun togadh na meadhanan an sgeul is a' chùis a chur am follais dhan mhòr-shluagh, rud a chuireadh cuideam poilitigeach air na h-ùghdarrasan.

Mar sin rinn sinn co-dhùnadh gun toireadh sinn air a' chùirt cuideigin a chur sa phrìosan. B' e ar beachd gur e daoine dhar seòrsa fhèin, a bha air chluaineas agus ar dreuchdan air ar cùl 's gun chlann mum biodh dragh oirnn, a bu chòir a dhèanamh. Dh'aontaich sinn gun dèanainn-sa an toiseach e, agus gun leanadh Rod mi nam biodh feum air. Na b' fhaide air adhart bhruidhinn mi ri Ian Willoughby mu dheidhinn seo agus dh'aontaich esan a bhith mar an treasamh duine sa ghnothach.

Facing up to prison

In the autumn of 1997 I had a serious discussion with the late Rod Stewart-Lidden. Rod was an ex-army officer, a captain in the SAS I believe, who had a croft in Glenhinnisdal, just down the road from me.

I often discussed thc campaign with Rod. He was very astute and had a clear understanding of such matters. We both felt that the present legal campaign was not sustainable for any length of time. The problem we recognised was the threat of prison being held over us all the time. It was clear that most of our members would not be in a position to face a prison sentence. People who were working could lose their jobs if they were sent to prison. Professional people could be struck off their professional register, or young graduates might find it very difficult to find employment if they had a prison record, and of course those with young children could not contemplate going to prison and leaving them.

We were pretty sure ourselves that this threat of imprisonment was an empty threat, one which the authorities were merely hanging over us in order to force us to comply; but we also knew that it was effective. The authorities were harassing us, forcing us to repeatedly turn up at Dingwall court costing us money and time and making life very difficult, but to refuse to appear brought the threat of arrest and possible imprisonment.

We needed to take out this threat of imprisonment before long or it would undermine our whole campaign.

Indeed the police were arresting more and more demonstrators and charging them with obstruction and other offences. I had been arrested and held overnight in Dingwall police station on 1st November and charged with obstruction and this was not now uncommon.

Rod and I decided that we needed to take out this threat of imprisonment before long or it would undermine our whole campaign. We considered that the most effective way to do this was to force the authorities into doing it once or twice, so that the media could have good grounds to expose this and this in turn would bring political pressure on to the authorities.

So we decided that we should push the court into putting someone in prison. We felt that it should be people like us, who were retired, with our careers behind us, and with no children to be concerned about. It was agreed that I would go first, then if required Rod would follow me. At a later date I discussed this with Ian Willoughby who agreed to go third if required.

Cha d' thuirt sinn sìon mun phlana seo aig coinneamhan SKAT on a bha iad sin daonnan fosgailte dhan mhòr-shluagh agus dha na meadhanan, agus bha feum againn ar n-innleachd a chumail dìomhair nan robh e a' dol a bhith soirbheachail, is mar sin chaidh mise a dh'obair air an t-Siorram ann an leithid a dhòigh is nach biodh dol às aige ach mo chur sa phrìosan.

Ann a bhith a' feuchainn ri seo a dhèanamh cha b' fhada sinn gun a thuigsinn nach tug sinn meas ceart air an t-suidheachadh. Cha robh ann ach bagairt an dèidh a h-uile càil, cha rachadh ar cur sa phrìosan idir. Bha na h-ùghdarrasan deimhinne nach feuchadh iad ri seo a dhèanamh oir coltach rinne bha iad a' tuigsinn gum biodh droch bhuaidh mhòr aige air an t-suidheachadh phoilitigeach, agus cha bhiodh seo math bho thaobh a bhith a' toirt oirnn na cìsean a phàigheadh dheth, agus gun toireadh e air falbh bagairt a' phrìosain.

B' e 'n dòigh agamsa ach diùltadh gabhail ris gun robh mi air eucoir sam bith a dhèanamh nuair nach do phàigh mi na cìsean. Bha mi air an argamaid seo a thogail san Àrd-Chùirt, far an deachaidh a thilgeil a-mach. B' e mo bharail-sa nach robh mi air eucoir a dhèanamh fo lagh na h-Alba, agus mar sin nach gabhadh na rinn mi fhaicinn mar rud mì-laghail neo eucorach. Cha robh na h-urrachan mòra air dad a dhèanamh seach mo sheòladh gu reachd (The New Roads & Street Works Act 1991) agus a chur air shùilean dhomh gun robh mi eucorach a rèir an reachd, agus mar sin gun deachaidh mo thagradh a dhiùltadh. Mar a thuig mi fhìn an uair sin e, cha robh mi ciontach dhen lagh a bhriseadh ach bha an luchd-poilitigs a' cumail a-mach gun robh.

Mar sin dhiùlt mi freagairt a thoirt dhan chùirt nuair a lean iad orra a' gabhail sùim dhìom mar eucorach. Dhiùlt mi dol gu cùirt nuair a thigeadh a' bhàirlinn. Bha mi cinnteach gun robh seo a' toirt duilgheadas dhan t-Siorram oir cha b' urrainn dhàsan leigeil leam an dùbhlan seo a thoirt dhan lagh, agus chreid mi gun rachadh mo chur an grèim aige agus mo chur sa phrìosan nan leanainn orm.

Mar sin an ath thuras a fhuair mi bàirlinn tighinn gu Cùirt an t-Siorraim ann an Inbhir Pheofharain dhiùlt mi dol ann air tàillibh 's gur e casaid eucorach a bha ann. Mar a bha mi an dùil, chuir a' chùirt barantas a-mach gus mo chur an grèim agus dh'fhan mi ris na poilis. Bha mi an dùil gun tigeadh iad mu ochd uairean a' ghleoc nuair a dhùineadh a' chùirt ann an Inbhir Pheofharain. Ach cha robh sgeul orra aig a h-ochd.

Bha mi air biadh ithe agus mo bhaga a chur air dòigh airson oidhche a chur seachad sa phrìosan agus bha mi dìreach a' feitheamh ris na poilis gus mo chur an grèim. A' fàs sgìth dheth, dh'iarr mi air mo bhean-chèile mo dhràibheadh sìos gu Taigh-seinnse Ùige, far am b' urrainn dhomh feitheamh gu cofhurtail agus deoch neo dhà a ghabhail, agus thuirt mi rithe innse dha na poilis càite robh mi nuair a thigeadh iad. Mar sin thug

We did not discuss this plan at SKAT meetings since these were always open to the public and press and we needed to keep our strategy secret if it was going to work. I just went about the task of putting the Sheriff into a position where he had no option but to put me in prison.

In undertaking the imprisonment strategy we soon realised that our assessment of the situation was correct. The threat of imprisonment being held over us was just that, a threat. The authorities were anxious not to attempt to use this, for clearly their assessment, like ours, was that once used the political fall-out would be considerable and this would undermine their attempts to enforce the toll. It would also destroy the threat of imprisonment.

My approach was to adopt a position that I refused to accept that my actions in challenging the toll were criminal. This argument had been tested by me in the High Court of Appeal where it had been rejected. I had argued that I had not done anything inherently criminal in terms of Scots Law and therefore my actions could not be defined as criminal. The law lords had not challenged my arguments, but had merely directed me to the statute (The New Roads & Street Works Act 1991) and pointed out that my actions were defined as criminal in accordance with the statute, so my appeal was rejected. As I took it then I was not guilty by law of any criminal act, but had been defined so by politicians.

I refused therefore to respond to the court when the court continued to treat my actions as criminal. I refused to attend court when summonsed. This I was sure put the Sheriff in difficulty. He could not allow this challenge to the law I believed and would be forced to have me arrested and if I persisted imprisoned.

So when I got my next summons to Dingwall Sheriff Court I refused to go on the grounds that it was a criminal charge. As expected the court issued a warrant for my arrest and I waited for the police to come and arrest me. I expected them to arrive about 5 o' clock when the court in Dingwall closed. However by 8 o'clock there was still no sign of the police.

I had taken my evening meal, packed my overnight bag and was just waiting for the police to come and make an arrest. Tired of waiting I asked by wife to drive me down to the Ferry Inn in Uig, where I could wait in comfort and have a drink and told her that when the police arrived to tell them where I was. So I took my overnight bag with me and went down to the pub,

mi leam mo bhaga agus chaidh mi sìos chun a' phub, an làn dùil ri fuireach nach fada ann. Ach bha mi fhathast ann aig deich uairean gun sgeul air na poilis, is mar sin rinn mi dheth nach biodh iad a' tighinn air mo shon an latha sin agus fhuair mi tagsaidh dhachaigh.

Nuair a thill mi thuirt mo bhean, Doreen, gun robh na poilis air tighinn à Port Rìgh aig mu 8.30 gus mo chur an grèim. Dh'innis Doreen dhaibh càite an robh mi 's gun robh mo bhaga agam. 'O, tha sin ceart gu leòr,' arsa an sàirdseant rithe, 'leigidh sinn le Andaidh a dheoch a ghabhail, ach innis dha ar gairm air an fhòn nuair a thilleas e agus thig sinn gus a chur an grèim'.

Mar sin chuir mi am fòn chun nam poileas agus thàinig iad is thug iad mi gu stèisean poilis Inbhir Pheofharain airson na h-oidhche chor agus gun nochdainn ron t-Siorram an ath mhadainn.

Sa chùirt làrna-mhàireach bha duilgheadas eile romham. Nuair a bha mi fhìn is Rod air bruidhinn mun t-suidheachadh bha sinn air tuigsinn gur dòcha gun rachadh mi diùltadh a' chùirt a fhrithealadh fhaicinn mar dhìmeas air a' chùirt agus gu faodainn a bhith air mo pheanasachadh air a shon 's cha b' ann air sgàth ceist nan cìsean. Cha robh sinn ag iarraidh gun tachradh seo gu dearbh, oir bhiodh e air a' chùis cheart a chur a thaobh, agus mar sin bha mise air mi fhìn ullachadh airson na ceiste a thuig mi a bhiodh fìor chudromach. B' i sin, carson nach do fhritheil mi a' chùirt nuair a fhuair mi a' bhàirlinn?

Mar sin chuir an Siorram Frìseal an dearbh cheist sin rium sa bhad. Thuirt mise gur e deamocratach a bh' annam agus gun robh modh is urram agam dhan lagh. Thuirt mi gum bithinn an còmhnaidh a' feuchainn ri mo bheatha a chaitheamh a rèir mo chogais. Gun robh mi ann an suidheachadh far an robh an luchd-poilitigs air an lagh a chleachdadh ann an gnothach sìobhalta agus gun robh iad na mo bheachd-sa a' toirt droch chliù dhan lagh ann a bhith a' dèanamh seo. Bha mi air feuchainn ris an rud a dhèanamh gu laghail ach gun robh seo air fàilligeadh. Nist dh'fhairich mi gun robh mo chogais ag innse dhomh gun robh mi a' cuideachadh gus an lagh a chur an dìmeas le bhith a' co-obrachadh sa phròiseas seo. Cha b' urrainn dhomh pàirt a ghabhail sa chùis agus mar sin nach aontaichinn ris a' bhàirlinn a fhreagairt agus cùis-lagha a fhrithealadh. Chuir an t-Siorram Frìseal stad orm ann a' shin.

'Nach b' urrainn?' dh'fhaighnich e, 'neo nach dèanadh?' Thuirt mi ris nach b' urrainn a rèir mo chogais, ach nan robh esan ag ràdh rium gum bu chòir dhomh dol an aghaidh mo chogais nach dèanainn sin idir.

Nuair a chuala e seo ghabh Neach-Casaid a' Chrùin, Mgr Hingston, diomb mhòr rium agus thuirt e gum bu chòir dhomh bhith air mo chumail sa phrìosan – ach mhothaich mi nach b' ann air sgàth dìmeas air a' chùirt. Thuirt an Siorram Frìseal gun robh m' èisteachd air a chur air dòigh airson

expecting that I would not be very long there. However at 10 o'clock I was still in the pub and had seen nothing of the police, so I just assumed that they would not be coming for me that day and took a taxi home.

When I got home Doreen, my wife told me that the police had arrived from Portree at about 8.30 to arrest me. Doreen told them where I was and that I had my bag with me. 'Oh that's all right,' the sergeant said to her, 'we'll let Andy have a drink, but tell him to ring us when he gets home and we'll come and arrest him.'

So I rang the police and they came and took me to Dingwall police station for the night, so that I could be taken before the Sheriff the next morning.

In court the following morning my next problem confronted me. When Rod and I had discussed this situation we had recognised that my refusal to attend court could be interpreted as contempt of court and that I could be charged with that and not the toll issue. This we clearly did not want, since it would have taken us away from the issue we wanted to challenge, so I had prepared myself for what I recognised would be the crucial question. Why did I not attend the court when summoned?

Sheriff Fraser duly fired that question at me the moment the hearing started. I said that I was a democrat and respected the rule of law. I said that I always tried to live by the dictates of my conscience. That I was in a situation where politicians had used the criminal law for a civil matter and were in my opinion bringing the law into disrepute by doing so. I had tried, using the law, to have this addressed but without success. I now felt in all conscience that to co-operate in this process was to assist in bringing the law into disrepute. I could not so participate, and therefore could not comply with the summons to appear at a criminal hearing. Sheriff Fraser stopped me there.

'Could not?' he inquired or 'would not?' I replied that I could not in all conscience, but if he was suggesting that I should act against my conscience then I would not.

At this statement the Procurator Fiscal, Mr Hingston reacted vigorously calling for me to be held in custody, but I noted, not suggesting contempt of court. Sheriff Fraser informed me that my hearing had been rearranged for the

na h-ath-sheachdaine, agus thuirt e gum faighinn fuasgailte air urras chun uair sin.

Chaidh e air adhart a mhìneachadh gun robh trì rudan a dh'fheumainn dèanamh mum faighinn air urras. Sa chiad dol a-mach, thuirt e nach bu chòir dhomh feuchainn ri brath a ghabhail air na fianaisean. Choimhead mi air na poilis àrda mhòra a bha air mo chur sa phrìosan agus thug mi freagairt dha an làrach nam bonn. Rachainn an urras dhan chùirt a thaobh sin gu dearbh.

B' e an ath rud nach bu chòir dhomh an lagh a bhriseadh mar seo a-rithist. Fhreagair mise nach robh mi air an lagh a bhriseadh idir. Nan robh e ag iarraidh orm cìs Drochaid an Eilein a phàigheadh, cha b' urrainn dhomh cantail gun dèanainn sin bho thaobh mo chogais dheth. 'Cha dèanadh', thuirt esan, ga mo chur ceart. 'Cha dèanadh,' fhreagair mi.

Mu dheireadh dh'iarr e orm innse dha gu deimhinne gun nochdainn sa chùirt airson 's gun rachadh èisteachd ri mo chùis a-rithist. Fhreagair mi mar a fhreagair mu thràth, agus chuir e ceart mi a-rithist.

A-rithist dh'fhàs Neach-Casaid a' Chrùin diombach ri mo dhroch-ghiùlan agus thuirt e gum bu chòir dhomh bhith air mo chumail sa phrìosan, agus shaoil mise nach robh dol às aig an t-Siorram 's mar sin smaoinich mi gun aontaicheadh e ris.

Uime sin bha iongnadh nach beag orm nuair a thuirt an Siorram Frìseal ri Neach-Casaid a' Chrùin gun robh e soilleir dha gur e sin a bha Mgr MacIllAnndrais ag iarraidh 's gun rachadh a chur sa phrìosan. Gidheadh, b' e bheachd gur e duine onorach a bh' ann am Mgr MacIllAnndrais, ged a bha e air dhol air seachran beagan. Bha e cinnteach gum biodh Mgr MacIllAnndrais sa chùirt ma thuirt e gum biodh. Mar a bha a' chùis, bha e air co-dhùnadh gum faigheadh Mgr MacIllAnndrais mu sgaoil chor agus gun toireadh e dha cothrom cnuasachadh air a' chogais ron èisteachd air an ath-sheachdain, agus bha e an dùil gun robh Mgr MacIllAnndrais ciallach gu leòr tuigsinn gum feumadh e nochdadh sa chùirt.

Mura nochdadh agus gun tigeadh Mgr MacIllAnndrais roimhe a-rithist sa leithid de shuidheachadh, thug e rabhadh gun cuireadh e sa phrìosan e, agus leis a' sin dhùin e a' chùis agus chaidh mo leigeil mu sgaoil.

Gu nàdarra cha bu toil leam dol sa phrìosan agus cha robh togail sam bith orm ri sin idir, ach bha e gu math soilleir dhomh nach robh a' chùirt airson duine sam bith dhen luchd-togail-fianais a chur sa phrìosan. Bha sinne air a bhith ceart nuair a mheas sinn gur e bagairt a' phrìosain a bha a' chùirt a' cleachdadh 's gun robh leisg orra am bagairt sin a chur an gnìomh.

following week and announced that he was prepared to give me bail until then.

He went on to explain that there were three conditions which I must meet before he could consider granting me bail. First he said I must assure the court that I would not attempt to intimidate any of the witnesses. I glanced at the huge police officers who had me in custody and responded immediately. I could certainly give the court a firm assurance on that.

Next he said I must give an assurance that I would not commit the offence again. I replied that I had not committed any criminal offence. If he was asking me to promise to pay the Skye Bridge toll, then that assurance I said I could not in all conscience give. 'Would not!' he corrected me. 'Would not,' I acknowledged.

Finally he asked me for an assurance that I would appear at court for the rescheduled hearing. Again I responded that in all conscience I could not give that assurance. 'Would not!' he again corrected me. 'Would not,' I again acknowledged.

Once again of course the Fiscal displayed outrage at my conduct and called for me to be held in confinement and I thought that the Sheriff had no other option so expected him to agree.

I was therefore very surprised when Sheriff Fraser address the Fiscal and said quite candidly that it was clear to him that Mr Anderson wanted him to do precisely that and to send him to prison. He however felt that Mr Anderson was an honest man if somewhat misguided. He was sure that if Mr Anderson had given him an assurance that he would attend court next week, then he would do so. In the circumstances he had decided to release Mr Anderson and give him the opportunity to think carefully and examine his conscience before the hearing next week and he expected that Mr Anderson was intelligent enough to recognise that he must appear.

If he did not do so and if Mr Anderson came before him again in such circumstances, he warned, he would send him to prison and with that he closed the case and I was released.

I was of course not keen to go to prison and did not look forward to that experience at all, but it was equally clear to me that the court was also not keen to send any of the protestors to prison. We had been right in our assessment that it was the threat of prison which the court was using, and that they were extremely reluctant to implement that threat.

Bha fios agam an uair sin nach robh agam ri dhèanamh ach feitheamh seachdain eile, diùltadh nochdadh sa chùirt a-rithist, agus nach biodh dol às aig an t-Siorram Frìseal agus gun rachadh ar plana air adhart. B' e seo an dearbh rud a rinn mi nuair a chaidh mo ghairm gu èisteachd ann an Taigh-cùirte Inbhir Pheofharain air Diardaoin 4 an Dùbhlachd 1997 's nach do nochd mi ann a dh'aona ghnothach. Thàinig na poilis air mo shon an oidhche ud, chuir iad an grèim mi agus thug iad gu stèisean poilis Inbhir Pheofharain mi.

Sa Phrìosan

Aon uair eile bha mi air ais ann an stèisean poilis Inbhir Pheofharain. Tha na goireasan anns na ceallan poilis glè ghann. Bha leabaidh chlàr sa chealla, agus chaidh plaide neo dha agus cluasag a thoirt dhomh. Cha robh àite-nighe ann, bha seo san trannsa taobh a-muigh na cille, mar a bha an taigh-beag. Cha robh àite-ionnlaid ri fhaotainn ann. Chaidh bracaist a thoirt seachad ann an soithichean plastaig sa chealla.

Chaidh mo thoirt gu Cùirt an t-Siorraim an ath mhadainn agus a-rithist bha agam ri aghaidh a thoirt ris an t-Siorram Frìseal. Thuirt e rium gum bithinn air deuchainn air 16 an Dùbhlachd agus dh'fhaighnich e dhìom a-rithist an robh mi ag iarraidh fuasgladh air urras. Thug mi dha an aon fhreagairt. Dh'innis e dhomh an uair sin gun rachadh mo chumail ann am Prìosan Porterfield ann an Inbhir Nis, agus dh'fhaighnich e dhìom an robh neach-lagha a dhìth orm. Thuirt mi gun robh, agus chaidh mo thoirt chun a' phrìosain.

B'e rud uabhasach a bha ann a bhith a' tighinn a dh'ionnsaigh geata a' phrìosain agus a bhith a' dol tro aon gheata glaiste an dèidh a chèile.

B'e rud uabhasach a bha ann a bhith a' tighinn a dh'ionnsaigh geata a' phrìosain agus a bhith a' dol tro aon gheata glaiste an dèidh a chèile, agus cha robh an dòigh san deachaidh duine a ghabhail a-steach dad na b' fheàrr. Chaidh innse dhomh m' aodach uile a chur dhìom agus fras a ghabhail (nach e a bha taitneach an dèidh oidhche sa chealla) agus chaidh aodach prìosain a thoirt dhomh. Chaidh gach bad a bh' agam a chur air bòrd airson 's gun sgrìobhainn m' ainm sìos ag ràdh gum b' ann leam a bha iad agus thugadh air falbh iad. Chaidh mo thoirt an uair sin gu seòmar an stòir agus chaidh matras, plaideachan, cluasag, sguaban fhiacail is mar sin a thoirt dhomh, agus lean mi an *warden* suas gu mo chealla.

Dh'fhaighnich mi dhen duine carson a bha mi a' faighinn sguaban fhiacail 's stuth glanaidh ùr agus iad sin agam fhìn mu thràth mus deachaidh an toirt bhuam. Thug e sùil orm mar gum b' ann às a' phlanaid Mars a bha mi. 'Nach lèir dhut e,' ars' esan dh'fhaodadh tu drogaichean a thoirt a-steach leat gu furasta san stuth sin'. Cha bu lèir dhomh idir e, ach thàinig e a-steach orm gum b' ann ann an saoghal gu tur eadar-dhealaichte a bha mi agus gum feumainn glacadh le smaointean ùra gu math luath.

Bha an warden air mo threòrachadh tro sheann phrìosan Bhictòrianach a bha coltach ris an àite sin anns a' phrògram

I knew then that all I had to do was to wait another week, refuse to attend court again and Sheriff Fraser would have no option left, our plan could go forward. This then was exactly what I did. I was summoned to appear at a hearing in Dingwall court on Thursday 4th December 1997 and I deliberately did not appear. The police came for me again that night and arrested me and took me to Dingwall police station.

In Prison

Once again I was back in Dingwall police station. Facilities in police cells are very basic indeed. There was a wooden bunk in the cell and I was given a couple of blankets and a pillow. I did not have a sink for washing; this was in the corridor outside, as was the toilet. There was neither a bath nor shower available. Breakfast was served in plastic containers in the cell.

I was taken to Dingwall Sheriff Court next morning and once again faced Sheriff Fraser. He told me my trial was now fixed for 16th December and again offered me bail on the same conditions. My response was the same. He then informed me that I would be held on remand in Porterfield Prison Inverness and asked me if I wanted legal representation. I asked for legal representation and was then taken off to prison.

Arriving at the prison gates and being taken through one set of heavy locked gates after another was a sobering experience.

Arriving at the prison gates and being taken through one set of heavy locked gates after another was a sobering experience as indeed was the admission procedure. I was told to strip and have a shower (which was nice after a night in a police cell) and was then given prison clothes to wear. All my property was then laid out on a desk for me to identify and sign for and then it was taken away. I was then taken to the storeroom and was given my mattress, blankets, pillow, toothbrush and toothpaste etc. and then followed the warder up to my cell.

I asked the warder why I was getting a new toothbrush and paste as my own were in my wash bag with my belongings. He looked at me as if I had come from Mars. 'It's obvious,' he said, 'you could easily bring in drugs in your toothpaste.' It had not seemed obvious to me at all but I realised I was in another world here with a whole lot of new concepts which I would have to learn to deal with pretty quickly.

The warder had taken me through an old Victorian prison block which looked just like the one from the TV programme 'Porridge'.

'Porridge'. Chaidh sinn suas staidhre gu àite àrd far an robh sreath de dhorsan dùinte a' ruith sìos am balla agus rèidhlean fosgailte air an taobh eile. 'S ann mar seo a bha an togalach gu lèir, le ceumannan a' dol suas gu gach ìre.

Thug e mi gu aon chùil dhen àrd-ùrlar far an robh dà bhothag-froise ann. Bha doras cille ann an sin a bha a' fosgladh a-mach gu seòmar mòr air chumadh 'L' anns an robh 11 leabaidhean loma, is taigh-beag is seòmar-froise cuideachd. Dh'innis e dhomh gum b' e seo mo chealla, cealla sam bithinn cuide ri càch, is mar sin gum bu chòir dhomh leabaidh a thaghadh agus mo threallaichean a chur air dòigh mus tigeadh na daoine eile sin. Dh'fhàg e gus rudan eile a chur an òrdugh an uair sin agus dh'fhàg e doras na cille gun ghlasadh.

An dèidh dha falbh chuir mi mo leabaidh air dòigh agus chaidh mi a-mach air an àrd-ùrlar a shealltainn mun cuairt.

Ann a' sin bha prìosanach eile, a thàinig thugam sa bhad. 'Nach tusa ball dhen bhuidhinn SKAT?' dh'fhaighnich e dhìom. Thuirt mi gur mi agus gum b' e Andaidh a bh' orm, agus thuirt esan gur e Hammy a bh' air. Bha blas Ghlaschu air a chainnt agus bha e coltach gun robh ùidh mhòr aige annam, a' smaointinn carson a bha mi cho gòrach 's gun deachaidh mo chur ann a' seo sa phrìosan.

Chuir e beagan iongnaidh orm gun robh a leithid de dh'fhios aige mu mo dheidhinn agus gun dad de dh'eòlas agam airsan, ach fhuair mi a-mach an dèidh làimhe nach robh mòran a' tachairt ann am Prìosan Phorterfield nach robh fhios aig Hammy air. Co-dhiù, bha coltas càirdeil air, mar a bhios air muinntir Ghlaschu mar as trice, agus dh'fhaighnich e dhìom an robh toit a dhìth orm. Thuirt mi gun robh agus gun robh toitean agam a bha mi an dùil a bheireadh an *warden* air ais dhomh nuair a thilleadh e. Rinn esan gàire, agus thuirt e rium nach fhaighinn dad dhe mo threallaichean gus an rachadh mo leigeil mu sgaoil. Thuirt e gun cumadh iad mo chuid airgid ach gum biodh e ri fhaotainn airson a chaitheamh ann am bùth a' phrìosain.

'Uill,' arsa mise, 'Gheibh mi toitean bho bhùth a' phrìosain nuair a dh'fhosglas i. Cùin a bhios sin?' dh'fhaighnich mi dheth. 'Gach Diciadain,' ars' esan. 'Uill,' arsa mise, 'mar sin chan bhi mi a' smocadh, gu ruige Diciadain co-dhiù'.

Thuirt Hammy rium gun cuireadh e toitean air dòigh air mo shon agus gum faodainn-sa iad a thoirt air ais dha Diciadain, agus thug e mi chun na cille aige, cealla chumanta air an àrd-ùrlar. Bha seo cuideachd coltach ris na ceallan anns a' phrògram 'Porridge', cealla bheag le dà leabaidh, shuas is shìos. Chuir e mi air aithne caraid dha, fear a bha coltas bogsair mòr trom air.

We went up one flight of stairs onto the first landing, which had a row of closed cell doors running down the wall with an open rail on the other side. There was a landing like this all round the building, then steps up to the next landing.

He took me to one corner of the landing where there were two shower cubicles. There was a cell door there which opened into a large L-shaped cell room with eleven bare beds and with a toilet and shower room en-suite. He told me this would be my cell which I would be sharing with others, so I should choose a bed and get my gear sorted out before the others arrived. He then left to make further arrangements and he left the cell door unlocked.

After he had gone I arranged my bed and then went out onto the landing to look around.

On the landing was another prisoner who approached me straight away. 'You are one of the Skye Bridge protesters, aren't you?' he enquired. I acknowledged this and introduced myself as Andy and he introduced himself as Hammy. He had a Glasgow accent and seemed very curious about me and why I had been so stupid as to end up in there.

It did strike me as strange that he knew a lot about me, while I knew virtually nothing about him, but I learned later that there was not much which went on in Porterfield prison which Hammy did not know about In any event he seemed very friendly, as Glasgow people generally are, and asked me if I smoked. I said that I did and that I had cigarettes in my belongings which I thought the warder would bring me when he came back. He laughed at that and advised me that I would not get access to any of my belongings until I was released. My money he said would be held but available for me to spend in the prison shop.

'Well,' I said, 'I'll get cigarettes from the prison shop when it opens. When does it open?' I asked. 'Wednesdays,' he said. It was then Friday afternoon. 'Well,' I said, 'in that case I don't smoke, at least until Wednesday.'

Hammy told me that he would fix me up with cigarettes which I could give back to him on Wednesday and he took me to his cell, which was one of the standard ones on the landing – a small cell with a bunk bed for two prisoners. He introduced me to his cell mate who looked like a heavyweight boxer.

Bha a' chealla bheag aca loma làn thoitean, suiteis, chrothan, shliseagan-buntàta is mar sin air adhart. Bha e na b' fheàrr na Oifis Puist Ùige! 'Dè seòrsa toitean am bu toil leat?' dh'fhaighnich e.

Cha do sguir e a chur cheistean orm mu iomairt SKAT agus carson a bha mi cho mòr an sàs ann. Bha an rud gu lèir na chùis mhòr ùidhe aige, agus tha mi cinnteach gur e a bheachd gum b' e neach-cuthaich a bh' annam. Thug e 60 Silk Cut dhomh agus leig e leam leabhar a thaghadh bhon leabharlann inntinneach aige agus thug e air ais gu mo chealla an uair sin mi.

Nuair a thill mi chun na cille, bha triùir neo ceathrar innte a-nist, is mar sin dh'fhàg mi mo bheannachdan aig Hammy, thug mi taing dha air sgàth iasad nan toitean agus chuir mi mi fhìn air aithne do mo chàirdean ùra. Bha iad uile gu math òg agus ged a bha iad glè mhodhail rium, dh'fhairich mi gur dòcha nach robh iad buileach air an socair leam.

Cha b' ann gu dhà no trì latha an dèidh làimhe, nuair a dh'fhàs mi fhìn agus na fir òga sin a bha san aon chealla cuide rium na b' eòlaiche air a chèile, a fhuair mi a-mach fàth an iomnaidh. Mun àm ud bha mi air faighinn a-mach gum b' ann air sgàth dèiligeadh ri drogaichean a bha Hammy sa phrìosan agus gun robh, gu nàdarra, buidheann de dh'fhir mhòra aige a dhèanadh a shabaid dha. Bha fios aig na fir òga nam chealla-sa cò e nuair a thàinig e chun na cille agam, ged nach robh fhios agamsa. Bha iad mar sin a' smaointinn gun robh sinn a' dèiligeadh ri chèile agus b' ann ri linn sin a bha iad car faiceallach mum dheidhinn.

B' ann beagan làithean an dèidh làimhe, agus iad a' tuigsinn nach robh mise air fear de dh'fhir Hammy, a dh'innis fear aca dhomh, 'Bha sinn an dùil nuair a thàinig thu a-steach chun na cille an toiseach gum bu tusa **an duine**,' thuirt e. 'Carson a smaoinich sibh sin?' dh'fhaighnich mi dheth. 'Uill, ghabh thu leabaidh an duine, agus bha thu cuide ri Hammy.' Thuig mi mar a bhiodh buaidh aige sin uile orra agus mi a' dèanamh còmhradh càirdeil ri Hammy nan drogaichean, ach dè bha seo mu leabaidh an duine a thaghadh?

'Dè tha thu a' ciallachadh le leabaidh an duine? Tha 11 leapannan ann agus tha iad coltach ri chèile. Dè tha eadar-dhealaichte mun leabaidh a thagh mise? Carson a thug thu leabaidh an duine air?' A-rithist sheall e orm 's e a' gabhail annas mu cho aineolach 's a bha mi. Mhìnich e dhomh an uair sin, mar gum b' e pàiste a bh' annam. 'Tha an leabaidh a thagh thusa coltach ris na leapannan eile, ach 's i as fhaisge dhan bhothag-froise, agus dhan taigh-bheag, agus tha coire agus dealain faisg ri làimh.'

Bha seo fìor gu leòr, ach cha robh mise air toirt fa-near dha, air neo co-dhiù air mothachadh dha roimhe sin. Tha mi cinnteach gun robh e fìor nuair a thuirt an *warder* rium leabaidh a thaghadh sa chealla fhalamh gur dòcha gun do mheas mi an suidheachadh agus gun do thagh mi an

Their small cell was packed full of cigarettes, sweets, peanuts, crisps etc. It was better stocked than the Uig post office. 'What sort of cigarettes would you like,' he asked.

He never ceased to question me about the SKAT campaign and why I was so involved in it. He seemed intrigued by the whole thing and I'm sure he thought I was crazy. He fixed me up with 60 Silk Cut and let me pick a book from his interesting library then escorted me back to my cell.

When we got back to my cell there were three or four others in it by now, so I said good-bye to Hammy, thanked him for the loan of the cigarettes and introduced myself to my new room-mates. My cell-mates were all quite young and while they were all very polite to me, I had the feeling that they were not entirely at ease.

It was not until a few days later when the young men, who were my cell-mates, started to get to know me better that I understood their initial reserve. By that time I had discovered that Hammy was inside accused of being a major drug dealer and of course had a gang of heavies around him. The young men in my cell had known who he was when he came to my cell with me, even if I had not. They had associated me with him and were therefore cautious around me.

It was a few days later, after they had realised that I was not one of Hammy's associates that one of them told me, 'We thought when you first came into the cell that you were **the man**.' 'Why did you think that?' I asked. 'Well, you took the man's bed and you were with Hammy.' I could understand that seeing me in friendly conversation with Hammy the drug dealer would have influenced their thoughts, but I could not understand this reference to me having chosen the man's bed.

'What do you mean the man's bed? All the eleven beds in the cell are the same. What's different about the bed I chose? Why do you say it's the man's bed?' Once again I got that look of disbelief and puzzlement about my ignorance. He then explained to me as one would to a child. The bed you chose is the same as all the others, but it is closest to the shower and to the toilet and it has the electric plug and kettle by it.

This of course was true but I had never noticed it, or at least been conscious of it before. It was no doubt true that when the warder told me to pick a bed in the empty cell I probably sized up the situation and chose one which best suited me. It had

leabaidh a b' fheàrr a dhèanadh an gnothach dhomh. Cha tàinig e a-steach orm idir gum biodh daoine a' faighinn leabaidh a thaobh an ìre fhèin sa chealla sin agus gum bu chòir dhomh leabaidh a thaghadh a rèir sin.

Cha bhiodh duine sam bith dhe na fir òga sin air a' mhearachd sin a dhèanamh. Leis gun do thagh mi an leabaidh sin, bha mi mar gum biodh ag ràdh gum b' e mise duine mòr 's gun robh iadsan na b' ìsle. Ach cha do smaoinich mi idir mun leithid.

Dhen ochdnar òga a bha sa chealla cuide rium, bha còignear gun chomas leughaidh neo sgrìobhaidh, agus b' e bhuil gun sgrìobhainn-sa litrichean air an son agus gun toirinn cuideachadh dhaibh rudan àraid a thuigsinn: ach b' e mise am fear a bha gun chomas agus gun tuigse agam air ciamar a ghabhadh daoine a leughadh mar gum biodh, eadar 's gun do chleachd iad feartan aodainn air neo giùlan colainn. Bha sinn mar sin ag ionnsachadh bho càch a chèile.

Thachair rud beag eile a chuireadh air shùilean dhuibh mar a tha saoghal neònach a' phrìosain a' dol air adhart. Mar a thuirt mi bha mi fortanach gun robh bothag-froise agam sa chealla agus is rud e gun èirich mi gu math tràth agus mar sin cha robh duilgheadas sam bith agam fras a ghabhail sa mhadainn.

Air an àrd-ùrlar taobh a-muigh ar dorais bha dà fhras airson nan ceallan uile air an taobh sin. Mar sin b' àbhaist gum biodh sreath fhada dhaoine a' feitheamh ri fras fhaotainn. Madainn a bha seo, goirid an dèidh dhomh tighinn chun a' phrìosain, bha mi san fhras gu math tràth agus bha mi, mar as nòs, a' seinn. B' e òran Gàidhlig a bha mi a' dalladh air le spionnadh.

Gu h-obann chaidh an cùirtean a bha mar dhoras dhan fhras fhosgladh le *warden*, agus air a chùl bha mi a' faicinn aodannan dhaoine a' spleuchdadh orm le annas.

'Bheil thu ceart gu leòr, a mhic?' dh'fhaighnich an t-oifigear-prìosain 's e làn iomnaidh. ''S mi a tha,' fhreagair mi agus mi fhìn air mo chlisgeadh le daoine a' coimhead orm san fhras gun rabhadh. 'Bha thu a' seinn?' thuirt an t-oifigear gu bagarrach. 'Bha, bidh mi daonnan a' seinn san fhras,' thuirt mi. Bha e coltach gun robh seo ceart gu leòr 's bha iad uile air an socair a-rithist agus dh'fhalbh iad is dh'fhàg iad mi le mo fhras.

An dèidh sin chaidh innse dhomh gun cualas mo chuid seinn agus gun do smaoinich cuid dhe na prìosanaich san t-sreath taobh a-muigh ar dorais gun robh an cuthach air duine dhe na prìosanaich ùra agus gun deachaidh fios a chur air an *warden* coimhead a-steach dhan chùis, agus b' ann air sgàth sin a bha na h-uimhir a dhaoine a' feuchainn ri aiteal fhaighinn dhen phrìosanach ùr a bh' air a dhol air a' chuthach. Tha e coltach nach eil seinn san fhras ann an cànan sam bith ro chumanta ann am Porterfield.

never crossed my mind that there may be a pecking order in the cell and that I should choose a bed with that in mind.

None of these young men would have made that mistake. By making that choice in their eyes I had been pronouncing that there was no-one in the pecking order more significant that me. In reality of course I had done no such thing, nor even thought about such a thing.

Of the eight young men who shared this cell with me, five were illiterate, or nearly illiterate, and I ended up writing letters for them and helping them to understand things. But when it came to reading the signs that prisoners gave out by different types of behaviour or conduct I was the illiterate one and all of them could read signs that were meaningless or invisible to me. I helped them to deal with their illiteracy and they helped me to deal with mine.

Another small incident which took place while I was in prison might also help to illustrate this strange environment with its strange values. I was fortunate in having a shower room inside my cell and as I am an early riser I had no difficulty in the morning in getting a shower when I got up.

On the landing outside our cell door were two showers for all the cells on that side of the landing. So there was usually a long queue on the landing outside our locked cell in the morning. One morning, just after I arrived in prison I was in the shower early and, as normal, I was singing. That morning it was a Gaelic song that I was belting out with gusto.

Suddenly the curtain, which served as a door to the shower cubicle was pulled open by a prison warder, behind whom I could see a number of curious faces of prisoners all staring into my shower.

'Are you all right son?' said the prison officer anxiously. 'Of course I'm alright,' I replied somewhat startled by this sudden intrusion into my shower room. 'You were singing?' the officer said accusingly. 'Yes,' I said, 'I always sing in the shower.' This, and no doubt my calm response to this intrusion seemed to settle things and they all retreated and left me to my shower.

Later I was told that my loud singing in an unfamiliar language had led some of the prisoners in the queue outside our cell door to the opinion that one of the new prisoners in our cell had gone off his rocker and they had called the warder to check it out, hence the many faces hoping to catch a glimpse of the new prisoner who had gone crazy. It would appear that singing in the shower is not common in Porterfield in any language.

Thadhail grunn dhaoine orm sa phrìosan, agus b' ann rin linn-san a fhuair mi a-mach gun robhar a' deasbad cìsean na drochaide sna meadhanan a-rithist a chionn 's gun robh mi sa phrìosan. Thàinig mo bhean, Doreen, a thadhal orm, agus bha aice ri dhol tron rannsachadh-colainn airson dhrogaichean mus rachadh a leigeil a-steach gu seòmar an luchd-tadhail. Dh'innis mi dhi gun robh agam ri m' aodach uile a chur dhìom a h-uile turas a dh'fhàg mi an seòmar sin.

Taobh a-staigh beagan làithean dhe bhith sa phrìosan chaidh innse dhomh gun robh fear-lagha ag iarraidh bruidhinn rium, agus chaidh mo thoirt gu seòmar-agallaimh far am faicinn e. Dh'innis e dhomh gun robh sinn air cobhair laghail fhaotainn agus mhìnich e dhomh an suidheachadh a bha romham. Bhiodh èisteachd ann air 16 an Dùbhlachd agus bhiodh agam ri freagairt a thoirt a thaobh 14 tursan nach do phàigh mi a' chìs air Drochaid an Eilein. A bharrachd, bha dà 'eucoir dràibhidh' nam aghaidh a thaobh stad a chur air na poilis agus iad ag iarraidh orm rudan sònraichte a dhèanamh aig an drochaid, ach rachadh èisteachd ris na dhà seo aig àm eile. A thuilleadh air a h-uile rud a bha sin, thuirt e rium nach robh mi air càin a phàigheadh airson na rinn mi ron a sin agus gun rachadh iad sin a thogail aig toiseach na h-èisteachd.

Bha mi gu bhith ga dhèanamh soilleir nach robh mi air an lagh a bhriseadh agus gur e gnothach poilitigeach a bh' ann.

Dh'fhaighnich e dhìom dè bha mi ag iarraidh air a dhèanamh.

Thuirt mi ris nach robh feum agam air aig an èisteachd air an 16mh seach gum bithinn ga mo riochdachadh fhìn ann. 'S e bha mi ag iarraidh airsan a dhèanamh ach mo riochdachadh aig an èisteachd eile a bha a' deiligeadh ri eucoir siubhail mar gum biodh.

Cha b' ann ro shàsaichte a bha e le seo agus thuirt e rium gun robh an èisteachd air an 16mh a' tighinn suas an toiseach agus gun robh e glè chudromach. Thuirt e gum feumainn dèiligeadh ri diùltadh pàigheadh nan càin, agus diùltadh pàigheadh nan cìsean, a bha mi air a dhèanamh 14 turas. Ciamar, dh'fhaighnich e dhìom, a bha mi am beachd dèiligeadh riutha?

Thuirt mi ris nach dèiliginn riutha idir oir bha mi gu bhith ga dhèanamh soilleir nach robh mi air an lagh a bhriseadh agus gur e gnothach poilitigeach a bh' ann gun deachaidh casaidean a thogail nam aghaidh.

Thuirt e gur e gòraiche a bha sin agus gum biodh agam ri aghaidh a chur ri ciamar a phàighinn na càintean mun rachadh èiseachd ris na cùisean eile. 'Ciamar a fhreagradh tu na rudan a tha sin?' dh'fhaighnich e.

Thuirt mise nam faighnicheadh an Siorram dhìom an robh mi am beachd na càintean a phàigheadh gun canainn ris nach robh. 'Chan urrainn dhut sin a dhèanamh,' thuirt e. ''S e tha sin ach dìmeas a chur air a' chùirt.'

I had a number of visitors who came up to see me and I soon learned from them of the high profile my case had got with the media and how this had brought the Skye Bridge tolls back on the political agenda. My wife, Doreen came to visit and had to go through the process of being searched for drugs before she could get into the visiting room. I told her that I had to have a strip search every time I left the visiting room.

Within a few days of me being in prison I was informed that there was a lawyer to see me and was taken to an interview room. He told me that legal aid had been approved and explained to me the situation I was facing. There would be a hearing on 16th December at which I had to respond to 14 charges of non payment of tolls on the Skye Bridge. In addition I had two 'traffic offences' against me relating to obstruction and refusing to obey police instructions at the Skye Bridge to be held at a later date. In addition to the above he pointed out that I had not paid any of the fines outstanding from a large number of previous convictions and that these would be raised with me at the start of the first hearing.

He asked for my instructions.

I told him that he would not be required for the hearing on the 16th as I would represent myself. What I wanted him to do was to represent me at the hearing dealing with the traffic offences.

He reacted strongly to that and pointed out that the situation on the 16th was first and was crucial. He said that I would have to deal with the non-payment of my fines and the 14 cases of non-payment of toll. How, he asked did I propose to deal with them?

I intended to make it clear that I had not committed any inherently criminal act and that the charges against me were political.

I told him that I did not propose to deal with them at all. I intended to make it clear that I had not committed any inherently criminal act and that the charges against me were political.

He said that was nonsense and that I would have to face the question of how I was going to pay the fines before the other cases were heard. 'How would I respond to that?' he asked.

I told him that if the Sheriff asked me if I intended to pay the fines, I would tell him that I did not intend to pay. You can't do that he said, that's contempt of court.

Nist cha d' fhuair mise riamh trèanaigeadh ann an lagh, ach bha an rud sin air tighinn a-steach orm fhìn. Thuirt mi gur dòcha gun robh e ceart a thaobh sin, ach nach b' e neach-lagha a bh' annam agus gur e sin a dhèanainn. Thuirt esan nach robh mi a' feuchainn ri mo chùis a chur gu laghail, dìreach a' dèanamh rud poilitigeach dhen ghnothach, agus cha chomhairlicheadh e dhomh seo a dhèanamh idir.

Thuirt mi gun robh mi a' tuigsinn sin, agus gura h-e as adhbhar nach robh mi ag iarraidh airsan mo riochdachadh. Bha na casaidean eile nan cùisean laghail a-mhàin agus b' ann mar sin a rachadh cur às dhaibh, is mar sin bha mi ag iarraidh air dìreadh orra sin.

'S e 13 an Dùbhlachd an ceann-latha-breith agamsa is mar sin ann an 1997, agus mi air 59 a ruigheachd, chuir mi seachad e ann am Prìosan Porterfield. Chuir SKAT togail fianais air dòigh ann an Inbhir Nis agus taobh a-muigh a' phrìosain, agus thug iad cèic dhomh. Chan fhaca neo cha chuala mi iad a' togail fianais on chealla agam, ach chuala mi a h-uile rud mu dheidhinn. Thàinig na *warders* le litrichean agus an lùib seo bha tòrr chairtean agus cèic, nach robh ceadaichte dhomh, is mar sin thuirt mi riutha a chumail airson an teaghlaichean fhèin.

Air madainn 16 an Dùbhlachd 1997, fhuair mi deiseil mo chealla fhàgail agus a bhith air mo thoirt gu Cùirt an t-Siorraim ann an Inbhir Pheofharain airson mo dheuchainne. Dh'fhàg mi beannachd aig mo cho-phrìosanaich oir ged nach robh mi cinnteach gun leigeadh a' chùirt mu sgaoil mi, bha mi cinnteach nach cuireadh iad air ais chun na h-aona chealla mi. Nam b' e is gun tillinn gu Porterfield, b' ann gu pàirt eile dhen phrìosan a rachadh mo chur gus mo sheantans a dhèanamh.

Bha mi air càirdean a dhèanamh am measg nam fear òga a bha sa chealla còmhla rium agus dh'fhairich mi, mar a dh'fhairicheas fhathast, gum bu chòir dhan t-saoghal seo againn dòigh nas fheàrr a lorg gus dèiligeadh ri daoine òga dhen seòrsa-san, dòigh a bhiodh na bu bhuannachdaile dhaibh fhèin agus dhuinne san àm ri teachd. Ghuidh iad deagh rath orm leis an iomairt againn, agus dh'innis cuid aca dhomh gur dòcha airson a' chiad uair gum faigheadh iad cadal sèimh air an oidhche ud gun mi fhìn is mo shrannraich uabhasach ann!

B' iad an dà rud a chuir iongnadh orm agus a dhrùidh orm bho na beagan làithean a chaith mi sa phrìosan, na h-uimhir a dhaoine a bha dìreach às aonais deagh bheatha shòisealta ann an cuid de dhòighean, daoine nach robh nan cunnart dhan phoball idir nam bheachd-sa, dìreach gun robh cobhair is treòrachadh na b' fheàrr a dhìth orra seach na fhuair iad thuige sin. A chionn 's gun robh mi sa chealla cuide riutha, agus gun robh agam ris na h-aona rudan a dh'fhuiling iadsan fhulang – mar duine a' toirt d' aodach gu lèir dhìot agus rannsachadh-colainn a dhèanamh – saoilidh mi gun robh mi comasach bruidhinn ris na fir òga sin ann an dòigh 's nach b' urrainn do obraiche sòisealta a dhèanamh. Bha e soilleir

Now I do not have any legal training but I had worked that one out for myself. I told him that he may well be right on that, but I was no lawyer and that was what I would do. He said I was not attempting to offer a legal defence, I was just making a political statement and he could not advise me to do this at all.

I said yes, that I understood that, and that was why I did not want him handling it. The other charges against me were purely legal charges and could be defeated on legal grounds, so I wanted him to concentrate on them.

The 13th December is my birthday so in 1997, on my 59th birthday, I spent the day in Porterfield Prison. SKAT organised a March and demonstration in Inverness and outside Porterfield prison and they brought me a birthday cake. I did not see, or even hear the demonstration from my cell, but I heard all about it. The warders brought me my mail which included a lot of cards and of course the cake which I could not have, so I told them to keep it for their children.

On the morning of 16th December 1997, I got ready to leave my cell to be taken to the Dingwall Sheriff Court for my trial. I said my farewells to my cell mates, because although I was not sure that the court would free me, I was sure that they would not send me back on remand. If I was returned to Porterfield prison after the trial I would not be returned to the remand wing, but to the other wing to serve my sentence.

I had made friends among the young men who shared my cell with me and felt, and still feel, that society must find a better way of dealing with such young people, which will be more beneficial to them, and to us in future. They wished me good luck with our campaign and some of them told me, for the first time, that they might get a good night's sleep that night with the absence of my regular loud snoring.

The two things that surprised and impressed me from my few days in prison were the number of people who appeared to me just to be socially inadequate in some ways. They were not dangerous to the public in my view, they just needed better help and guidance than they had got so far. I think that because I was in the cell with them and had to suffer all the humiliations of strip searches etc. that they suffered, I was able to communicate with these young men in a way that no visiting social worker could. It was clear to me that all they needed was the guidance that an older adult could give them and I know dhomh nach robh a dhìth orra ach an treòrachadh a bheireadh inbheach na bu shine dhaibh, agus bha fhios agam gun deachaidh agam fhìn air beagan dhen sin a dhèanamh. Tha mi cinnteach nach robh droch bhuaidh a' phrìosain na chuideachadh dhaibh – an dearbh chaochladh.

B' e an rud eile obair nan oifigearan prìosain.

Shaoil leam gun robh iad a' feuchainn rin obair a dhèanamh ann an suidheadhadh uabhasach doirbh gus **coimhead an dèidh** cuid dhen fheadhainn a bu laige dhe na prìosanaich. Gu dearbh, is e mo bheachd gun deachaidh na fir òga sin aig nach robh mòran comais a thaobh leughaidh neo sgriobhaidh a chur sa chealla còmhla rium chor agus gun cuidichinn iad, rud a chumadh air falbh iad bho na rudan as uilce sa phrìosan.

Bha agam ri mo bheachd a thaobh oifigearan prìosain – a bha 's dòcha stèidhichte air dealbhan telebhisein agus fhilmichean – atharrachadh gu tur, agus tha am meas as àirde agam orra a-nist.

Chaidh mo thoirt bhon phrìosan ann an glasan-làimhe gu bhan a' phoilis agus gu Cùirt an t-Siorraim airson mo dheuchainne. Nuair a thòisich an deuchainn, a-rithist leis an t-Siorram Frìseal air a' bheing, cha deach tarraing sam bith a thoirt air na càintean nach do phàigh mi. Chaidh a' chùis air adhart leis an dà chasaid air thoiseach, a bha, thoir fa-near, air an aon latha leis na h-aon daoine ann mar fhianaisean. Cha do thog mi ceist an aghaidh nam fianaisean, agus cha robh ùidh sam bith aig an t-Siorram anns an aithris phoilitigeach agam.

Bha e follaiseach gu leòr gum faigheadh iad ciontach mi, agus gun dèanainn-sa tagradh an aghaidh seo. Nuair a bha an dà chùis dèanta, thuirt an Siorram gum bu cheart cho math stad airson biadh mus tòisicheadh iad air na casaidean eile. Dh'iarr mi air rudeigin a ràdh, agus thug e aonta dhomh. Thuirt mi ris, nach biodh e na b' fheàrr, seach dol tro na 12 casaidean eile, gach casaid a dhèanamh aig an aon àm le aonta Neach-Casaid a' Chrùin. Bhiodh e comasach an uair sin na fianaisean a leigeil mu sgaoil.

Smaoinich an Siorram air fad mionaid, agus thuirt e gun gabhadh seo a dhèanamh ach a-mhàin nam biodh neach-lagha gam riochdachadh gus an cùmhnant a chur ri chèile cuide ri Neach-Casaid a' Chrùin. Thuirt mi gum bithinn toilichte gu leòr nan dèanadh neach-lagha na cùirte seo nam b' e is gun rachadh agam air tagradh a dhèanamh. Dh'aontaich an Siorram gun gabhadh a leithid de chùmhnant a chur ri chèile rè àm bìdh, agus leig e air falbh na fianaisean uile.

An uair sin chaidh mi a-steach gu seòmar leis an neach-lagha a fhuair mi agus Neach-Casaid a' Chrùin, fhad 's a shuidh am poileas a bha air mo thoirt ann taobh a-muigh an t-seòmair. Thuirt Neach-Casaid a' Chrùin gur dòcha gun cuireadh esan agus an neach-lagha agam an cùmhnant ri chèile that my attempts to communicate were getting through to them. I'm certain that the other prison influences on them were not helpful, quite the reverse in fact.

The other thing was the work of the prison officers.

It seemed to me that they were trying very hard in extremely difficult circumstances to **care** for some of the most vulnerable of the prisoners. In fact the reason that these young men with poor levels of literacy were put in a cell with me in the first place, was, I believe, so that I could help them and keep some of the worst influences at bay.

My view of prison officers, which no doubt had been grounded on TV and films, went through a major revision and I now have the highest regard for them.

I was taken from prison handcuffed in a police van to the Sheriff Court for my trial. When the trial began, again with Sheriff Fraser on the bench, no reference was made whatever to the non-payment of my fines. The case proceeded with the first two charges, which were of course both on the same day with the same witnesses involved. I did not challenge any of the witnesses and the Sheriff looked with disinterest on my political statement.

The outcome was obvious. I would be found guilty and would appeal. When the first two cases were complete, the Sheriff indicated that he thought it would be as well to adjourn for lunch before starting on the next charges. I asked if I might comment, which he acceded to. I suggested that instead of going through the other twelve charges, all of which I suggested would take the same pattern, would it not be possible for me to reach an agreement with the Fiscal that all the other cases should be taken as the same as the first two and dealt with as a group. This would then allow all the numerous witnesses to be dismissed.

The Sheriff considered that for a moment and said that such a thing would be possible but only if I had a solicitor acting for me to draw up the agreement with the Fiscal. I said I would be happy for the court solicitor to do this provided only that provision could be made for me to appeal. The Sheriff agreed that such an agreement could be drafted during lunch and he dismissed all the witnesses.

I then went into a room with my appointed solicitor and the Fiscal, while my police escort sat outside. The Fiscal suggested that he and my solicitor should draft up the agreement while I went for lunch and that I could then go over

fhad 's a bha mo bhiadh agam, agus gum b' urrainn dhomh sùil a thoirt air an dèidh sin, agus nan robh mi sàsaichte leis gun rachadh a shealltainn dhan t-Siorram an dèidh àm bìdh.

Dh'aontaich mi ri seo, ach thuirt mi nach b' urrainn dhomh dol gu biadh, no am poileas a bha cuide rium, oir bha mi fhathast fo stiùir a' phrìosain. 'Fuirich mionaid,' arsa an Neach-Casaid, 'bruidhnidh mi ris an t-Siorram', agus dh'fhalbh e.

An dèidh còig mionaidean thill e agus thuirt e rium iarraidh air a' phoileas tighinn a-steach. Nuair a thàinig e a-steach thug an Neach-Casaid na pàipearan dha a thuirt gum faodainn a bhith mu sgaoil. Dh'fhàg sinn an seòmar còmhla. Dh'iarr mi air a' phoileas am b' urrainn dhomh airgead fhaotainn bhon bhaga agam chor agus gum faighinn biadh. Thug e na treallaichean uile agam dhomh agus thuirt e, 'Tha thu saor a-nist, Andaidh, faodaidh tu dol far an togair thu bho mo thaobh-sa dheth – tha na pàipearan agam 's chan eil thu fom chùram tuilleadh.'

Chaidh mi gu taigh-òsta ionadail, far am biodh cuid dhe mo chàirdean a bha air tighinn gu Inbhir Pheofharain airson na deuchainne. Bha pinnt leann agam le mo bhiadh agus abair blas an dèidh àm a' chasgaidh!

Mus robh mi air crìoch a chur air mo bhiadh thàinig neach-lagha na cùirte a bha ga mo riochdachadh agus an cùmhnant aice airson 's gun toirinn sùil air. Rinn mi seo agus thuirt mi rithe gun robh mi ag aontachadh ris na bh' ann. Bheireadh ise seachad don t-Siorram e an dèidh àm bìdh. Dh'fhaighnich i a-rithist dhìom dè bha mi a' dol a dhèanamh mu na càintean nach do phàigh mi. Dh'innis mi dhi nach robh mi dol gam pàigheadh. 'Ach dè ma dh'-fhaighnicheas an Siorram dhìot mun deidhinn?' dh'fheòraich i. 'Innsidh mi an fhìrinn dha mar sin,' arsa mise. 'Tha mi air an fhìrinn innse dhan chùirt bhon fhìor thoiseach agus chan eil mi a' dol a dh'innse bhreugan a-nist'.

'Tha thu glè ghòrach,' ars' ise rium, 'dh'fhaodadh tu a bhith a' dol air ais gu prìosan am feasgar seo air sgàth dìmeas a chur air a' chùirt.' 'Uill, ma thachras sin tachraidh e, ach chan eil mise a' dol a dh'-atharrachadh mo sheasaimh idir agus chan innis mi breugan a bharrachd.'

An dèidh don chùirt tilleadh, ghluais cùisean glè luath. Chaidh an cùmhnant a thoirt dhan chùirt agus ghabhadh ris. Bha mi ciontach dhe na 14 casaidean uile, agus bheireadh an Siorram mo bhinn seachad sa bhad.

Rud a chuir iongnadh orm, dh'iarr an Neach-Casaid air an t-Siorram gun a bhith ro chruaidh orm on a bha mi dìreach an dèidh 11 latha a chur seachad sa phrìosan agus bu chòir dhomh an cothrom fhaighinn tilleadh gu mo theaghlach. Bhruidhinn e ann an dòigh glè dhùrachdach agus dhrùidh seo orm gu mòr – gus an do chuimhnich mi gum b' e esan a thuirt ris an t-Siorram 11 latha air ais gum bu chòir dhomh dol gu prìosan.

it, and if I was happy with it, it could be put to the Sheriff when the court resumed.

I agreed, but pointed out that I could not go for lunch, nor could my police escort, while I was still in custody. 'Hold on a minute,' said the Fiscal, 'I'll speak to the Sheriff,' and off he went.

Five minutes later he came back and asked me to call in the police escort. When my police escort came in the Fiscal gave him the documentation for my release from custody and we left the room together. I asked the police officer who was my escort if I could have some money from my bag to get my lunch and he handed all my belongings to me. 'Your free now Andy,' he said, 'I've got the release papers, so you are no longer my responsibility, you can go where you like as far as I am concerned.'

I went for lunch at a local hotel, where I knew some of my friends were who had come over to Dingwall for the trial. I had a pint of beer which tasted great after my recent imposed abstinence.

Before I had finished lunch the court solicitor, who was acting for me brought me the agreement to examine. I checked it and agreed with its content. She undertook to submit it to the Sheriff when the Court resumed. She then again asked me what I was going to do about my outstanding fines. I told her I was not going to pay them. 'But what if the Sheriff asks you about them?' she enquired. 'Then I will tell him the truth,' I said. 'I have told the court the truth from the start and I am not going to lie to the court now'.

'You are extremely foolish,' she told me, 'you could be going back to prison this afternoon for contempt.' 'Well if that is what happens, then it will happen, but I am not going to alter my position, nor am I going to lie.'

After the court resumed things moved very quickly. The agreement was submitted to the court and accepted. I was found guilty of all fourteen charges and the Sheriff said he would pronounce sentence on me straight away.

Much to my surprise the Fiscal asked the Sheriff to be lenient with me because I had just spent eleven days in prison and should have the chance to return to my family. He spoke very sincerely and it was an impressive plea on my behalf, indeed it almost moved me, until I recalled that eleven days previously it was he who had urged the Sheriff to imprison me.

Rinn an Siorram òraid ag ràdh gun robh e air a h-uile rud a chnuasachadh agus gum b' e a cho-dhùnadh gum bu chòir dhomh a bhith air mo shaoradh. Dh'fhaighnich mi dheth gu dè dìreach a bha sin a' ciallachadh, an robh e a' ciallachadh gun robh mi ciontach ach nach rachadh rud sam bith a dhèanamh mu dheidhinn. Thuirt e gun robh sin ceart. Thuirt mi uime sin gun robh mi ag iarraidh tagradh a dhèanamh an aghaidh seo. Cha robh coltas ro thoilichte air aige sin. Cha do dh'fhaighnich an Siorram dhìom sìon mu na càintean nach robh pàighte agam, agus chan eil mi air am pàigheadh chun an latha an-diugh.

A' Tilleadh gu Strì Phoilitigeach

Mu Nollaig 1997, bha Rod, Iain is mi fhìn glè shàsaichte leis an innleachd againn ann a bhith a' dèiligeadh ri bagradh a' phrìosain a dh'ionnsaigh buill SKAT. Bha na h-ùghdarrasan air an gunna mòr a losgadh mar gum biodh ach bha e air spreadhadh orra fhèin.

Bha sinn cinnteach nach dèanadh iad a leithid oirnn a-rithist oir nam feuchadh iad ris b' urrainn dhuinne an duine a bhiodh sìos leis a thaghadh agus chan e iadsan. Bha an rud gu lèir caran mì-chofhurtail dhòmhsa ach dè bha sin an taca ri na bha de dhaoine sa choimhearsnachd againn a bha a' call airgead agus a bha a' pàigheadh a-mach tro shàrachadh an lagha is bagradh a' phrìosain? Bha sinn a' smaointinn gun deachaidh againn air a h-uile droch rud a bha sin a thoirt air falbh, air neo co-dhiù gun robh e fo smachd againn.

Bha na h-ùghdarrasan air an gunna mòr a losgadh mar gum biodh ach bha e air spreadhadh orra fhèin.

Bha sinn a-nist a' dìreadh ar n-aire air an Taghadh Albannach agus na dh'fhaodadh a bhith an cois sin. Shaoil sinn glè chudromach e gum faigheadh sinn fios gu gach ball pàrlamaid no tagraiche ron Taghadh. Bha na rinn Iain Caimbeul agus Ron Shapland gu bhith air a chleachdadh againn agus sinn a' dol a dh'iarraidh air a' Phàrlamaid ùir Albannaich cur às dha na cìsean, oir thigeadh a leithid fo sgàth an Riaghaltais ùir.

Cha robh e furasta a ràdh cò bhuannaicheadh an Taghadh, gu h-àraid on a bha sgeama-bhòtaidh ùr ann. An rud a bha soilleir, ge-tà, 's e gum biodh Pàrlamaid na h-Alba glè eadar-dhealaichte bho mar a bha ann an Westminster. Bho thaobh taghadh Westminster dheth cha robh ach dà phartaidh ann – Làbarach no Tòraidheach, agus cha rachadh iadsan an aghaidh sgeama PFI sam bith.

Ann an Alba, gidheadh, bha e coltach gun rachadh an latha leis na Làbaraich ach nach biodh cumhachd iomlan aca fon t-siostam bhòtaidh seo, agus cha bhiodh na Tòraidhean an sàs ann ach gu ìre bhig.

Bhon taobh againne bha tòrr chothroman ann dhuinn ann an Albainn

The Sheriff pronounced that he had considered all the circumstances and had decided that I should be admonished. I asked him exactly what that meant. Did it mean that I was guilty, but that no further penalty would be applied to me. He confirmed that this was the meaning. I told him that I therefore wished to appeal. He did not look pleased with that. The Sheriff never asked me about my unpaid fines and I have never paid them to this day.

Return to political struggle

By Christmas 1997 Rod, Ian and I were very pleased with our strategy for dealing with the threat of imprisonment hanging over SKAT members. The authorities had been forced to discharge their big gun and it had blown up in their faces.

We were confident that they could not use that again with any effect because if they ever attempted to do so, we could choose the victim and not them. This exercise had cost me some discomfort, but that was very slight compared to the heavy costs on many in our community who were losing earnings and paying out to comply with legal harassment and the threat of imprisonment. We felt that we had removed that threat or at least got control of it.

The authorities had been forced to discharge their big gun and it had blown up in their faces.

We now turned our attention to the opportunity the elections to the Scottish Parliament would provide. It seemed vital that we made efforts to get our message across to candidates from all parties. The excellent work done by John Campbell and Ron Shapland had to be used extensively to build a strong case for the new Scottish Parliament to scrap the tolls, because the responsibility for the roads in Scotland would come under this new legislature.

The outcome of the elections of course could not be easily predicted, particularly with the new system of proportional representation. What was clear however was that the composition of the new Scottish Government would be different from the one in Westminster. In a Westminster election the only realistic choice was a Labour or a Tory majority government, i.e. the party which had set-up the Public Finance Initiative and the party that was defending it.

In Scotland however it was likely that Labour, with its strong base here and its delivery of devolution would do well in the poll but it was not likely that they would get an overall majority under this voting system. It was clear that the Tories would not be the main opposition.

From our point of view there was everything to play for in Scotland, agus is dòcha gum faigheadh sinn Riaghaltas Albannach a chuireadh às dha na cìsean, air neo co-dhiù a dhèanadh e nan cuireadh sinn cuideam orra a dhèanamh. Bha fhathast poileasaidh aig an SNP agus na Libearalaich a thaobh cur às dha na cìsean, agus gu nàdarra bha mòran luchd-poilitigs Làbarach diombach mu mar a dhèilig am partaidh fhèin ris a' ghnothach seo. Nan robh riaghaltas measgaichte gu bhith ann an dèidh an taghaidh bha sinne a' smaoineachadh gum bu chòir dhuinn a' chùis a dhèanamh na ghnothach poilitigeach airson 's gun aontaicheadh na partaidhean ri chèile, oir bha an dà phartaidh a bhiodh a' feuchainn air a shon an aghaidh nan cìsean. Mar sin thòisich mòran againn air coimhead a-rithist air fuasgladh poilitigeach an dèidh na dh'fhuiling sinn nuair a bhris na Làbaraich ann an Westminster an gealladh dhuinn.

Thachair a' chiad chath mar gum biodh air 11 an t-Sultainn 1997 – latha mòr eachdraidheil do dh' Alba. B' ann air an latha seo a bha cunntas-bheachd gu bhith air bhonn a thaobh fèin-riaghlaidh. B' ann air an dearbh latha seo bho chionn 700 bliadhna air ais a chuir na h-Albannaich an ruaig air arm mòr Eideird I aig Drochaid Shruighlea agus a chuir na Nòrmanaich a-mach às Alba.

Nan robh riaghaltas measgaichte gu bhith ann an dèidh an taghaidh bha sinne a' smaoineachadh gum bu chòir dhuinn a' chùis a dhèanamh na ghnothach poilitigeach.

Goirid ron chunntas-bheachd bha Tònaidh Blair air atharrachadh cudromach a dhèanamh air mar a bhòtadh daoine. Bha e air gnothach a ghabhail ri ullachadh Dhòmhnaill Mhic an Deòir air a' Bhile, a' cumail a-mach gum bu chòir cunntas-bheachd le dà bhòt a bhith ann. Chaidh seo a chur air adhart an toiseach le Mìcheal Forsyth, iar-Rùnaire na Stàite airson Alba: aon airson fèin-riaghladh agus fear eile airson cead cìsean a thogail. Ge b' e carson a rinn Blair an rud sin, agus bha a' mhòr-chuid againne ga fhaicinn mar oidhirp cas-bhacag a chur air fèin-riaghladh, chaidh leis.

B' e 'gliocas poilitigeach' Westminster sna làithean sin nach bi daoine a' bhòtadh airson àrdachadh ann an cìsean, is mar sin bha e eu-coltach gu bhòtadh daoine airson ùghdarras ùr a thaobh chìsean. Theagamh gur ann air sgàth sin a smaoinich Mìcheal Forsyth – a bha an aghaidh fèin-riaghladh co-dhiù – mu dheidhinn sa chiad dol a-mach. Bha sinne ann an Alba a' tuigsinn cho cunnartach is a bhiodh e Pàrlamaid a chur air bhonn nach b' urrainn a cìsean fhèin a thogail, pàrlamaid a bhiodh an crochadh ri càch. B' e an rud mòr poilitigeach ann an Alba aig an àm ud strì a dhèanamh airson 's gu bhòtadh na daoine airson an dà rud seo chor agus gun rachadh cur às dhan bhagradh seo mus rachadh a chur air bhonn. Nuair a bhòt a' mhòr-chuid de dh'Albannaich airson na bhòta dùbailte, bha a' mhòr-chuid againne a bha a' strì an aghaidh nan cìsean air ar dòigh, oir bhiodh cothrom ann a-nist fuasgladh poilitigeach fhaotainn à Dhùn Èideann.

Bha dùil ris an Taghadh Albannach aig toiseach 1999, agus mar sin bha còrr is bliadhna againn obair a dhèanamh gus a bhith cinnteach nach

and a realistic chance that we could get a Scottish government elected that would abolish the toll or one that could be brought under real political pressure to do so. The SNP and the Liberals both still had a policy of abolishing the toll on the Skye Bridge and of course many Labour candidates were unhappy with the Labour Government's failure to deal with this. If there was to be some form of coalition government after the election it seemed to us that we should try to get the abolition of the tolls as one of the conditions for a coalition agreement, since the only possible coalition partners for Labour were both anti-tolls. So once again many of us started to look for a political solution to our problem after the severe blow we had suffered by the broken promise of the Labour Government in Westminster.

The first stage in that battle was on 11th September 1997 – a very historic date for Scotland. This was the date set for the devolution referendum. It was also the date 700 years earlier when the Scots under William Wallace and Andrew Murray pulled off a surprise defeat of the massive army of Edward I at Stirling Bridge and drove the Norman invaders out of Scotland.

Shortly before the referendum Tony Blair had made a significant change to the voting arrangements. He had intervened in the preparations Donald Dewar was making for the Bill by insisting that there should be a two vote referendum. This was a proposal first put forward by the defeated Tory Secretary of State for Scotland, Michael Forsyth, that there should be two votes; one for devolution, and a separate one for tax-raising powers. Whatever Blair's reasons for doing that – and most of us saw it as an attempt to hamstring devolution – he got his way and the two vote referendum was required under the legislation.

If there was to be some form of coalition government after the (Scottish Parliament) election . . . the abolition of the tolls (should be) one of the conditions for a coalition agreement.

The Westminster 'political wisdom' in those days was that people do not vote for tax increases, so to get people to vote for a new taxing authority was considered unlikely. That is no doubt why the anti-devolutionist Michael Forsyth suggested it in the first place. We in Scotland saw the danger of a parliament being established that had no tax-raising powers. A parliament should not be elected on the basis of dependency on another. The big political issue in Scotland at that time was to campaign for a double yes vote in order to defeat this threat to undermine the parliament before it was established. When the Scots voted, by a significant majority, for the double yes, then most of us in the anti-tolls campaign were delighted, since this would give us a chance for a political solution from Edinburgh.

The elections in Scotland were expected to be in early 1999, we therefore had over a year to work hard in order to ensure that the Skye

rachadh ceist cìsean na Drochaide a chur air dhìochuimhne mar a bha na Làbaraich an dòchas. Bha buill SKAT ag obair gu dian dìcheallach sa bhliadhna sin ann an saoghal nam poilitigs.

Ro dheireadh na bliadhna 1997 bha e soilleir gun robh an Riaghltas ùr agus na seirbheisich chatharra ann an Oifis na h-Alba ann an staing a thaobh a' PhFI seo agus bha iad air bhoil a' feuchainn ri leisgeulan a dhèanamh airson a' bhutarrais san robh iad. Anns an t-Samhain aig coinneimh de chomataidh Chunntasan Poblach, a bha aig an àm sin a' beachdachadh air a' PhFI seo, bha connspaid mhòr ann a fhuair tòrr foillseachaidh sna pàipearan-naidheachd. Dh'fhoillsich SKAT pìos dhen argamaid seo. Thug am Ball Pàrlamaid Anna Bheag 'butarrais' air PFI nan Tòraidhean ag ràdh gum bu chòir Dòmhnall Mac an Deòir an rud 'a chur ceart'.

Bha an uair sin againn Dòmhnall còir ag innse dhuinn mu na 'prìsean sònraichte' a bhathar an dùil a chur air chois airson nan 'dràibhearan cunbhalach'. Bha seo na fhìor bhrochan làn mhearachdan agus bha e coltach nach b' urrainn dha Oifis na h-Alba innse dhuinn ciamar a bhiodh an sgeama ag obrachadh. A-rithist dh'fhoillsich SKAT alt air 15 an Dùbhlachd anns an robh ar n-Iar-neach-Cathrach Alasdair MacIlleathain a' cur an cèill mar a bha tòrr airgid poblaich ga chur a thaobh airson seo a dhèanamh, agus thuirt e:

Ro dheireadh na bliadhna 1997 bha e soilleir gun robh an Riaghltas ùr agus na seirbheisich chatharra ann an Oifis na h-Alba ann an staing a thaobh a' PhFI seo.

> When questioned about the scheme last week the Scottish Office could provide few answers – instead the Bank of America will dictate to us, and to the Government, exactly how this subsidy will be used.

Bha Alasdair air cnag na cùise a bhualadh leis a' seo, oir bha e coltach nach robh smachd sam bith aig an Riaghaltas air a' ghnothach agus bha companaidh prìobhaideach ga dhèanamh soilleir ciamar a bha dùil aca an cùmhnant ris an Riaghaltas a chur an gnìomh agus ciamar a rachadh an t-airgead mòr seo a chosg. Sa chùis àraid seo b' e aon dhe na rudan a bu chonnspaidiche mu 'na prìsean ìseal sònraichte' gum biodh daoine ionadail nach robh a' faighinn pàigheadh ro mhòr – seann daoine air a' pheinnsean, can – nas miosa dheth mar thoradh air a' seo. Thachair seo a chionn 's gun deachaidh cur às dhan rud a dh'aontaichadh ron a seo – gum faodadh muinntir an àite leabhar 10 tigeadan no fiù 's tigeadan fa leth a cheannach. Bhiodh na tigeadan uile a-nist ann an leabhar de dh'fhichead agus cha b' urrainn an caitheamh mar thigeadan fa leth.

Thoir fa-near, Bha seo a' ciallachadh nach rachadh aig na seann daoine, a dheigheadh a chur cèilidh air an teaghlaichean òga is dòcha turas neo dhà sa bhliadhna, air cothrom a ghabhail air a' phrìs ìseal a chionn 's gun robh e a-nist nas daoire dhaibh agus iad gun a bhith a' cleachdadh na drochaid gu cunbhalach. Bha e co-dhiù air a bhith rud beag nas saoire dhaibh ron a seo.

Bridge tolls issue did not dissipate as the Labour Government had expected, but remained as an important issue in the coming Scottish elections. SKAT members worked their socks off in that year on the political front.

Before the end of 1997 it was clear that the new Government and the Scottish Office civil servants were in a tangle over PFI and were scrambling to find excuses for the mess they were in. In November at a meeting of the Public Accounts committee, then studying the tolls PFI, there was a big row which attracted publicity. SKAT put out a news release covering some of the arguments. Anne Begg MP was calling the Tory PFI 'a mess' and insisting that Donald Dewar 'sort it out'.

Then we had Donald Dewar telling us about the 'concessions' which were going to be made to reduce the toll for 'regular users'. This was riddled with flaws and the Scottish Office seemed incapable of explaining to us how it would work. Again SKAT put out a press release on 15th December where our Vice-Chairman Alasdair MacLean made reference to the huge public subsidy these proposals contained and stated:

> When questioned about the scheme last week the Scottish Office could provide few answers – instead the Bank of America will dictate to us and to the Government, exactly how this subsidy will be used.

Here Alasdair accurately identified the problem, the Government seemed to have no control of the situation and a private company was making it clear how it intended that its agreement with the Government would be implemented and how this huge additional subsidy would be spent. In this particular instance one of the most contentious aspects of the 'concessions' was that local people on low incomes, such as pensioners, would actually be worse off as a result of the 'concessions'. This came about because in the negotiations it had been agreed that the previous arrangement, where local people could buy a book of 10 tickets, or even purchase single tickets, would no longer apply. All tickets would now be in a book of 20 and could not be used singly.

Before the end of 1997 it was clear that the new Government and the Scottish Office civil servants were in a tangle over PFI.

This meant that the old age pensioners who made a trip once or twice a year to see their grandchildren on the mainland could not take advantage of the 'regular users concession' because it was now dearer per trip for them than the full price; whereas the previous concession, while not so large, had at least been available to them.

Nuair a thuirt sinn seo ri Oifis na h-Alba, rinn iad rud do-chreidsinn – chuir iad a' choire air Comhairle na Gàidhealtachd airson 's gun deachaidh an t-atharrachadh seo a dhèanamh. Bha a' Chomhairle gu tur an aghaidh nan cìsean, agus cha robh iad air a bhith an làthair nuair a bhathar a' deasbad na cùise eadar Oifis na h-Alba agus an companaidh, ach bha Oifis na h-Alba ag iarraidh oirnne a' choire a chur orrasan. B' e sin an seòrsa butarrais san robh iad.

Aig deireadh 1997 bha mòran againn air faighinn thairis air a' bhuille mhòr a thug gealladh briste nan Làbarach dhuinn. Bha sinn air dòrtadh fala fhulang sa chath mar gum biodh agus eagal oirnn ron bhlàr, ach bha sinn air aghaidh a chur ri gunnaichean mòra ar nàmhaid agus iad a chumail nan tàmh, is mar sin bha sinn dhen bheachd gum buannaicheadh sinn aig a' cheann thall. Bha sinn a' faireachdainn gun robh tìm air ar taobh-ne.

San Fhaoilleach 1998, dh'aidich Oifis na h-Alba mu dheireadh thall gum b' ann le Banca Ameireaga a bha 97% dhe roinnean Companaidh Drochaid an Eilein Sgitheanaich. Bha SKAT air a bhith ag ràdh seo fad ùine nach beag, rud a bha Oifis na h-Alba ag àicheadh. Aon uair eile bha sinn air sealltainn dhan choimhearsnachd gun robh ar rannsachadh cruinn ceart agus gum faodadh daoine earbsa a bhith aca anns na bha againn ri ràdh mu a leithid.

Dh'aidich Oifis na h-Alba mu dheireadh thall gum b' ann le Banca Ameireaga a bha 97% dhe roinnean Companaidh Drochaid an Eilein Sgitheanaich.

Cha robh teagamh sam bith ann gur e obair rannsachaidh SKAT a thug air Oifis na h-Alba an rud seo aideachadh, agus gu sònraichte bha Cailean MacIlleathainn aig SKAT agus Dàibhidh Ros, Sgrìobhaiche air Gnothaichean Gàidhealach aig an *Herald*, air tòrr obrach a dhèanamh a thaobh a bhith a' leantail rannsachadh SKAT sna meadhanan. Na bu tràithe bha Oifis na h-Alba air taic a thoirt do thagradh às leth a' chompanaidh seo airson maoin fhaotainn bhon European Investment Bank aig ìre ìseal rèidh, rud nach robh còir a bhith ann do chompanaidh Ameireaganach.

Air 29 an Fhaoilleach 1998 rinn SKAT aithisg do na pàipearan-naidheachd a dhèilig ri pàirt dhen rud seo. A-rithist bha sinn air sealltainn gun robh 'irregularities' ann'– a bha mì-laghail is dòcha – san robh an companaidh seo an sàs, agus sin le cuideachadh cam bho Riaghaltas Bhreatainn.

Na bu tràithe sa mhìos sin, air 8 an Fhaoilleach, bha SKAT air aithisg a chur chun an Inland Revenue ann an Companies House, agus chun a h-uile ball-pàrlamaid Albannach agus buill dhen Public Accounts Committee ag innse dhaibh uile mu iomadach rud a bha sinne am beachd a bha ceàrr neo mì-laghail mu dheidhinn nan companaidhean uile a bha an sàs san sgeama seo – sgeama a bha a' dèanamh tòrr airgid dhaibh. Thuirt Iain Caimbeul agus e a' bruidhinn às leth SKAT:

When we pointed this out to the Scottish Office, unbelievably they put the blame on the Highland Council for this change. Highland Council was on record as being opposed to the tolls and they had not been party to the negotiations between the Scottish Office and the company, yet the Scottish Office wanted us to blame them for it. That is the sort of mess they had got themselves into.

By the end of 1997 many of us had recovered from the devastating blow that Labour's broken promise had delivered. We were now bloodied and scared by the battle, but we had faced the enemy's biggest guns and held them off, so we were confident of our eventual victory. Time we felt was on our side.

In January 1998, the Scottish Office finally acknowledged that the Bank of America owned 97% of the Skye Bridge Company shares. This was something SKAT had been saying for some time and that had been denied by the Scottish Office. Once again we had been able to show to the community that our research had been accurate and that our pronouncements on such matters could be relied upon.

The Scottish Office finally acknowledged that the Bank of America owned 97% of the Skye Bridge Company shares.

There was no doubt that this admission by the Scottish Office had been forced by the research work carried out by SKAT and particularly Cailean MacLean of SKAT and David Ross, Highland Correspondent of *The Herald* who had followed up SKAT's research in the media. Earlier the Scottish Office had supported a claim by this company for funds from the European Investment Bank on special low interest rates, something that should not have been available to an American company.

On 29th January1998 SKAT put out a press release which dealt with some of the aspects of this matter. Once again we had shown 'irregularities', possibly illegal, that this company had been involved in and apparently with British Government connivance.

Earlier that month, on 8th January, SKAT had sent a report to the Inland Revenue, Companies House, all Scottish MPs and members of the Public Accounts Committee pointing out the many discrepancies that were appearing in the many companies involved in this lucrative toll scheme. John Campbell speaking on behalf of SKAT said:

> It may be that the scheme is entirely above board. However, on the face of it you would have to ask why have the companies involved gone to so much trouble to conceal the financial details of the scheme? It would appear that the companies are telling the taxman and Companies House one story; and the Courts another.

Chaidh e air adhart:

> To the Court in Dingwall they say that Miller Civil Engineering are employing the toll collectors and are acting as agents for Skye Bridge Limited; but to Companies House that Miller Civil Engineering is 'dormant' and not employing anyone, and are agents for Miller Group Limited. This is one of many discrepancies. Others include apparent tax-evasion, mismatching of funds, and the misuse of European Investment Bank funds.

Bha seo uile a' daingeachadh ar cùis-ne airson fuasgladh poilitigeach a lorg, agus thachair rud fìor mhath eile air 10 an t-Ògmhios 1998 nuair a dh'fhoillseachadh aithisg 42 aig Committee of Public Accounts of the House of Commons. 'S ann mu dheidhinn Drochaid an Eilein a bha an aithisg seo agus i a' dèiligeadh gu mionaideach ri sgeama nan cìsean. Dh'fhoillsich SKAT lethbhreac iomlan dhen aithisg seo, agus gabhaidh a lorg fhathast air an làrach-lìn aca www.skat.org.uk. Chan eil mise a' dol a shealltainn air gu ìre mhòir ann an seo ach mholainn e do leughadairean airson faicinn dè cho leibideach is a bha Oifis na h-Alba ann a bhith a' tighinn gu aonta ris na companaidhean a bha an sàs sa chùis. Is dòcha gum faod mi blasad a thoirt dhen aithisg ge-tà leis an earrainn seo bho dhuilleig 9, earrann 47. Tha e a' tòiseachadh leis na thuirt Mgr Phil Hope BP a tha dìreach an dèidh fianais a chluinntinn bho Oifis na h-Alba:

> My dilemma with this is the way that the catalogue of errors, starting with point one and ending at point 20, never seemed to be grasped and got hold of by yourselves. We see a project where there was no proper competition, no proper quantifiable risk, no proper test of the external financial arrangements, a very high return to equity investors, no systematic financial comparisons either in public sector projects or to maintain the ferry service and a failure to set budgets for price ceilings on various aspects of the project. It seems to me that in effect the Department and now the taxpayer have been turned over. Would you accept that description of the calamity of this scene before us?

Gu nàdarra cha do ghabh Oifis na h-Alba ris a' seo, ach ghabhadh duine ciallach reusanta sam bith.

A-ris tha pìos air duilleig 6 agus ann an earrainn 26, thuirt Mgr Christopher Leslie BP:

> It may be that the scheme is entirely above board. However, on the face of it you would have to ask why have the companies involved gone to so much trouble to conceal the financial details of the scheme? It would appear that the companies are telling the taxman and Companies House one story and the Courts another.

He went on:

> To the Court in Dingwall they say that Miller Civil Engineering are employing the toll collectors and are acting as agents for Skye Bridge Limited; but to Companies House that Miller Civil Engineering is 'dormant' and not employing anyone, and are agents for Miller Group Limited. This is one of many discrepancies. Others include apparent tax evasion, mismatching of funds and the misuse of European Investment Bank funds.

All of this was strengthening our case for political action on the toll scheme and this case got a massive boost on 10th June 1998 with the publication of the 42nd report of the Committee of Public Accounts of the House of Commons. This report was on the Skye Bridge and dealt in some detail with the toll scheme. SKAT published a full copy of this report which is still available on their website at www.skat.org.uk. I recommend a reading of this report to see just how incompetent the Scottish Office were in negotiating this deal with the companies involved. I can perhaps give a flavour of the report by quoting from page 9, paragraph 47. This paragraph starts with the comments of Mr Phil Hope MP who has just heard the evidence from the Scottish Office:

> My dilemma with this is the way that the catalogue of errors, starting with point 1 and ending at point 20, never seemed to be grasped and got hold of by yourselves. We see a project where there was no proper competition, no proper quantifiable risk, no proper test of the external financial arrangements, a very high return to equity investors, no systematic financial comparisons either in public sector projects or to maintain the ferry service and a failure to set budgets for price ceilings on various aspects of the project. It seems to me that in effect the Department and now the taxpayer have been turned over. Would you accept that description of the calamity of this scene before us?

Of course the Scottish Office did not accept this description but any rational person reading the evidence would.

Again quoting from page 6 of the report paragraph 26, Mr Christopher Leslie MP:

> So anybody who put in, as was the case here, £500,000 at 18.4%, that ends up at £10 million compound interest return at the end of 18 years but in cash terms it is £37 million. You put in your £500,000 at the beginning of the thing, 18 years later £37 million. Does this not sound to you like a licence to print money?

Dh'aidich an Roinn gun robh seo fìor, ach le deagh riochdachadh bho Mhgr Harold Mills, dhiùlt iad gabhail ris na co-dhùnaidhean cearta a rinn iomadach BP bho na rudan fìor seo. Beagan bhliadhnaichean an dèidh làimhe leig Mgr Mills dheth a dhreuchd agus fhuair e fhèin, aig triùir eile a bha ag obair san t-Seirbheis Shìobhalta, obair le pàigheadh mòr mar neach-Cathrach Chaledonian Mhic a' Bhruthainn.

Thuirt Mgr David Davis BP, Cathraiche a' Chomataidh:

> Two of the key ingredients of successful delivery of PFI projects were missing in the case of the Skye Bridge. There was no proper comparison with alternative options, which represents a serious omission in the Department's evaluation of the project at the outset. The terms, on which the bridge was provided, including the real rate of return to equity investors of 18.4 per cent per year, were not determined competitively.

Neo ga chur ann an dòigh eile, cha robh an dà rud as cudromaiche a thaobh a bhith ri còmhstri choimearsalta ann. Thagh Oifis na h-Alba an companaidh agus thug iad airgead gun chiall dhaibh. B' e an rud nach d' thuirt e, ach is urrainn dhuinne a ràdh a chionn 's gu bheil am fianais soilleir, gun do chosg an sgeama seo tòrr airgid dhan choimhearsnachd agus dha luchd-pàighidh chìsean na dùthcha.

Rinn an aithisg seo aon rud le cinnt – chuir e crìoch air na h-oidhirpean gòrach aig Ministearan agus Seirbheisich Chatharra bun-stèidh eaconamach an sgeama seo a dhìon. Bho chaidh an aithisg seo fhoillseachadh, cha do dh'fheuch Ministear sam bith ri seo a dhèanamh a-rithist. ❐

> So anybody who put in, as was the case here, £500,000 at 18.4%, that ends up at £10 million compound interest return at the end of 18 years but in cash terms it is £37 million. You put in your £500,000 at the beginning of the thing, 18 years later £37 million. Does this not sound to you like a licence to print money?

The Department acknowledged the facts, but ably represented by Mr Harold Mills, they refused to accept the obvious conclusions that many MPs drew from these facts. A few years later Mr Mills retired and was appointed, by three other civil servants, to a well-paid post as Chairman of Caledonian MacBryne.

The Committee Chairman, Mr David Davis MP, said:

> Two of the key ingredients of successful delivery of PFI projects were missing in the case of the Skye Bridge. There was no proper comparison with alternative options, which represents a serious omission in the Department's evaluation of the project at the outset. The terms, on which the bridge was provided, including the real rate of return to equity investors of 18.4 per cent per year, were not determined competitively.

In other words the two most important factors for private competition did not exist. The Scottish Office picked the company, and then paid them at an unrealistic rate. What he did not say, but we can, because the evidence is clear, this scheme cost the community and the taxpayer a great deal of money.

This report did one thing for certain, it put an end to the futile attempts by Ministers and Civil Servants to try and defend the economic basis of this scheme. Since the publication of this report no Minister ever attempted that again. ❐

Caibideil 6: Samhradh 1998

As t-samhradh 1998 bha coltas math air SKAT. Duine sam bith a bhiodh air sùil a thoirt air a' bhuidhinn, chìtheadh e gun robh iad aontaichte, eagraichte agus gu math air cùl an gnothaich.

Bho thaobh nam poilitigs dheth bha Anndra MacMhoirinne, tidsear ann am Port Rìgh a bha mar an rùnaire poilitigeach againn, mi fhìn agus Cailean MacIlleathain, ùghdar agus craoladair Gàidhlig, ag obair gus cuideam a chur air an luchd-poilitigs na cìsean a thoirt air falbh. Bha SKAT an làthair aig a h-uile co-labhairt phoilitigeach a chùm na partaidhean, agus bha bùth bheag againn far an do bhruidhinn sinn ri luchd-gnìomhachd nam partaidhean mu ar càs.

Lean Iain Caimbeul, Ron Shapland is càch orra ann a bhith a' dèanamh an rannsachaidh sin a bha air a bhith cho feumail a thaobh aithisg Chomataidh nan Cunntasan Poblach. Rinn Frieda Mhoireach, Dàibhidh Firth, Milly Simonini agus mòran eile obair mhòr air Cuairt-litir SKAT agus air ar beachdan fhoillseachadh sna meadhanan.

Chuir Robaidh MacCormaig, a bha na pheantair cuide ri bhràthair ann am Port Rìgh, agus an sgrìobhadair Alasdair Scott, iomadach cùis-togail-fianaise inntinneach air dòigh far an do chuir sinn ar seasamh poilitigeach an cèill agus sin ann an dòighean èibhinn àbhachdach. Cò e no i a dhìochuimhnicheadh an demo air 4 an t-Iuchar air an drochaid leis an teama gun robh an t-Eilean Sgitheanach air a ghabhail thairis le Banca Ameireaga agus a bha a-nist mar Stàit 51! Bha a h-uile rud air a chur air dòigh gu dìreach ceart le gach Stàit Ameireaganach fon bhratach aca a' dèanamh an slighe tarsainn na drochaide agus a' dol mas fhìor dhan 'deas-ghnàth' mhagail seo.

Bha Annabelle NicDhonnchaidh à Caol Acainn, Liz Nic an t-Saoir, Anna Chamshron agus buidheann mhòr de dhaoine a' dèanamh obair fìor mhath a' togail airgid às gach ceàrnaidh ann an Sgìre an Eilein

Chapter 6: Summer 1998

In the summer of 1998 SKAT was, and looked, in very good form. Any observer would have considered the organisation the very epitome of a unified, well-organised and well-functioning democratic pressure group.

On the political front Andrew McMorrine, a teacher at Portree High School, as our political secretary, with myself and Cailean MacLean, author and Gaelic broadcaster, and others were organising to bring pressure onto politicians for the tolls to be removed. SKAT attended every political party conference and took out a stall, where we used the opportunity to debate our case with party activists.

John Campbell, Ron Shapland and others continued to do the research which had been so influential in the Public Accounts Committee report. Frieda Murray, David Firth, Milly Simonini and many others did a great job on the SKAT Newsletter and in getting our views across to the media.

Robbie Cormack, who ran a painting and decorating business with his brother in Portree, along with Alasdair Scott writer, and many others organised a series of imaginative demonstrations, where we made our political point, but did so in a humorous and interesting way. Who could ever forget the 4th July demonstration on the Skye Bridge, the theme of which was that Skye had been taken over by the Bank of America and been annexed as the 51st state. Everything was organised to the last detail with contingents from all the different States under their State banner filing across the bridge and attending the mock ceremony.

Annabelle Robertson from Kyleakin, Liz Macintyre, Ann Cameron and a great host of fundraisers were doing a magnificent job in all areas of Skye & Lochalsh and in many

Sgitheanaich is Loch Aillse agus air feadh Bhreatainn. Bha an làrach-lìn againn a' cumail fiosrachadh ri ar luchd-taic air feadh an t-saoghail, agus bha muinntir an Eilein fhathast gu làidir air ar cùlaibh. Bha sinn eadhon a' faighinn bhall ùra fhathast a bha deònach dol an aghaidh nan cìsean.

Bha ar buill a' dèanamh strì gu cunbhalach anns na cùirtean, agus bha Robbie-the-Pict air a dhòigh ag eagrachadh thagraidhean agus dhùbhlain laghail ùra. Bha na Comhairlichean Millar, Paterson, Scott-Moncrieff agus Peutan, le taic chàich, a' cumail na ceiste mu choinneimh Chomhairle na Gàidhealtachd agus a' strì gus rannsachadh poblach a chur air dòigh. Air feadh an t-samhraidh sin bha a' bhuidheann SKAT ag obair fad is farsaing, agus a' sìor-atharrachadh nan dòighean-obrach aice, a' togail fianais agus a' cur rudan air chois aig bùth nan cìsean.

Bha sinn air grunnd dhòighean a chur ri chèile gus dùbhlan a thoirt dhan lagh agus casg a chur air. B' e aon dhiubh seo ach duine no dithis a bhith a' dol gu bùth nan cìsean gun aca ach a' Ghàidhlig, a' diùltadh Beurla a bhruidhinn. Bha seo a' ciallachadh mura robh duine le Gàidhlig sa bhùth – mar bu tric a thachradh – bhiodh dàil mhòr ann gus am faighte cuideigin le Gàidhlig a dhèiligeadh rinn. Mar bu trice bha aca ri poileas le Gàidhlig a lorg. Bha seo ga fhàgail gun rachadh na poilis a ghairm chan ann a-mhàin mu dheidhinn rudan 'eucorach' ach a bhith nan luchd-eadar-theangachaidh air sgàth a' chompanaidh. Rinn sinn seo grunnd thursan.

Sìol an Sgaraidh

Gidheadh, bha an ìomhaigh seo de SKAT mar bhuidhinn aonaichte agus deamocratach ri linn an t-samhraidh 1998 mu thràth ag adhbhrachadh sgaraidhean mòra anns a' bhuidhinn, rud nach do dh'aithnich tòrr againn aig an àm. Bha fios againn gun robh diofar bheachdan a thaobh ciamar a b' fheàrr a bheireamaid a-mach ar n-amas, ach bha seo nàdarra gu leòr. Bha coinneamh againn a h-uile Disathairne is mar sin ma bha diofar bheachdan ann dh'fhaodadh iad a bhith air an deasbad gu fosgailte.

Mar eisimpleir bha beachd eadar-dhealaichte agam 's aig Robaidh MacCormaig mu dè cho cudromach is a bha an strì laghail, ach bha meas againn air a chèile agus cha bhiomaid a' toirt ailis air a chèile, agus bha sinn – agus tha fhathast – nar caraidean. Aig an àm ud cha robh diofar mòr sam bith ann nar poileasaidhean a chionn 's aig a' Choinneimh Bhliadhnail a bha againn roimhe sin cha robh eadhon daoine a' strì gus a bhith nan oifigearan neo mar sin, bha a h-uile duine air an taghadh gun duine sam bith a' cur nan aghaidh. Mar a thuigeas mise agus mi caran eòlach air a leithid, cha bhiodh a leithid de rud a' tachairt nam biodh eadar-dhealachadh mòr ann.

other areas of Britain. Our website was keeping us in touch with support from all over the world and the Skye community was still solidly behind us. We were even still recruiting new members to challenge the toll.

Our members were fighting regularly in the courts and Robbie-the-Pict was in his element organising appeals and new aspects of legal challenges. Councillors Millar, Paterson, Scott-Moncrieff and Beaton with the support of others were keeping the issue alive on the Highland Council and fighting to get a public enquiry. During that summer SKAT was active everywhere and was continuously developing and changing its demonstrations and challenges at the toll booth.

We had devised a number of ways of testing the legislation and also just jamming up the works in the legal process. One of these was to have one or two approach the toll and only speak Gaelic and refuse to understand English. This meant that if there was not a Gaelic speaker in the toll booth, and this was often the case, there would be a long delay until they could get a Gaelic speaker to deal with us. On most occasions they had to rely on Gaelic-speaking police officers. This meant that the police were not only called in to deal with a non-paying 'criminal', but were called in to act as interpreters for the company. We did this on a number of occasions.

Seeds of division

However this view of SKAT as a well-organised united democratic association in the summer of 1998 already contained the seeds of a major internal division, which even those of us at the centre of the organisation had not fully appreciated. We knew that there were differences of opinion on what was the best way to achieve our objective, but that was just natural. We met every Saturday, so any differences could be debated openly at our meetings.

Robbie Cormack and myself, for example, had a different view about the significance of the legal struggle, but we had respect for each other, we could disagree in debate, but would not resort to personal insults, we were friends, and remain so. There was not, at that time, any clear policy differences. Indeed at the previous AGM most of the senior posts for election had not been contested. From my experience in the trade-union world, this could not happen if there was a significant policy difference in the organisation.

A' coimhead air ais air an àm ud bha comharraidhean ann aig toiseach na bliadhna 1998 gun robh sgaradh gun fhuasgladh a' nochdadh, is dòcha a chionn 's nach deachaidh a dheasbad gu ceart ann an SKAT agus gun tàinig cùisean teann-ri-teann sa cheann thall. Chan eil teagamh sam bith ann a-nist cò mu dheidhinn a bha an sgaradh. San t-Iuchar 1999 sgrìobh Ray Shields agus e a' feuchainn ri stad a chur air an sgaradh mar seo:

> Robbie the Pict, who from day one has been fighting the tolls with the belief that they are illegal, and his followers, believe that SKAT should just be concentrating on this. In the other camp are others who believe we should be using any means possible, including political persuasion, in getting the tolls removed. This is the basic split.

Saoilidh mi gu bheil seo ceart soilleir. Bha seo, thoir fa-near, a' ciallachadh gun robh Robbie-the-Pict agus an fheadhainn a bha dhen aon bheachd ris a' sìor-fhàs diombach mar a bha tìde a' dol seachad gun mòran adhartais ann a thaobh chùisean laghail, agus cuideachd cha robh iad a' faicinn gun robh mòran a' tachairt ann an saoghal nam poilitigs a bharrachd.

Airson a' mhòr-chuid againn, nach robh a' smaointinn mar seo idir, bha sinn toilichte gu leòr adhartas sam bith fhaicinn, agus rinn sinn sogan ri soirbheas sam bith. Cha do chuir 's nach robh taobh seach taobh a' tighinn gu aonta bho thaobh an lagha dheth dragh oirnn seach gun robh sinn a-riamh a' smaointinn nach soirbhicheadh leinn ann an sin sa cheann thall co-dhiù. Bha sinne, gu nàdarra, a' coimhead ris na rudan a dh'fhaodadh tachairt ann an saoghal ùr nam poilitigs. Mar as tric a chanar, 's e deagh rud a th' ann tuigse a bhith agad an dèidh làimhe. A' coimhead air ais air an iomairt tha e a-nist soilleir gum b' e a' chiad rud mòr a dh'adhbhraich an sgaradh ann an SKAT rud a bha sinn a' smaoineachadh a bha na rud fìor mhath agus fortanach.

Air 11 an Lùnastal 1997 fhuair Robbie-the-Pict grèim air pàipear 170 duilleag a bha, bha e coltach, air a leigeil a-mach 'gun fhiosta' bho Oifis na h-Alba. Anns an rud seo bha na h-earrainnean às na pàipearan ainmeil sin a chleachdadh aig a' chiad deuchainn agam ach a bha air a bhith air an dubhadh a-mach. Na dearbh earrainnean nach sealladh iad dhuinn ri linn mo dheuchainne. Chaidh a chur ro SKAT aig coinneimh gum bu chòir do SKAT £1,000 a phàigheadh dhan neach a chuir am pàipear seo gu Robaidh. Chaidh seo a thoirt air adhart gu coinneamh Comataidh na Maoine air Diardaoin 11 an t-Sultain agus mi fhìn nam chathraiche air.

Thug mise iomradh air seo aig coinneimh làn SKAT air Disathairne 13 an t-Sultain ann am Port Rìgh. Thuirt mi riutha nach robh fianais sam bith ann gun robh aig SKAT ri sìon a phàigheadh do chuideigin airson a' phàipear seo. Gu dearbh b' e beachd

With hindsight it can be seen that there were signs in early 1998 that an irreconcilable division was developing. The fact that it was never seriously debated in SKAT may well be why it festered and finally exploded. There is also no doubt what the division was about. In July 1999 Ray Shields, in a statement attempting to define the split put it thus:

> Robbie-the-Pict, who from day one has been fighting the tolls with the belief that they are illegal, and his followers, believe that SKAT should just be concentrating on this. In the other camp are others who believe we should be using any means possible, including political persuasion, in getting the tolls removed. This is the basic split.

I think this is a clear definition of what the division was about. By this definition of course it meant that Robbie-the-Pict, and those who thought that way, got increasingly frustrated as time moved on with no real advance on the legal front, while the prospects for advance on the political front they could not see opening up.

For most of us, who did not think that way, we were happy to see progress on any front and rejoiced at any success on either. For many of us the stalemate on the legal side did not dismay us, as we had never really expected final success there. We naturally looked forward to the possibilities on the new political front. Hindsight is, as is often said, a wonderful thing. Looking back at the campaign it is now clear that the first significant factor in opening up the division in SKAT came from what appeared to all of us at the time a stroke of good luck and extremely welcome news.

On 11th August 1997 a 170-page document allegedly 'leaked' from the Scottish Office found its way into Robbie-the-Pict's hands. This document contained the blank, or deleted, sections of the now infamous documents which had been used at my first trial – the very sections which we had been denied access to. There was a suggestion put to a SKAT meeting that SKAT should pay £1,000 towards the supplier of this document. SKAT referred this to a Finance Committee meeting which met on Thursday 11th September and which I chaired.

I reported the decision of that Committee to a full SKAT meeting on Saturday 13th September in Portree. I reported that there was no evidence for the claim that SKAT was committed to pay £1,000 for this leaked document to a person or persons unknown. Indeed the

a' Chomataidh sin nach biodh e glic idir airgead a phàigheadh airson pàipear a bha is dòcha air a ghoid, rud a dh'fhaodadh ar toirt gu lagh dha-rìribh. Mar sin, rinn SKAT co-dhùnadh gun dad a phàigheadh airson a' phàipear seo.

Gidheadh, chaidh am pàipear a chur mu sgaoil agus bha gu leòr aig Robbie-the-Pict is càch ri ràdh mu dheidhinn, ged nach canadh Oifis na h-Alba dad, a' cumail a-mach nach canadh iad càil mu rudan a bha is dòcha air an leigeil a-mach. Ach bha e gu math soilleir bhon phàipear gun robh grunnd phuingean laghail cudromach air an togail ann, a' gabhail a-steach, mar eisimpleir, an dòigh sam biodh Rùnaire na Stàite a' toirt dhleastanasan do dhaoine fon Achd.

Chaidh an stuth a bha seo a chleachdadh gu luath sa chùirt agus b' e a bhuil gun do nochd pàipearan eile aig a' Chrùn nach facas roimhe sin, agus aig deireadh cùise 's e dìreach pàipear an dèidh pàipeir eile a bh' ann. An dèidh cùis ann an Cùirt an t-Siorraim ann an Inbhir Pheofharain san t-Samhain 1997 an aghaidh Drew Millar, far an deachaidh barrachd phàipearan a thoirt a-steach, thug Robbie-the-Pict iad seo gu an t-Ollamh Raibeart MacIlleDhuibh, Ollamh ann an Lagh na h-Alba aig Oilthigh Dhùn Èideann. A rèir aithris thuirt an t-Ollamh MacIlleDhuibh; 'I have absolutely no doubt that this document does not constitute any form of consent by the Secretary of State. It simply says that the parties either have or will enter into various agreements'.

Chan eil dòigh nach robh seo a' tighinn ri càil a h-uile duine againne ann an SKAT, ach bha e a' ciallachadh rudeigin eile do Robbie-the-Pict agus a luchd-leanmhainn seach don mhòr-chuid againn. Ach cha robh sin cho soilleir dhan mhòr-chuid againn aig an àm. Gidheadh, bha seo gu bhith a' tighinn a-steach oirnn mean air mhean.

San Fhaoilleach 1998 mhol Robbie-the-Pict gun gabhadh SKAT a' chiad chothrom agus Companaidh na Drochaide a thoirt dhan Chùirt Shìobhalta. Chaidh am moladh seo a dheasbad gu mòr aig trì coinneamhan SKAT sa Ghearran 1998. B' e dùbhlan dìreach a bha seo a bha tur eadar-dhealaichte bhon innleachd a chleachd sinn san iomairt thuige sin. Dh'fheumadh smaoineachadh da-rìribh mu dheidhinn rud laghail a dhèanamh, agus chaidh innse dhuinn gun robh duine neo-ainmichte deònach £5,000 a thoirt dhuinn mu choinneamh seo.

An deidh tòrr cnuasachaidh cruaidh rinn a' mhòr-chuid de bhuill SKAT co-dhùnadh nach rachamaid sìos an rathad seo. Mar a thuirt mi cheana bha cha mhòr a h-uile neach againn gun eòlas air an lagh eucorach nuair a thòisich sinn, agus bha sinn mar sin buidheach do Robbie-the-Pict. Ach cha b' e sin e don lagh shìobhalta. Bha mòran againn a bha thall 's a chunnaic agus bha sinn car eòlach air an lagh seo.

Committee's view was that for us to be paying money for allegedly stolen documents would be most unwise and could lead to us being associated with a 'real' criminal offence. SKAT therefore decided not to pay for this document.

The document however was made available and was widely commented on by Robbie-the-Pict and others, although the Scottish Office would not comment on it saying that they did not comment on alleged 'leaked' documents. It was however quite clear from this leak that a number of significant legal points arose including, for example, the procedure for the Secretary of State to assign responsibilities under the Act.

This material was very quickly used in court and resulted in the Crown producing other documents which had previously never seen the light of day, so that a new paper trail started to emerge. After a case in Dingwall Sheriff Court in November 1997 against Drew Millar in which further documents were submitted on the assignation process, Robbie-the-Pict took these documents to Professor Robert Black, Professor of Scots Law at Edinburgh University. Professor Black's reported comment was: 'I have absolutely no doubt that this document does not constitute any form of consent by the Secretary of State. It simply says that the parties either have or will enter into various agreements.'

This of course was very pleasing to all of us in SKAT, but it meant something quite different to Robbie-the-Pict and his followers than it meant to the majority of us. Although, of course, that was not evident to the majority of us at that time. We were however soon to begin to recognise this.

In January 1998 Robbie-the-Pict first proposed that SKAT should take the legal initiative and suggested us taking out an interdict against the Bridge Company in the Civil Court. This suggestion did get considerable discussion at three SKAT meetings in February 1998. This proposal was a direct challenge to the strategy we had been using in the campaign so far. The idea that we should take the offensive on the legal front was one which could not be lightly considered and we were being advised that an anonymous donor was prepared to put £5,000 towards such an action.

After serious consideration the majority of SKAT members decided that SKAT should not go down this road. Nearly all of us were entirely inexperienced in criminal law procedures when this campaign started and were consequently grateful for Robbie-the-Pict's experience. This however was not the case as regards the civil law. Many of us, through our professional experience knew something about the civil law.

Dh'aithnich sinn nach b' e beachd neach-lagha sgoilearach, àrd 's gum biodh e na dhreuchd, a bu chudromaiche ach na co-dhùnaidhean a dhèanadh an luchd-lagha a bha ag obair sa chùirt. Bha fios againn cuideachd nach biodh e furasta companaidh a bha a' faighinn taic on Riaghaltas a thoirt gu cùirt gus stad a chur orra.

Bha mòran de bhuill SKAT a' sireadh 'ceartas' agus chreid iad o na thuirt an neach-lagha sgoilearach seo gum faigheamaid seo sa chùirt. Ach chan eil ann an ceartas ach sealladh feallsanachdail, chan e sealladh laghail. Nì breitheamhan co-dhùnaidhean le bhith ag eadar-theangachadh an lagha, agus nì iad seo fo bhuaidh nam feachdan a tha a' strì riutha mar gum biodh agus sin leis na th' aca de mhaoin laghail – chan eil mòran gnothach aig ceartas ris idir.

Cha robh sinne ann an SKAT airson 's gun smaoinicheadh daoine gun robh sinn a' cur teagamh ann am beachd an t-Ollaimh sàr-fhoghlamaichte seo, neo gun robh sinn gun ùidh ann an oidhirp sam bith air Companaidh Drochaid an Eilein a thoirt gu cùirt. Ach bha sinn deimhinne nach biomaid an sàs sa ghnìomh seo sinn fhèin, rud a dh'fhaodadh a bhith glè chosgail.

Bha a' mhòr-chuid againn sàsaichte gu leòr cumail oirnn air an rathad laghail, agus ar cumhachd a chruinneachadh gus ionnsaigh a thoirt air an luchd-poilitigs chor agus gun cuireamaid cuideam air an Riaghaltas ùr Albannach a bha air impis a bhith air a thaghadh. Mar sin, chuir SKAT roimhe gun gnothach sam bith a ghabhail ri stad a chur air a' chompanaidh, ged a bha iad deònach gun rachadh Robbie-the-Pict, an duine a bha a' toirt seachad an airgid agus grunnd dhaoine de bhuill SKAT, air adhart le sin. Rinn Robbie-the-Pict sin air 10 am Màrt.

Gidheadh, b' e sinne ann an SKAT a bha dol a dh'fhaicinn mar a fhreagradh Robbie-the-Pict diùltadh SKAT a thaobh a mholaidh fhèin aig coinneamh SKAT air Disathairne 2 an Cèitean 1998. Chumadh a' choinneamh shònraichte seo ann an Caol Acain ann an suidheachadh glè mhuladach. Bha sinn air cur romhainn togail fianaise a chur air dòigh air an drochaid an latha ud, ach gu mì-fhortanach dà latha roimhe sin bha tubaist rathaid ann an Slèite nuair a chaidh dithis fhear ionadail a mharbhadh. Mar thoradh air an rud uabhasach seo, agus mar chomharra meas do na teaghlaichean sin, chuir sinn an gnothach dheth gun mòran rabhaidh, agus cha robh mòran aig coinneamh SKAT a bha gu bhith againn an dèidh làimhe.

Bha Donaidh MacDhùghaill na neach-cathrach air a' choinneimh seo agus chaidh iarraidh air Robbie-the-Pict aithris a dhèanamh air an t-suidheachadh laghail. Tha an geàrr-chùnntas bhon choinneimh bhig sin gu math inntinneach, gu sònraichte an aithris a rinn Robbie-the-Pict. Seo earrainn dheth:

We recognised that the view of an academic lawyer, however eminent, was not what counted, but the decisions reached by practising lawyers in court. We also knew that it would not be easy to get an interdict served on a major company that had Government support.

Many SKAT members were looking for 'justice' and believed that with this opinion from an academic lawyer we would now get this in court. Justice however is a philosophical concept, not a legal one. Judges make decisions by interpreting the law and they do so influenced by competing forces with the resources they can muster. Justice *per se* can have very little to do with it.

We in SKAT did not want to be seen doubting the opinion of this emminent professor, or in any way appear uninterested in any attempt to bring a civil action against the Skye Bridge Company. But we were determined not to get involved in this action ourselves and be exposed to the heavy costs such an action could involve.

Most of us were content to hold our ground on the legal front and to gather our resources for an offensive action to put pressure on the soon to be elected new Scottish Executive. So SKAT decided not to be involved in the interdict, while giving their blessing to Robbie-the-Pict, his anonymous donor, and a number of individual SKAT members who went ahead with the interdict. Robbie-the-Pict did that on 10th March.

However we were to see the first public reaction by Robbie-the-Pict to SKAT's refusal to go along with his interdict proposal at a SKAT meeting on Saturday 2nd May 1998. This particular meeting was held at Kyleakin, in very tragic circumstances. We had been planning to hold a demonstration on the bridge that day, but unfortunately a couple of days before there was a road accident on the Sleat road when two local men were killed. As a result of this tragedy, and out of respect for the families, we cancelled our demo at short notice and there was a poor attendance at the SKAT meeting that had been arranged to follow it.

Donnie MacDougall chaired this meeting and Robbie-the-Pict was asked to give a report on the legal situation. The minute taken of this small meeting is interesting, particularly the report given by Robbie-the-Pict to the meeting. I quote from that minute:

> Robbie the Pict welcomed new people to the meeting and introduced himself by saying he had founded SKAT and had originally formed the Group purely on the basis of challenging the legality of the tolls in court. He said that as he had been the originator of SKAT he had specifically not sought to hold any office, such as Chairman, in order to avoid having undue influence on the Group. He stated that it had never been intended to develop SKAT as a political pressure group and SKAT should never have become politicised since politics was a dirty nasty business in which we could not win. Only by legal argument could SKAT eventually succeed.

Agus a-rithist:

> He felt the time had come for SKAT to redefine itself as a purely legal pressure group. Those who wanted to pursue the political argument could form a completely discrete group and suggested TASK (Tolls Against Skye & Kyle). The two groups would be completely separate and present SKAT members could decide to which group they wished to belong.

Lean e air:

> He would not ask members to decide about SKAT-TASK today, but asked them to think seriously about it and the matter would be raised again at a future date.

Gu nàdarra, dh'fhàg an ionnsaigh seo air bonn-stèidh agus bun-reachd deamocratach SKAT cuid dhe na buill a bha an làthair feargach, ach cha robh mòran dhiubh ann.

Thàinig an fheadhainn a bha ann agus a bha feargach mu dheidhinn seo an ceann a chèile agus rinneadh deasbad eadar cuid eile coltach rium fhìn, nach robh air a bhith aig a' choinneimh. Bha cuid ag iarraidh coinneamh shònraichte dhen làn bhallrachd a ghairm gus faighneachd dhe Robbie-the-Pict dè bha e ris, ach san fharsaingeachd bhathar a' smaoineachadh gum bu chòir am mì-mhodh seo a chur air neo-shùim. Bhathar an dùil nach robh ann ach Robbie-the-Pict a' cur a bhristeadh-dùil an cèill nach deachaidh SKAT leis a' bheachd aige mu stad a chur air a' chompanaidh tron lagh, agus gun robh e coltach ri pàiste nach d' fhuair a shuiteas. An dèidh a h-uile càil, cha deachaidh co-dhùnadh sam bith a thaobh poileasaidh a ruigsinn aig a' choinneimh, agus chan fhaigheadh an rud a bha esan a' gealltainn toirt fa chomhair na coinneimh taic gu bràth bho na buill.

Mar sin, cha tug sinn feart air a' seo agus cha do thog Robbie-the-Pict e 's cha do chuir e air a' chlàr-deasbaid e. Tha e inntinneach ge-tà gun robh Robbie-the-Pict a' cnuasachadh gur dòcha gun tigeadh sgaradh sa

> Robbie-the-Pict welcomed new people to the meeting and introduced himself by saying he had founded SKAT and had originally formed the Group purely on the basis of challenging the legality of the tolls in court. He said that as he had been the originator of SKAT he had specifically not sought to hold any office, such as Chairman in order to avoid having undue influence on the group. He stated that it had never been intended to develop SKAT as a political pressure group and SKAT should never have become politicised since politics was a dirty nasty business in which we could not win. Only by legal argument could SKAT eventually succeed.

And later:

> He felt the time had come for SKAT to redefine itself as a purely legal pressure group. Those who wanted to pursue the political argument could form a completely discrete group and suggested TASK (Tolls Against Skye & Kyle). The two groups would be completely separate and present SKAT members could decide to which group they wished to belong.

He went on.

> He would not ask members to decide about SKAT–TASK today, but asked them to think seriously about it and the matter would be raised again at a future date.

This attack on SKAT's democratic base and constitution naturally incensed a number of members who were present but this was not a very well attended meeting.

Members who had been present and were angry about this attack on SKAT's democratic constitution came and discussed this with others such as myself, who had not been present at the meeting. Some wanted to call a special meeting of the full membership and ask Robbie-the-Pict to explain himself, but the general view was that we should just ignore this outburst. It was felt that this was just Robbie-the-Pict expressing his disappointment that SKAT had decided not to align itself with his interdict project and that he was behaving childishly. After all no policy decisions had been made at the meeting and the issue he was promising to bring before a meeting would never get the members' support.

We therefore decided to ignore this and Robbie-the-Pict never raised it, or put it on the agenda for discussion. It is interesting to note however that more than a year before the eventual split, at a time when everyone bhuidhinn bliadhna ro- làimh, aig àm san robh a h-uile duine a' coimhead air SKAT mar bhuidhinn aonaichte eagraichte.

Ach cha do thachair sgaradh sam bith aig an àm ud. Cha do shoirbhich a thaobh stad a chur air a' chompanaidh sa chùirt, cha deachaidh a chur air adhart gum bu chòir sgaradh a bhith ann agus bha a h-uile duine gu làidir air cùl nam pròiseactan farsaing measgaichte poilitigeach is laghail a bha sinn ris air an t-samhradh sin. Ach thoir fa-near, aig an àm ud bha Alba gu lèir air bhioran mun taghadh a bha teachd airson Pàrlamaid Albannach, a' chiad phàrlamaid ann an 300 bliadhna cha mhòr, agus bha an fhaireachdainn sin làidir san eilean cuideachd.

Bha SKAT ag obair gus taic a thoirt do Chomhairle na Gàidhealtachd agus iad ag iarraidh Rannsachadh Poblach mu chìsean na drochaide, agus bha SKAT a' cur air dòigh coinneamhan far am faodadh am poball bruidhinn ris na tagraichean. Cha b' e a-mhàin gun do ghabh Robbie-the-Pict pàirt sa h-uile rud poilitigeach, ach chaidh e na b' fhaide na gin againn, a' seasamh mar neach-tagraidh neo-eisimeileach aig an taghadh.

Ach cha deachaidh dol-a-mach Robbie-the-Pict aig coinneamh SKAT sa Chèitean a chur air dhìochuimhne, agus bhathar a-nist a' coimhead gu geur air maoin SKAT agus air mar a bha seo air a sgaoileadh. Bha Robbie-the-Pict air cumail a-mach gun robhar a' cur ar maoin air neo-bhuil le bhith ga chleachdadh gu poilitigeach, airgead a dh'fhaodadh a chur gu feum san t-suidheachadh laghail, agus mar sin thòisich mòran againn air sùil na bu mhionaidiche a thoirt air mar a chaidh a chosg na rinn sinn roimhe sin. Ach bha sgrùdadh cosgaisean SKAT bhon fhìor thoiseach a' sealltainn gur ann air rudan laghail a chosg sinn a' chuid is motha dhen airgead, agus gu dearbh bha trì chairteal dhen mhaoin air a chosg air a leithid sin. Cha do chuir seo iongnadh neo dad oirnn. Bha SKAT air a bhith an sàs ann an cath làidir laghail bhon chiad latha, cath a bha riatanach. Bha buill SKAT a-riamh ag aithneachadh gun robh againn ri dèiligeadh ri sìor-bhagairt nan cùirtean, eadhon mun d' rinn sinn cnuasachadh air ciamar a rachadh againn air làmh an uachdair fhaotainn orra: gu dearbh, b' ann air sgàth seo a chaidh mise dhan phrìosan, chor agus gun lagaicheadh sinn a' bhagairt seo.

Bha mòran againn a-nist a' faireachdainn gun do shoirbhich ar n-iomairt a thaobh nam poilitigs chun na h-ìre 's gun robh sinn air a' bhagairt ud a chur na thàmh. Cha robh sinn ag iarraidh gun toireadh sinn ionnsaigh air an lagh on a bha e soilleir nach robh de mhaoin againn an strì sin a dhèanamh; b' ann air saoghal nam poilitigs a bha sinn a' toirt ionnsaigh, gu h-àraid a-nist agus taghadh cudromach air fàire.

Bha sinn barrachd is barrachd a' toirt sùil air na bha SKAT a' cosg, agus cha b' fhada gus an d' rinn sinn co-dhùnadh gun robh ionmhasair a dhìth oirnn airson an ath choinneamh bhliadhnail de SKAT, cuideigin a chumadh sùil cheart air cùisean ar n-ionmhais. Cha b' e nach robh earbsa saw SKAT as a well-organised united pressure group, Robbie-the-Pict was contemplating a split in the organisation along these particular lines.

There was however no split at that time. The attempted interdict was not successful, no motion was put forward for a division, and everyone got behind the wide-ranging political and legal projects which we mounted that summer. Of course at that time all Scotland was excited about the coming election for a Scottish Parliament, the first for nearly 300 years, and this was no less true on Skye.

SKAT was working to support the Highland Council's call for a Public Enquiry on the Skye Bridge tolls and SKAT was organising public meetings for all the political candidates. Robbie-the-Pict not only joined in the political activity, he went further than any of us, and stood as an independent candidate at the election.

However the issue of direction was not forgotten and there was increasing examination of the resources which SKAT had and how they were being directed. Robbie-the-Pict had claimed that resources were being wasted on political activity, which could be used for legal activity, so many of us started to pay a bit more attention to resource allocation than we had previously done. Any examination of SKAT's expenditure, from the very beginning, showed that the bulk of our expenditure was on legal matters, indeed three quarters of all expenditure had gone that way. We were not surprised, or in any way dismayed by this. SKAT had from day one been faced by a powerful legal challenge and had seen this very much as their first and essential battle front. SKAT members had always recognised that we had to deal with the constant threat from the courts hanging over us before we could even consider how to take the offensive; indeed this was the reason why I had gone to prison, in an attempt to weaken this threat.

Many of us now felt that our campaign had been successful enough on the legal front to the extent that we had neutralised that threat. We were not keen to have any offensive on the legal front, since we clearly did not have the resources to fight there. We wanted a massive offensive on the political front and ideally now, before this important election.

We paid increasing attention to SKAT expenditure and soon decided that we would need to get someone to take on the post of Treasurer at the next SKAT AGM so that we could effectively monitor SKAT's resources. It was not that we mistrusted the

againn san ionmhasair a bh' againn, an Dotair Shona Bird. An dearbh chaochladh a bh' ann, bha Shona gu daingeann air taobh na h-iomairt agus bha i gu tur onarach agus neo-chealgach, agus gu dearbh shaoil cuid againn gum b' i an neach 'neo-ainmichte' a chuir £5,000 dhe cuid airgid fhèin a-steach dhan droch phròiseact ud a thaobh stad a chur air a' chompanaidh.

Ach 's e bha na cùis-dragha dhuinn gun robh cus aig Shona ri dhèanamh aig an àm, oir bha i a' coimhead às dèidh a màthair aosta aig an taigh, agus cha robh i fhèin ann an slàinte ro mhath, agus mar sin smaoinich sinn gum faigheamaid cuideigin eile gus an obair seo a dhèanamh.

A' deasbad na cùise ri càch, chaidh aontachadh gum bu chòir dhòmhsa seasamh airson na h-obrach seo aig a' choinneimh bhliadhnail, agus nan aontaichinn ris gum biodh Brian Forehand nach maireann gam chuideachadh leis na leabhraichean. Chaidh aonta a chur ri seo. Chaidh a' choinneamh bhliadhnail a chumail anns an Taigh-òsta Rìoghail ann am Port Rìgh, air 19 an Dùbhlachd 1998, agus chaidh mo chur air adhart airson post an ionmhasair. Bha sinn an dùil nach seasadh Shona, nach robh air a bhith a' cumail gu math, airson a' phost, ach chuir e annas oirnn gun do sheas, agus mar sin dh'fheumadh taghadh a bhith ann.

Chaidh iarraidh orm agus air Shona an seòmar fhàgail fhad 's a bhathar a' caitheamh na bhòta, mar a bha cumanta, agus bhruidhinn sinn ri chèile ann am bàr sàmhach an taigh-òsta far na dh'fheith sinn. Dh'innis Shona dhomh gun robh i gu mòr an dòchas gum buannaichinn an taghadh oir cha robh i ag iarraidh leantail oirre leis a' phost. Bha iongnadh orm gun robh i air seasamh agus a suidheachadh mar a bha e. Thuirt i rium gun deachaidh a chur oirre seasamh le càch. Mar a thuirt mi cheana cha robh co-fharpais sam bith ann airson dreuchdan àrda ann an SKAT, agus b' e sin an t-adhbhar nach robh sinn an dùil gun seasadh Shona. Rinn na thuirt i rium soilleir e gun robh sgaradh a thaobh poileasaidh a' nochdadh ann an SKAT.

Chaidh mo thaghadh leis a' mhòr-chuid (24-17). Chaidh mi an urras dha na buill gum bithinn sna làithean ri teachd a' toirt seachad aithisg gach trì mìosan air cùnntasan SKAT, agus gun dèanainn cinnteach nach biodh airgead sam bith ga chosg mur an robh e a dhìth mu choinneamh co-dhùnaidhean buill SKAT a choileanadh. On a bha saor-làithean na Nollaig agus na Bliadhna Ùire a' tighinn faisg oirnn chaidh aontachadh gun rachadh na cùnntasan agus gach rud sgrìobhte a thoirt dhòmhsa an dèidh na Bliadhna Ùire.

current Treasurer, Dr Shona Bird. On the contrary we knew that Shona was committed to the campaign and was entirely honest and genuine, indeed many of us believed that she had been the 'anonymous donor' who had put £5,000 of her own money into the unfortunate interdict project.

Our concern was that Shona had heavy domestic responsibilities at that time, she was caring for her elderly mother at home, and she had not enjoyed the best of health herself, so we thought we should get someone else to take on this job.

In discussion with others it was agreed that I should stand for the position at the AGM and I agreed to do so if the late Brian Forehand would help me with the books. This was then agreed. The AGM was held in the Royal Hotel, Portree on 19th December 1998 and I was nominated for the Treasurer's post. We had expected that Shona, who had not been well, would not stand for office, but much to our surprise she did and there had to be an election.

Shona and I were asked to leave the room while the ballot was conducted, as was the usual custom, and we had a chat in the hotel lounge where we waited. Shona told me that she hoped very much that I won the election because she was not keen to continue with the job. I was surprised therefore that she had stood for office in the circumstances. She told me that she had been pressed by others to do so. As already stated there had never been any real competition for senior posts in SKAT and that was why we had not expected Shona to stand. Her comments made it clear to me that there was indeed a policy difference emerging in SKAT.

I was elected by a majority of members (24-17). I gave an assurance to the members that in future I would give the members a quarterly report of SKAT's accounts and would ensure no expenditure would be made unless it was directly required to meet the decisions of SKAT members. As we were entering into the Christmas and New Year holidays it was agreed that the accounts and records would be handed over to me after the New Year.

Pàrlamaid na h-Alba

Mar a bhathar an dùil b' e pàrlamaid mheasgaichte eadar na Làbaraich agus na Lib-Deamaich a bha ann. Fhuair na Làbaraich 56 suidheachan ann am pàrlamaid 129 ball agus mar sin bha 9 a dhìth orra. B' iad na Nàiseantaich am partaidh dùbhlanach a bu mhotha le 35, bha 18 aig na Tòraidhean agus 17 aig na Lib-Deamaich. B' iad na Lib-Deamaich a b' fheàrr dha Làbar mar cho-phartaidh oir bhiodh na 9 suidheachain a bha a dhìth orra aca an uair sin.

Anns an t-seòrsa malairt a bha ann eadar na partaidhean seo chaidh cur às do phoileasaidh nan Lib-Deamaich air cìsean na drochaide, ged a chùm ar BP ionadail Iain Fearchar Rothach ri ghealladh agus bhòt e an aghaidh cùmhnant a' chompàirteachais.

Bha gun d' rinn na Lib-Deamaich seo oirnn na bhuille glè mhòr do mhòran againn, dìreach mar a bha nuair a rinn an Riaghaltas Làbarach an aon rud oirnn, a chionn 's gun robh na Lib-Deamaich a' cumail rim poileasaidh ach nach robh de chumhachd aca a chuireadh an gnìomh e san Riaghaltas mheasgaichte seo. Dh'aithnich sinne gur dòcha gum b' urrainn dha na Lib-Deamaich a bhith air tuilleadh cuideim a chur air na Làbaraich a thaobh ceist nan cìsean, oir bha grunnd BPA Làbarach nach robh sàsaichte leis a' PhFI seo. Ach ghabh na Lib-Deamaich cothrom air an fhìor dheagh chothrom a bhith mar phàirt dhen Riaghaltas agus iad nan ceathramh partaidh a thaobh àireamh shuidheachan. Bha na Lib-Deamaich cuideachd airson Riochdachadh Co-roinneil a chur air bhonn airson taghaidhean ionadail agus nàiseanta agus is dòcha gun robh seo na bu chudromaiche dhaibh na ceist cìsean Drochaid an Eilein.

Ach co-dhiù, bha is dòcha Riaghaltas Làbarach air bhòt a bhuannachadh air cìsean na drochaide le taic bho na Tòraidhean, ach bhiodh cùisean doirbh dhaibh ann an Alba an uair sin.

A-rithist chaidh gealladh a dhèanamh dhuinn leis an luchd-poilitigs a bha air ar fàilligeadh. An turas seo thuirt iad nach biodh àrdachadh prìs a' tighinn air na cìsean, ach dh'aithnich sinne gum biodh seo trom air luchd-pàighidh cìsean na dùthcha agus bha an siostam fhathast gu bhith neo-eaconamach.

Thoir fa-near, cha deachaidh Robbie-the-Pict a thaghadh ach, cleas an duine fhèin, cha do chuir seo tilleadh sam bith ann. Taobh a-staigh beagan làithean an dèidh toradh nam bhòtaichean bha e air a dhreuchd ghoirid phoilitigeach a leigeil dheth agus air tilleadh chun a' chiad ghràdh aige mar gum biodh – an lagh. Bha e a-nist a' cumail a-mach gun robh a' Phàrlamaid Albannach – an dearbh bhuidheann a dh'fheuch e fhèin a bhith air a thaghadh innte – mì-laghail. Chaidh e na b' fhaide na sin agus bhathar ag ràdh fad is farsaing gun tuirt e, ri linn coluadair cudromach nan Làbarach agus nan Lib-Deamaich, nach robh feum ann dhaibh a bhith a' feuchainn ri ceist nan cìsean fhuasgladh on a bhiodh esan a' cur a h-uile rud ceart anns na cùirtean.

Scottish Parliament

The new Scottish Government (Scottish Executive) was, as widely predicted, a coalition between Labour and the Lib-Dems. In the election Labour had secured 56 seats in the 129 seat parliament, so they were 9 seats short of an overall majority. The main opposition was the SNP with 35 seats. Tories had 18 and the Lib-Dems 17. The obvious partners for Labour were the Lib-Dems which if secured would give the Government a 9 seat overall majority.

In the horse-trading for the partnership agreement between the parties the Lib-Dem policy of abolishing the tolls on the Skye Bridge was an early casualty, although John Farquhar Munro, our local MSP stuck to his commitment and voted against the partnership agreement.

This Lib-Dem betrayal was not nearly as devastating a political blow to many of us as the Labour Government's betrayal had been, because the Lib-Dems retained their anti-tolls policy, but just accepted that they did not have the power to implement it in the coalition Government. We recognised that the Lib-Dems could have pushed Labour harder on the Skye tolls issue because there were a number of Labour MSPs who were not happy with this PFI. However the Lib-Dems saw the chance of the glittering prize of becoming part of the Government when they were the party fourth in line in terms of seats. The Lib-Dems also wanted a system of Proportional Representation established for the UK and local elections and no doubt felt that this objective was more important to them than the Skye Bridge toll.

In any event a Labour Government could in theory have won a vote on the Skye Bridge tolls with support from the Tories, but that would have been a real political problem for them

Once again a concession was made to us by the politicians who had failed us. This time is was an undertaking to freeze the toll from further increases, which we recognised would be a further burden on the tapayer and would further add to the uneconomic toll system.

Robbie-the-Pict had of course failed to get elected but within days of the results being announced he had abandoned his short political career and returned to his real passion, the law. Indeed he was now publicly proclaiming that the Scottish Parliament, the very body he had tried to get elected to, was illegal. He went further and was widely reported to have made a statement, during the vital Labour/Lib-Dem partnership negotiations that there was no need for them to negotiate over the Skye Bridge tolls, since he would get it all resolved in the courts.

Bha na rudan seo a thuirt e duilich an tuigsinn. Tha e glè dhoirbh toirt air luchd-poilitigs, daoine air a bheil tòrr uallach obrach, aontachadh ri rud nach eil a' tighinn ris na poileasaidhean aca. Faodaidh moladh sam bith, agus gu sònraichte fear air a bheil coltas gun tig e bho bhuidhinn-strì mhòir agus a chuireas an cèill gur dòcha nach eil feum ann dhaibh a bhith ri strì, a bhith caran tarraingeach do neach-poilitigs a tha fo chuideam, rud a bheir deagh leisgeul an rud a chur an dàrna taobh. Shaoil sinn gun robh na thuirt Robbie-the-Pict cealgeach agus cunnartach. Cha b' urrainn leigeil gu bràth tuilleadh leis rudan a ràdh a dh'fhaodadh daoine a bhith a' smaointinn gur ann bho SKAT a thàinig iad.

Bha e soilleir do mhòran againn ann an SKAT gun tug a' Phàrlamaid ùr Albannach cothrom math eile dhuinn strì an aghaidh nan cìsean, agus bhiodh e na b' fhasa làn fheum a dhèanamh dheth seach mar a bha sa Phàrlamaid ann an Westminster. Bha fios againn gum b' urrainn dhuinn iomairt èifeachdach a chur air dòigh ann an Alba, agus bruidhinn ris na BPA uile às bith dè am partaidh aca gun duilgheadas mòr sam bith. Bha fios againn cuideachd gun robh tòrr feum aig na Làbaraich fon t-siostam bhòtaidh Albannaich taic fhaighinn bho phartaidh eile nam b' e iadsan am partaidh as motha gus Riaghaltas a chur ri chèile. B' e ar beachd-ne gum biodh seo gam fàgail ann an suidheachadh car cugallach tro thìde.

Bha sinn cuideachd a' tuigsinn gun robh cosgaisean sgeama nan cìsean dha luchd-pàighidh nan càintean a' sìor-èirigh agus cha b' urrainnear cur suas ri seo ri tìde. Bha mòran againn a-nist misneachail gum b' urrainn dhuinn, aig a' cheann thall, Riaghaltas na h-Alba a chur ann an suidheachadh far am feumadh iad èisteachd ri ar cùis. Mar sin ged a tha e fìor gun do dhiùlt an Riaghaltas ùr Albannach ar n-argamaid airson cur às dha na cìsean, cha robh sinn deònach gabhail ri seo mar am facal mu dheireadh aca air a' chuspair, agus bha sinn cinnteach gum b' urrainn dhuinn buaidh a thoirt air ge b' e dè an co-dhùnadh a dhèanadh iad aig deireadh gnothaich.

Mar sin aig deireadh a' Chèitein agus toiseach an Ògmhios 1999, ged a bha SKAT air call a-mach gu poilitigeach a-rithist, cha robh tilleadh sam bith annainn. Gu dearbh mar thoradh air na rudan beaga sin a gheall an Riaghaltas ùr Albannach dhuinn, bha a' choimhearsnachd a-rithist buidheach do SKAT oir chaidh aithneachadh gur e sinne a b' adhbhar dha na rudan sin ris an do ghèill an Riaghaltas.

Mar sin faodar a ràdh nach robh taobh seach taobh – politigeach neo laghail – air ar n-amas a thoirt a-mach; ach dh'fhaodar a ràdh gun robh an rathad politigeach air cuideachadh ann a bhith ag ìsleachadh prìs nan cìsean an dà thuras, rud nach robh ro chosgail dha SKAT, an taca ris an dòigh laghail, nach tug sìon gu buil dhan choimhearsnachd idir.

These statements were difficult to fathom. It is hard to get politicians, who have many pressures on them, to agree to hold firm. Any suggestion, particularly apparently coming from the main pressure group, which suggests their efforts are not required, can be attractive to a politician under pressure and gives him/her an excellent get-out excuse. We saw this statement by Robbie-the-Pict as damaging. It was felt he could never again be allowed to make pronouncements which might appear to come from SKAT.

It was clear to many of us in SKAT that the new Parliament in Scotland gave us once again a viable political avenue for our struggle against the tolls and one which we could exploit much more effectively than we could the Westminster Parliament. We knew that we could effectively campaign in Scotland and reach the constituents of all the MSPs of whatever political party without great difficulty. We also knew that under the Scottish voting system there was very likely to be the need for Labour, if it remained the largest party, to seek another party to form a government. This in our view made them vulnerable over time.

We also recognised that the costs of the toll scheme to the taxpayer were rising steeply and could not be sustained over time. Many of us now felt confident that we could, eventually, put the Scottish government in a position where it would have to listen to our case. While it is true that the new Executive in Scotland also rejected our case for the abolition of the tolls, we were not prepared to accept that as their last word on the subject and we were confident that we could influence what that last word might be.

So in late May and June 1999, although technically SKAT had suffered another political defeat, we were not in any way subdued. Indeed as a result of the further concessions on the tolls promised by the new Scottish Executive, the community were again grateful to SKAT as it was recognised that these concessions only came about as a direct result of SKAT pressure.

So in the political versus legal debate in SKAT it could be acknowledged that neither approach had achieved our objective of getting the tolls off the Skye Bridge; but it could be said that the political route had twice brought about actual reductions on the toll, and had cost only a quarter of SKAT's resources compared to the legal route which to date had achieved nothing for the community.

An Dealachadh

Nuair a chaidh an sgeul a sgaoileadh gu fad is farsaing anns na meadhanan anns an Iuchar 1999 gun robh sgaradh mòr ann an SKAT, chuir seo iongnadh air mòran dhen luchd-taic againn, ach cha do chuir air buill ionadail SKAT, gu sònraichte iadsan a fhritheil ar coinneamhan gu cunbhalach a h-uile seachdain. Bha dùil againn ris, gu h-àraid an dèidh na thuirt Robbie-the-Pict a thaobh 's nach robh feum aig na Làbaraich agus na Lib-Deamaich na cìsean a thoirt air falbh. Gu dearbh bha e coltach dhuinne gun robh Robbie-the-Pict ag iarraidh sgaradh ann an SKAT, agus gun robh e deimhinne gun tachradh e.

Na bu tràithe sa bhliadhna sin fhuair sinn leus gun robh duilgheadas mòr ann. Bha mise air a bhith air mo thaghadh mar Ionmhasair SKAT air 19 an Dùbhlachd 1998 ach ri linn saor-làithean na Bliadhna Ùire agus tinneas an Dotair Shona Bird, cha b' ann gus 3 am Màrt a fhuair mi na cunntasan. Leis gun robhar a' toirt sùil as ùr air cùisean ionmhais SKAT, toradh an Taghaidh Albannaich agus na rudan a thuirt Robbie-the-Pict gu poblach, thòisich sreath thachartasan a dh'fhàg sgaradh dha-rìribh ann an SKAT.

Duine sam bith aig a bheil ùidh anns a h-uile rud a bhuin ris an sgaradh gu mionaideach, faodaidh e leughadh mu dheidhinn ann an geàrr-chunntasan SKAT air an làrach-lìn againn, agus tha na tùs-chunntasan air an cumail le Comhairle na Gàidhealtachd.

Ach gus a h-uile rud a tha sin a chur a thaobh dhan leughadair, is leòr a ràdh gun do dh'fhàg Robbie-the-Pict, ar Cathraichte taghte Drew Millar agus cuid eile dhe na buill againn SKAT agus chuir iad buidheann eile air bhonn a bhiodh a' dol an aghaidh nan cìsean bho shealladh laghail dheth. Dh'fheuch buill dhen bhuidhinn seo ri stad a chur air cunntasan SKAT, bhagair iad ar buill leis an lagh agus chuir iad ar bun-stèidh air suarachas gu poblach.

Gu nàdarra, thog seo aire nam meadhanan agus car tamaill chuir e sinne dheth bho bhith a' feuchainn ri ar n-amasan a choileanadh. Agus thoir fa-near, bha an luchd-poilitigs agus na daoine sin a bha riamh a' cumail a-mach nach maireadh sinn idir air an dòigh a' mìneachadh mar a bha SKAT air tighinn gu crìch agus nach èireadh sinn a-rithist tuilleadh.

Ach gu bunaiteach, cha deachaidh SKAT a mhilleadh idir. Chùm sinn Coinneamh Àraid Bhliadhnail ann an Seòmar na Comhairle ann am Port Rìgh air 28 an Lùnastal agus bha 80 buill an làthair. Dh'aontaich sinn a-rithist ri ar bun-stèidh, chaidh na h-oifigearan againn ath-thaghadh agus chuir sinn ar cunntasan air dòigh gu h-às ùr.

Chaill sinn feadhainn dhe na buill a b' fheàrr againn tron sgaradh seo, ged a thàinig cuid dhiubh air ais gu SKAT an dèidh sin, agus chaidh ar n-iomairt a chur rud beag 'far an rathaid' aig àm cudromach. Gidheadh, is

The Split

When it was reported by the media in July 1999 that there was a major split in SKAT this came as a great surprise to the majority of our members and supporters, but not to those of us who had been attending meetings in the preceding weeks. Following Robbie-the-Pict's public statement that 'there was **no need** for a commitment to remove the tolls in the partnership agreement' between Labour and the Lib-Dems, it looked to some of us that Robbie-the-Pict wanted a split in SKAT and was determined to bring it about.

Earlier that year we had the first sign of a major problem. I had been elected Treasurer at the AGM on 19th December, but due to the holidays and the subsequent illness of Dr Shona Bird, I did not get control of the accounts until 3rd March. With the new fresh approach to control of SKAT resources, the outcome of the Scottish elections and the public pronouncements by Robbie-the-Pict, a sequence of events started which led to a serious split in SKAT.

For anyone interested in the full details of that split the events are recorded in the SKAT minutes which are still available on the SKAT website and the originals are held by Highland Council.

However to save the reader the tedious detail, suffice it to say that Robbie-the-Pict with the SKAT elected Chairman, Drew Millar, and a small number of other SKAT members left SKAT and formed another anti-tolls group dedicated to opposing the tolls by means of the law. Members of this group took action to freeze SKAT's accounts, threatened SKAT and individuals in SKAT with legal action, and publicly rejected the SKAT constitution.

This naturally attracted much media consideration and diverted our attention from our objective for some time. And of course those politicians and media pundits who had been predicting our demise as a pressure group for some time were in their element explaining how SKAT was finished and could not rise again.

SKAT however was not fundamentally damaged. We organised a Special General Meeting in the Council Chamber in Portree on 28th August which 80 members attended. This meeting re-affirmed the constitution, re-elected the officials and re-established our accounts.

We lost a number of good stalwart SKAT supporters with this split, a few of whom came back to SKAT later, and the campaign was seriously 'blown off course' at an important time. However organisations of this minig nach aontaich buidhnean dhen t-seòrsa seo, aig nach eil ach aon amas, air dè an dòigh as èifeachdaiche gus an amas a thoirt a-mach agus bidh seo ag adhbhrachadh frionas. Thèid cùisean am miosad ma chumas e a' dol fad mhìosan agus eadhon, mar a thachair dhuinne, bliadhna an dèidh bliadhna. Chaidh 'Buidheann Laghail' SKAT an sàs ann an grunnd de cheistean laghail 's chaidh tarraing a thoirt orra sna meadhanan an dèidh a chur air bhonn.

Dhan fheadhainn againn a dh'fhan le SKAT bha cùisean glè mhath an dèidh an sgaraidh, cha robh aimhreit neo àrgamaidean a' leantainn air adhart agus bha sinn comasach air obair còmhla air dòigh nas toilichte agus nas socaire, mar a rinn SKAT aig toiseach tòiseachaidh. Gu nàdarra, bha diofar bheachdan ann, ach bha sinn daonnan ann an suidheachadh far am b' urrainn dhuinn tighinn gu aonta aig ar coinneamhan cunbhalach gun ailis a thilgeil air a chèile gu pearsanta.

Ach cha ghabh e àicheadh gun do chaill SKAT beagan dhen taic mhòr a bha againn sa choimhearsnachd sna làithean tràth ri linn an sgaraidh seo a bha cho follaiseach am measg a' phobaill, agus cha d' fhuair sinn seachad air a' seo gu faisg air deireadh na bliadhna 2004, le 85% a' toirt taic dhuinn a-rithist, nuair a thuig a' choimhearsnachd gun robh an latha le SKAT agus gun robhar a' dèanamh a' chùis air an Riaghaltas an dèidh strì mhòr fhada.

Ach gu nàdarra, bhiodh daoine a' gluasad bho aon bhuidhinn gu buidhinn eile, agus gu dearbh bha cuid de dhaoine a' toirt taic airgid do an dà chuid SKAT agus a' Bhuidheann Laghail. Gidheadh, tharraing SKAT barrachd dhaoine bhon choimhearsnachd air ais thuca ri tìde a-rithist, agus aig deireadh na h-iomairt nuair a chaidh cur às dha na cìsean, air dòigh phoilitigeach mar a bha sinne an dùil, bha a' mhòr-chuid air cùlaibh SKAT aon uair eile. ❐

type, with a single objective, often fail to find an effective way to democratically determine the most appropriate way to secure their objective and this leads to friction. This problem is aggravated considerably if the campaign drags on month after month, and even, as in our case, year after year. The SKAT 'Legal Group' got involved in a number of legal issues and in a lot of media reporting after its establishment.

For the SKAT members who remained the period immediately following the split was very productive and the attitude at meetings improved significantly. It was almost back to the early days of SKAT when we were working in a relaxed and cheerful way together. We had our differences of course, but managed to sort them out at our meetings quite amicably.

However it can't be denied that the broad community support we had always enjoyed did suffer from this very public split and never fully recovered, although it was back to something like 85% of its original by the end of 2004, when people could see that SKAT was winning this long campaign.

Of course people moved from one to another, indeed a few people were for some time sending financial support to both SKAT and the Legal Group. But over time SKAT attracted more of the community back again and at the end of the campaign when the tolls were finally abolished, by political means as we had predicted, the majority of the community were behind SKAT once again. ❐

Caibideil 7: Ùr-thoiseach

An dèidh nam mìosan doirbhe agus leis cho math is a chaidh a' Choinneamh Èiginnach air 28 an Lùnastal 1999, agus mar a chaidh cùnntasan SKAT fhosgladh a-rithist, rinn na h-oifigearan ùr-thaghte measadh air an t-suidheachadh agus smaoinich iad mu innleachd na h-iomairt sna làithean ri teachd.

B' e ar n-innleachd a-nist ach an taobh poilitigeach dhen iomairt a leasachadh ann an àireamh dhòighean. Bha Ron Shapland ag obair air ceistean maoineachail agus poilitigeach sgeama nan cìsean, agus mar sin bha sinn airson 's gun rachadh a mheasadh-san air an seo fhoillseachadh agus a thoirt gu aire nam BPA ùra agus Pàrlamaid na h-Alba.

Bha sinn cuideachd ag iarraidh taic a thoirt do iarrtas Chomhairle na Gàidhealtachd air làn-rannsachadh poblach, agus on a bha sinn air toirt fa-near nach deachaidh aithisg na Comhairle fhèin le DTZ Pieda air ceistean eaconamach nan cìsean fhoillseachadh, bha sinn airson ìmpidh a chur orra fhoillseachadh chor agus gun coimheadamaid air.

Ged nach robh sìon a dh'fhios againn dè bha ann an aithisg DTZ Pieda, bha sinn cinnteach gun cuidicheadh sgrùdadh ceart sam bith sinn ann a bhith a' feuchainn ri faighinn a-mach dè seòrsa cealgaireachd a bha dol aig na companaidhean a bha an sàs ann a bhith a' dol an aghaidh na coimhearsnachd agus luchd-pàighidh chìsean na tìre.

Aon eisimpleir is e gun robh àireamh àrd de charbadan a fhuair cho fada ris an drochaid ach a thionndaidh air falbh aig bùth nan cìsean agus nach deachaidh thairis air an drochaid.

Nuair a chaidh an aithisg seo fhoillseachadh sa cheann thall, cha b' fhiù e an t-ainm. Bha tòrr beachdachaidh ann ach glè bheag dhen fhìrinn. Aon eisimpleir bhon aithisg seo, is e gun robh àireamh àrd de charbadan a fhuair cho fada ris an drochaid ach a thionndaidh air falbh aig bùth nan cìsean agus nach deachaidh thairis air an drochaid. Bha aithisg neo dhà air seo a shealltainn mu thràth, agus rinn an aithisg seo dearbhadh air an sin. Ach chùm iad a-mach gur ann a chionn 's gun robh 90% dhe na dràibhearan sin air chall a thachair seo.

Chapter 7: A Fresh Start

In the wake of the traumatic months leading to the split in SKAT, the success of the Emergency General Meeting on 28th August 1999 and the subsequent restoration of the SKAT accounts enabled the newly elected officers to make a careful assessment of the situation and give consideration to the strategy for the future of the campaign.

The strategy we refined was first of all to further develop the political aspect of the campaign in a number of ways. The new chairman, Ron Shapland was working on the financial and economic implications of the toll scheme, so we wanted to have his assessment of this published and brought to the attention of the new MSPs and the Scottish Executive.

There was a relatively high percentage of vehicles which got to the bridge, then turned away at the toll booth and did not cross.

We also wanted to support the Highland Council's call for a full public enquiry and since we had observed that the Government's own study by consultants DTZ Pieda into the economic aspects of the toll had not been published, we wanted to press for this report to be made public so that we could examine it.

Although we did not have any idea of the contents of the DTZ Pieda report, we were confident that any proper examination of the facts would be helpful to us in our efforts to expose what we firmly believed was a rip-off by the companies involved against the community and the taxpayer.

When this report was eventually published it turned out to be of little value. It was high on subjective opinion but very low on objective facts. One example from this report was the fact that there was a relatively high percentage of vehicles which got to the bridge, then turned away at the toll booth and did not cross. Several studies had shown this previously, and this report confirmed it. It however went on to explain this behaviour by claiming that some 90% of these drivers were lost.

A-nist cha chreid duine sam bith seo. Tha fios aig a h-uile duine nach eil mòran rathaidean a' dol gu Taobh an Iar na dùthcha, agus duine sam bith a bha a' dol tron bhaile aig Caol Loch Aillse, b' ann gu ruige Drochaid an Eilein a bha e a' siubhal, chan eil an dàrna roghainn ann. Tha a bhith a' cumail a-mach gun dèanadh mòran dhaoine seo na cùis amaideis, oir is e as coltaiche gum faca iad sin cho daor is a bha prìs nan cìsean air an drochaid agus gun do dh'atharraich iad an inntinn mu dhol thairis oirre dhan Eilean Sgitheanach.

Gidheadh bha an obair a rinn sinne a cheana gus na ceistean seo a thogail gu follaiseach air cuideachadh fhaighinn o aithisgean an Riaghaltais leithid Aithisg Oifis nan Sgrùdairean agus Aithisg Comataidh nan Cunntasan Poblach, is mar sin bha sinn gu mòr airson 's gum faigheamaid uiread is a b' urrainn dhuinn de dh'fhiosrachadh a-mach gu poball na dùthcha.

San Lùnastal '99 bha Harry Wright, fear dhe na buill againn ann an Sruighlea, air toirt fa-near gun do thòisich na Tòraidhean iomairt an aghaidh cìsean nan rathaidean ann an Alba, rud a chuir iad sa Chuart-litir Sgìreil aca, 'In Touch'. Bha Brian Monteith BPA mar cho-neach-deasachaidh air a' chuairt-litir seo, agus thoir fa-near b' e Sruighlea an suidhe a bha aig Mìcheal Forsyth, Iar-Rùnaire Stàit na h-Alba ron taghadh.

Bha àireamh-fòn ann an Dùn Èideann sa chuairt-litir airson duine sam bith a bha ag iarraidh taic a thoirt dhan iomairt Thòraidheach seo. Mar sin chuir Harry fòn thuca agus rinn e soilleir e gun robh e airson 's gun rachadh am Partaidh Tòraidheach an aghaidh cìsean rathaid air an A87. Chaidh gabhail ris an iarrtas seo aige gu math le eagraiche na h-iomairt, agus shaoil Harry an uair sin gun robh na Tòraidhean gu dubh an aghaidh cìsean rathaid ann an Alba – 's e sin, gus an do thuig iad gur ann aig Drochaid an Eilein a bha na cìsean a' tighinn air an A87 agus gur h-e Mìcheal Forsyth a dh'fhosgail i.

Chuir sinn a-mach aithisg-naidheachd chun nam meadhanan mu dheidhinn seo, anns an tuirt an DrToms, a bha na bhall de SKAT, na leanas: 'Dare we hope to have campaigners like Michael Forsyth helping us to get rid of the tolls. Given how effective he was in opposing us, I think he would be a major asset'. Ach cha robh a leithid de dheagh shealbh an dàn dhuinn, oir chum na Tòraidhean ri sgeama cìsean Drochaid an Eilein.

Air 11 an Lùnastal thadhail Sarah Boyack BPA, Ministear ùr na Còmhdhail, air an Eilean Sgitheanach. Thàinig i sa mhadainn gu Cidhe Ùige agus dh'fhàg i an t-eilean san fheasgar aig Cidhe Armadail. Cha robh SKAT na chadal a thaobh sin. Bha còmhlan beag dhinn a' feitheamh rithe ann an Ùige, far an do chuir sinn ar cùis rithe, agus bha barrachd dhaoine bho SKAT ann nuair a nochd i aig Cidhe Armadail gus an t-eilean fhàgail, far an do stad i cuideachd a dh'èisteachd ris na bha againn ri ràdh. Sgrìobh SKAT litir thuice, a' tort taing dhi airson cho modhail urramach is a bha i, agus a' cur lethbhreac dhe aithisg aig Ron Shapland thuice.

Now this is just not credible. Anyone who knows the area knows that the road options for drivers in this locality are limited. Anyone moving through the village of Kyle of Lochalsh could only be going to the Skye Bridge – there is no other option. The idea that a substantial number of people should regularly do this is ludicrous. What is much more likely is that those who saw the bridge and the high toll changed their minds about visiting Skye.

However the work we had already done on exposing these issues had been helped by Government reports such as the Audit Office Report and the Public Accounts Committee Report, so we were anxious to get as much information out in the open as we could.

In August 1999 Harry Wright, one of our members in Stirling had noted that the Conservatives had mounted a campaign in their constituency newsletter 'In Touch' to oppose road tolls in Scotland. This newsletter had Brian Monteith MSP as a co-editor and of course Stirling was the seat that Michael Forsyth, the ex-Tory Secretary of State for Scotland, had held before the General Election.

The newsletter gave an Edinburgh number to call for anyone who wished to support this Tory campaign. So Harry rang them and indicated that he wanted the Tory Party to campaign against road tolls on the A87. His call was received eagerly by the campaign organiser and he was assured that the Tories were committed to fighting road tolls in Scotland, until they checked and realised that the A87 was tolled at the Skye Bridge and that Michael Forsyth had opened it.

We put out a press statement on this in which Dr Julian Toms of SKAT was quoted: 'Dare we hope to have campaigners like Michael Forsyth helping us to get rid of the tolls. Given how effective he was in opposing us, I think he would be a major asset.' No such luck of course – the Tories remained tied to the Skye Bridge toll scheme.

On 11th August Sarah Boyack MSP the new Transport Minister visited Skye. She arrived in the morning at Uig Pier and left in the afternoon at Armadale Pier. SKAT did not waste that opportunity. We had a delegation to meet her when she arrived on the pier at Uig, where we did get an opportunity to put our case to her, and a further SKAT delegation met her when she got to the pier at Armadale on her way off the island, where she also stopped and talked to the delegation. SKAT wrote to her thanking her for her courtesy and sent a copy of Ron Shapland's report.

Choimhead Ron Shapland air a h-uile bad fiosrachaidh a bha aige mu sgeama nan cìsean agus às an sin rinn e sàr aithisg eile, a bha a' rannsachadh gach roghainn a bha ann a thaobh airgead a chur a-steach dhan phròiseact thar ùine nach beag, rud air a bheil Ron gle eòlach, on a bha e ag obair aig Coimisean na Coille fad iomadach bliadhna. B' e co-dhùnadh na h-aithisge seo gun sàbhaladh Riaghaltas na h-Alba £25m nan ceannaicheadh iad sgeama nan cìsean a-mach sa bhad. Anns an aithisg seo bha Ron air dèanamh dheth gun robh an Riaghaltas ceangailte ris a' chùmhnant a bha aca ris a' chompanaidh. (Ged a dh'fhaodadh seo a bhith air a cheasnachadh gu laghail nan robh an companaidh air dol a-steach gu cùmhnant fo ainm eile nach robh da-rìribh aca ri linn 's nach tuirt iad cò iad luchd-seilbh a' chompanaidh.) Chuir Ron an rud laghail a thaobh agus dhèilig e ris a' cheist san dòigh san do ghabh an Riaghaltas ris.

B' e seo a' chiad uair a bha SKAT, neo gu dearbh buidheann sam bith eile, air deagh argamaid chruaidh a chur air adhart a shealltainn gum b' urrainn dhan Riaghaltas airgead luchd-pàighidh chàintean a shàbhaladh, a dh'aindeoin droch chùmhnant, nan ceannaicheadh iad a-mach an cùmhnant agus nan cuireadh iad às dha na cìsean.

Shàbhaladh Riaghaltas na h-Alba £25m nan ceannaicheadh iad sgeama nan cìsean a-mach sa bhad.

B' e an duan poilitigeach aig an àm 'cò às a thig an t-airgead?' gus na cìsean a thoirt air falbh. Bha an aithisg seo a' sealltainn gu soilleir nach robh brìgh sam bith san argamaid seo, oir gu dearbh cha bhiodh an duine a bha a' pàigheadh chàintean a' sàbhaladh airgid, 's ann a bhiodh e na bu chosgaile buileach dha.

Rinn sinn ar dìcheall aithisg Ron a chur ann an làmhan na feadhnach a dh'fhaodadh na cìsean a thoirt air falbh. Chuir sinn e gun a h-uile BPA, sgrìobh sinn gu sònraichte gu Ministear na Còmhdhail, agus bha coinneamh againn ri ceannard nan Lib-Deamaich ann am Breatainn, Teàrlach Ceanadach, agus ri Iain Fearchar Rothach, ar BPA ionadail.

Aig a' choinneimh ris na Lib-Deamaich, a bha air a cumail ann an Ùig air 11 an t-Sultain '99, dh'fheuch sinn ri sealltainn dhaibh cho cudromach is a bha aithisg Ron dhan iomairt, agus dh'iarr sinn orra aithisg DTZ Pieda'– a bha an Riaghaltas air cumail falaichte uainn bho mheadhan an Ògmhios – fhoillseachadh.

A dh'aindeoin gach rud a rinn sinn gus aire an luchd-poilitigs a tharraing air cho èiginneach cudromach is a bha e gu h-eaconamach gun toireadh iad na cìsean air falbh, cha do dh'èist iad rinn, air neo cha robh iad gar tuigsinn. Bliadhnaichean an dèidh làimhe bha cuid dhiubh fhathast a' deasbad mu dè mheud de dh'airgead a dh'fheumadh iad gus cur às dha na cìsean.

Tha e coltach nach bu chòir faighneachd dhe neach-poilitigs sam bith coimhead air cùis a tha fad-thèarmach neo eadhon meadhanach fada. Cha robh iad comasach coimhead air dad ach rud a bha fa-near dhaibh aig an

Ron Shapland looked in depth at all the data he had about the toll scheme and produced another excellent report, which examined the options on a long term investment basis, a field in which Ron has considerable expertise. This report concluded that the Scottish Executive would save £25 million if they bought out the toll scheme straight away. This report had made the assumption that the Government were tied to the existing agreement with the company. (Although this could have been challenged in law if the company had entered into the agreement under a false identity by not properly identifying the owners.) Ron put the legal argument to one side and dealt with the issue as the Government accepted it.

This was the first time that SKAT, or indeed anyone else, had put forward a clear argument to show that, in spite of the appalling agreement they may be tied into, the Government could still save the taxpayer money if they bought out the contract and abolished the tolls.

Most political arguments at that time were about 'where will the money come from?' to buy out the toll. This report clearly showed this argument to be false, indeed that the taxpayer was not saving money by leaving the toll, but that it was costing him more to do so.

The Scottish Executive would save £25 million if they bought out the toll scheme.

We did our best to get Ron's report into the hands of those who could get the tolls removed. We sent it to all MSPs, we wrote specifically to the Transport Minister, and we had a meeting with Charles Kennedy the Lib-Dems UK leader, and with John Farquhar Munro, our local MSP.

At the meeting with the Lib-Dems, which was in Uig on11th September 1999, we tried to impress on them the significance of Ron's findings for the campaign and we also pressed for the publication of the DTZ Pieda report which we understood the Scottish Office had been sitting on since mid-June.

In spite of all our efforts to draw the attention of politicians to the urgent economic case for the tolls to be abolished, and that such an act would save taxpayers money, they did not listen to us, or failed to understand us. Years later some of them were still debating about the money they would need to find to abolish the tolls.

It seems that to ask a politician to look at long or even medium term investment policy is to ask too much of them. All they seemed capable of doing is considering the short term. They

àm. Bha coltas orra gur ann air an ath thaghadh a bha an aire, agus bha e doirbh dhaibh coimhead nas fhaide air adhart na sin.

Mar a bha Ron air a ràdh, mar a b' fhaide a chuir an luchd-poilitigs dàil sa chùis 's ann na bu chosgaile a bhiodh e. Bha an fhàisneachd seo aige air a dhearbhadh gu mòr goirid an dèidh seo nuair a thuit am pròiseact ann am boglach VAT, rud a dh'fhàg barrachd uallaich air luchd-pàighidh chìsean na dùthcha. Chan eil teagamh sam bith agamsa gur iad na duilgheadasan eaconamach seo a bha Ron Shapland air a lorg a thug air Riaghaltas na h-Alba na cìsean a cheannach a-mach ann an 2004. Bha iad air seo a sheachnadh nan robh iad air èisteachd rinn ann an 1999.

Cùirt na Roinn-Eòrpa

Ro dheireadh 1999 bha SKAT a' cumail orra a' dèiligeadh ris na casaidean a chaidh a chur air ar buill sna cùirtean Albannach, agus bha sinn cuideachd ag ullachadh ar cùisean-lagha airson a dhol gu Cùirt Eòrpach Còraichean a' Chinne-daonna. Bha sinn a' seasamh gu math an aghaidh Cùirt an t-Siorraim ann an Inbhir Pheofharain agus bha àireamh nan cùisean a' tuiteam gu mòr ri linn 's nach robh an Riaghaltas comasach air dèiligeadh ris na bha ann de dhaoine a bha a' dol ann agus gun robh iad air cead a thoirt don chompanaidh diùltadh daoine dol thairis air an drochaid mura robh iad air pàigheadh.

Cha robh an cumhachd aig a' chompanaidh fon achd stad a chur air daoine bho bhith a' dol tarsainn air an drochaid, oir b' ann leis an Riaghaltas a bha i, agus gu dearbh bha e a' bristeadh ar ceartan sìobhalta nach robh cead againn dol gu tìr-mòr agus a bhith air ar cuingealachadh ris an eilean. Gidheadh, bha e soilleir nach robh na cùirtean comasach air dèiligeadh ris na bha ann de luchd-togail-fianaise, agus bha iad nan èiginn na h-àireamhan a lùghdachadh. Mura leigeadh an companaidh leinn dol tarsainn air an drochaid cha b' urrainn dhuinn an eucoir a dhèanamh, agus bha seo a' lùghdachadh àireamh nan cùisean ùra anns na cùirtean.

Bha mòran againn fhathast a' dol tro Chùirt nan Tagraidhean, agus bha e soilleir gun robh an Riaghaltas airson cuideam nan cùirtean a thogail dhiubh. Mar sin bha ar n-innleachd a thaobh casg a chur air na cùirtean fhad 's a bha sinn ag obair gu poilitigeach cuideachd air tighinn gu buil.

Ach bha sinn a' smaointinn gum biodh e cuideachail nan rachamaid gu Cùirt na h-Eòrpa gus iad a chumail nan tàmh, agus is dòcha gum biodh barrachd soirbheis againn na bhiodh sna cùirtean cumanta. Mar sin chuir sinn dà chùis a-steach gu Cùirt Eòrpach nan Còraichean Daonna. B' e mo chùis fhèin a' chiad fhear, oir bha mi air a bhith sna cùirtean mu thràth agus bha mi deiseil an ath cheum a ghabhail. Às mo dhèidh bha Hugh (Mac) Mac an t-Saoir. B' e Iain Caimbeul bu mhotha a dh'ullaich na cùisean seo, ged a chuidich an t-Ollamh Allan Millar, Stiùiriche Ionad Chòraichean Daonna na h-Alba le cùis Hugh.

appeared to have their eyes fixed on the next election and found it difficult to see beyond that.

Yet as Ron had indicated, the longer the politicians delayed in responding to this problem, the more it would cost. This prediction was made even more significant shortly after this by the VAT mess which the project run into. This meant an even greater burden being put on the taxpayer. I have no doubt that these economic problems pointed out by Ron Shapland were significant in forcing the Scottish Executive to buy out the tolls in 2004. If they had given proper attention to our report in 1999 this could have saved them a great deal of taxpayers' money

The European Court

Before the end of 1999 SKAT were continuing to deal with the charges being brought against our members in the Scottish courts, but were preparing cases for the European Court of Human Rights. The position in the Sheriff Court in Dingwall was that the number of cases was falling, primarily because the Government had been unable to deal with the number of cases and had allowed the company to refuse access over the bridge to those who refused to pay.

The company did not have power under the act to stop people from crossing the bridge, as the bridge was Government property, and indeed it was a breach of our civil rights to be prevented from moving onto the mainland and to be confined to the island. However it was obvious that the courts had been unable to deal with the numbers of protestors and they were desperate to reduce the numbers. If the company did not allow us to cross the bridge then we could not commit the offence and this cut the number of new cases for the courts.

Many of us were still taking cases through the Appeal Court, and clearly the Government wanted to ease the pressure on the courts. So our strategy of holding off the courts while we had an offensive on the political front had worked well.

We felt however that action in the European Court would help us to keep them at bay and had a better chance of success than we were likely to get in the domestic courts. So we submitted two cases to the European Court of Human Rights. The first was my own case. Being the first one through the courts I was the first ready to take the next step. Shortly behind me Hugh (Mac) Macintyre's case was submitted. Both these cases were virtually prepared by John Campbell although Professor Allan Millar, the Director of the Scottish Human Rights Centre, assisted in Hugh's case.

Chuir mi m' iarrtas a-steach an toiseach gu Cùirt Eòrpach nan Còraichean Daonna san t-Samhain 1998. Cha b' urrainn dhomh a dhèanamh na bu tràithe na sin oir bha e glè chudromach gun dèanadh sinn na b' urrainn dhuinn anns na cùirtean cumanta mus cuireadh sinn sìon a-steach gu Cùirt na Roinn-Eòrpa no cha rachadh èisteachd rinn mura dèanadh sinn sin.

An dèidh do mo chùis a bhith ann, agus mi air feum a chur air cùirt nan tagraidhean, bha mi air sgrìobhadh gu Dòmhnall Mac an Deòir, Rùnaire Stàite na h-Alba aig an àm ud, agus an dèidh sin gu Jim Wallace, Ministear ùr Ceartais na Pàrlamaid Albannaich, ag iarraidh orra sùil às ùr a thoirt air mo chùis chor agus gun seallainn don Chùirt Eòrpach gun robh mi air a h-uile rud a bha nam chomas fheuchainn san t-Siostam Chumanta Laghail. Cha robh mi air a bhith comasach mo chùis a chur gu Cùirt na h-Eòrpa gus am faighinn brath o Dhòmhnall Mac an Deòir.

Fhuair mi fios air ais bhon a' Chùirt Eòrpach san Fhaoilleach 1999 agus bha mi air mo ghlacadh gu mòr leis an diofar eadar an siostam Eòrpach an taca ri mar a bha ann an Alba. An toiseach mhìnich iad dhomh gu dìreach ceart ciamar a rachadh a' chùis air adhart. Dh'innis iad dhomh gum b' e a' chiad cheum acasan cnuasachadh air ceartas mo chùis agus nan robh seo ceart gu leòr chlàraicheadh iad e agus bheireadh iad àireamh dha, agus chuireadh iad oifigear cùirte air dòigh air mo shon a chumadh fiosrachadh is eile rium .

Dh'innis iad dhomh gun robh mo chùis air a dhol seachad air a' chiad ìre agus gun deachaidh a chlàradh le h-àireamh (44958/98), agus thug iad fiosrachadh seachad mun duine a bhiodh ga mo riochdachadh. Mhol esan gum bu chòir dhomh fiosrachadh mu thachartasan sam bith a chumail ris, agus thuirt e gun do chuir iad na pàipearan agam gu riochdaire ann an Riaghaltas Bhreatainn chor agus gun dèanadh iadsan cnuasachadh orra.

Nuair a chaidh Pàrlamaid na h-Alba a chur air bhonn agus a chuireadh Jim Wallace na Mhinistear Ceartais, sgrìobh mi thuige a-rithist ag iarraidh air sùil às ùr a thoirt air mo chùis, dìreach gus dèanamh cinnteach gun robh mi air a h-uile rud a ghabhadh dèanamh fheuchainn, agus chuir mi lethbhreac dhe mo litir agus an fhreagairt a fhuair mi bhuaithe gu mo riochdaire Eòrpach.

Chaidh innse dhomh san Lùnastal 1999 le Cùirt na h-Eòrpa gun robh e coltach gun rachadh èisteachd ri mo chùis ann an Dàmhair na bliadhna ud agus nach leigeadh mi leas a bhith ann.

An seo leanaidh brìgh mo chùis gu Cùirt na h-Eòrpa:

(1) I argued that I did not get a hearing 'within a reasonable time' as required under Article 6.1 of the Convention. I was charged on 17th October 1995 but was not given a trial until 11th April 1996.

I made my initial application to the European Court of Human Rights in November 1998. It was not possible for me to submit it any earlier, because it was very important that we had used every option available to us in the domestic courts before we applied to the European Court. We were aware that failure to have done so would have meant the case not being heard.

Consequently, after my case had been dealt with, and I had used the appeal court, I had written to Donald Dewar, the then Secretary of State for Scotland, and later to Jim Wallace the Justice Minister in the new Scottish Parliament asking for my case to be reviewed, so that I could demonstrate to the European Court that I had tried every avenue open to me in the domestic legal system. I had not been able to submit my case to the European Court therefore before I heard back from Donald Dewar.

I received a communication from the European Court in January 1999 and was impressed by the difference in the European system from my experiences in the Scottish system. First of all they explained to me exactly how the case would be handled. I was informed that the first step was for them to consider my application to determine if it was valid for processing. If it was, they would register the case and give it a number, then they would assign an officer of the court who would deal with matters and keep me advised.

They informed me that my case had passed the first stage and had been registered and assigned a case number (44958/98) and they gave me details for my designated contact. He advised me that I should keep him informed of any developments and that my papers had been sent to the British Government's representative for their consideration.

When the Scottish Parliament was established and Jim Wallace was appointed Justice Minister I wrote to him again asking for a review, just to ensure that I had tried every avenue and I sent a copy of my letter and his reply to my EC contact.

In August 1999, I was informed by the European Court that my case was likely to be heard in October that year and that I would not be required to attend.

My case to the European Court in its essentials was as follows:

(1) I argued that I did not get a hearing 'within a reasonable time' as required under Article 6.1 of the Convention. I was charged on 17th October 1995 but was not given a trial until 11th April 1996.

(2) I argued that I did not get an 'impartial hearing' as required under Article 6. In this context I drew attention to the documents produced at my trial which were incomplete. When at later trials of similar cases the court had acknowledged that items in these documents, which were not available to me, were important in other cases.

(3) I argued that I had been attempting to demonstrate in court that the toll was a tax and this was denied by the Government, yet the British Government were now claiming that the toll was a tax in the European Court in relation to the VAT issue.

(4) I argued that the issue of 'authorisation' for the collection of tolls had not been established during my case, primarily because the documentation dealing with this issue had had the relevant sections deleted. These sections were now available to other defendants, who faced the courts later but the issue of assigning authorisation had not yet been resolved.

(5) I argued that the granting of legal aid in a criminal case the afternoon before the hearing was unreasonable.

(6) I argued that forcing me to travel 120 miles each way to attend a court in Dingwall, when there is a Court 15 miles from my home in Portree could not be considered 'fair and reasonable' as required under the Convention.

(7) I pointed out that I had been required to attend two preliminary hearings in Dingwall, one on 1st March, one on 8th March, before my trial on 11th April. I referred the Court to the 'Cullan Judgement' in the Vannet vs. Milligan case where such preliminary hearings were ruled to be unlawful.

(8) I pointed out that the legislation introduced by the Government to rectify the position on preliminary hearings, i.e. The Criminal Procedures (Intermediate Diets) (Scotland) Act 1998 could not be applied to my case unless it were accepted that legislation could be applied retrospectively, which I argued was in contravention of article 7.

(9) I argued that by private contractors unlawfully preventing me from crossing the Skye bridge, which for 6 months of the year was the only road onto the island, they were preventing me from having 'freedom of movement' which I was entitled to under article 8.

Chan eil an seo ach giorrachadh air na puingean is cudromaiche mun chùis a dh'ullaich sinn airson Cùirt Eòrpach nan Ceartan Daonna, a rachadh èisteachd ris san Dàmhair 1999.

Bha tòrr fianais pàipeir againn mar thaic dhan a' chùis seo, eadar litrichean is eile. Bha sinn ann an dòigh caran cinnteach gun soirbhicheadh leinn sa Chùirt Eòrpach. Ach chan e gun robh sinn tuilleadh

(2) I argued that I did not get an 'impartial hearing' as required under Article 6. In this context I drew attention to the documents produced at my trial which were incomplete. When at later trials of similar cases the court had acknowledged that items in these documents, which were not available to me, were important in other cases.

(3) I argued that I had been attempting to demonstrate in court that the toll was a tax and this was denied by the Government, yet the British Government were now claiming that the toll was a tax in the European Court in relation to the VAT issue.

(4) I argued that the issue of 'authorisation' for the collection of tolls had not been established during my case, primarily because the documentation dealing with this issue had had the relevant sections deleted. These sections were now available to other defendants, who faced the courts later but the issue of assigning authorisation had not yet been resolved.

(5) I argued that the granting of legal aid in a criminal case the afternoon before the hearing was unreasonable.

(6) I argued that forcing me to travel 120 miles each way to attend a court in Dingwall, when there is a Court 15 miles from my home in Portree could not be considered 'fair and reasonable' as required under the Convention.

(7) I pointed out that I had been required to attend two preliminary hearings in Dingwall, one on 1st March, one on 8th March, before my trial on 11th April. I referred the Court to the 'Cullan Judgement' in the Vannet vs. Milligan case where such preliminary hearings were ruled to be unlawful.

(8) I pointed out that the legislation introduced by the Government to rectify the position on preliminary hearings, i.e. The Criminal Procedures (Intermediate Diets) (Scotland) Act 1998 could not be applied to my case unless it were accepted that legislation could be applied retrospectively, which I argued was in contravention of article 7.

(9) I argued that by private contractors unlawfully preventing me from crossing the Skye bridge, which for 6 months of the year was the only road onto the island, they were preventing me from having 'freedom of movement' which I was entitled to under article 8.

This is just a summary of the main points of the case we prepared for the European Court of Human Rights, which case was accepted for hearing in October 1999.

The above case was of course supported by considerable documentation, letters and other evidence. We were quietly confident that we would be successful in the European Court. We were not is cinnteach oir bha fios againn gum biodh an luchd-lagha a b' fheàrr a gheibhte le airgead mòr aig Riaghaltas Bhreatainn, agus chuireadh iadsan cùis glè làidir air adhart nar n-aghaidh. Thuig sinn gur e faclan caochlaideach a bha ann an 'reusanta' agus 'ceart' agus gun robh làn fhios aig an Riaghaltas air an seo, ach bha sinn misneachail gum biodh na rinn iad a thaobh pàipearan a chumail bhuainn agus eile – a bha mi-laghail, mar a fhuaireadh a-mach an dèidh sin le cuirt Albannach (Breithneachadh Cullen) – na fhìor chnap-starra dhan luchd-lagha aca.

Ach bha an Riaghaltas aon cheum air thoiseach oirnn. Aig an Èisteachd aig Cùirt na h-Eòrpa air 5 an Dàmhair 1999 cha robh aig Riaghaltas Bhreatainn ri aghaidh a chur ri ar dùbhlan, oir thug iad rathad fada na bu ghiorra, rathad nach do thuig sinn a-riamh a bha fosgailte dhaibh. Chum iad a-mach nach gabhadh mo chùis-sa a chur ron Chùirt Eòrpach ri linn 's nach robh mi air a h-uile rud a dhèanamh a thaobh chùisean laghail aig an taigh. Bha aig a' chùirt ri gabhail ris nach gabhadh, eadhon cho fada air adhart ri seo, mo chùis a chur a-steach.

Bha sinn a' fàs cleachdte ri neo-shùim agus cealgaireachd mhì-mhodhail seo an Riaghaltais.

Chaidh innse dhomh mu dheidhinn seo air 12 an Dàmhair, agus thuig sinne gur h-e dìreach cleas laghail eile a rinn an Riaghaltas gus freagairt a' chùis nan aghaidh a sheachnadh. Cha robh sinn a' tuigsinn an toiseach ciamar a b' urrainn dhaibh seo a dhèanamh oir bha sinne air an rud a thoirt gu ruige Cùirt nan Tagraidhean, an ceann-uidhe mu dheireadh mar gum biodh, agus bha sinn air ath-sgrùdadh iarraidh air Rùnaire na Stàite, agus na dhèidh-san Ministear a' Cheartais aig Riaghaltas na h-Alba, rud a dhiùlt iad dhuinn. Càite eile a rachamaid ann an saoghal laghail na h-Alba, shaoil sinn?

Gu fortanach, bidh a' Chùirt Eòrpach a' toirt mìneachadh sgrìobhte airson a co-dhùnaidhean is mar sin bha sinn comasach air a leughadh gun do chùm luchd-lagha Riaghaltas Bhreatainn a-mach gum faodainn-sa a bhith air a' chùis seo a thogail tro chùirtean sìobhalta na h-Alba. Mar sin, bha Riaghaltas Bhreatainn, a bha air ar n-èigneachadh dol gu cùirtean lagha air sgàth rud a bha gu soilleir na cùis shìobhalta, a-nist ag ràdh gum b' e rud an dà chuid eucorach agus sìobhalta a bha ann, agus gun robh fuasgladh ri fhaotainn ann an saoghal lagh na h-Alba – thuirt iad seo chor agus nach biodh aca ri freagairt a thoirt dhan chùis againn sa Chùirt Eòrpach.Thoir fa-near, cha do chomhairlich iad riamh dhuinn seo a dhèanamh nuair a sgrìobh sinn gu Rùnaire Stàit na h-Alba a' faighneachd dheth dè an ath cheum a b' urrainn dhòmhsa gabhail. Bha sinn a' fàs cleachdte ri neo-shùim agus cealgaireachd mhì-mhodhail seo an Riaghaltais – rud a bha is a tha dìreach tàmailteach.

Bha cùis Mhac na bu neònaiche buileach. Bha esan air a riochdachadh leis an Ollamh Allan Millar a bha, fhad 's a bha a' chùis a' dol air adhart, ag iarraidh litir a sgrìobh an t-Àrd-Neach-Tagraidh gu Neach-casaid a' Chrùin ann an Cùirt an t-Siorraim an Inbhir Pheofharain, air an deachaidh tòrr

complacent, because we knew that the British Government would have the best lawyers money could buy, and that they would put forward a very vigorous response. We recognised that terms such as 'reasonable' and 'fair' could be very elastic and that they would know just how to stretch them. But we were confident that the denial of documents and the use of Intermediate Diets, which had been subsequently found to be illegal in a Scottish court (the Cullan Judgement) could not be stretched and would prove real obstacles to the Government's lawyers.

The Government however were one step ahead of us. At the European Court Hearing on 5th October 1999 the British Government did not have to meet the challenges which our case presented them with. They took a much shorter route and one which we had never even seen would be open to them. They argued that my case was not admissible to the European Court because I had not exhausted the domestic legal process. And the court had to accept that my case, at this late stage, was after all, inadmissible.

I was informed of this on 12th October and we recognised it for what it was – another Government sleight of hand legal manoeuvre to enable them to avoid responding to the case against them. We could not at first understand how they could possibly argue this, because we had taken the issue to the final appeal court and we had asked the Secretary of State, and later the Justice Minister of the Scottish Executive for a review and had been turned down. Where else could we go in the Scottish criminal law procedure we wondered?

Blatant disregard for any honourable or even decent standard of behaviour by the Government was something we were now getting used to.

Fortunately the European Court gives a written reason for its decisions so we were able to see that the Government lawyers had argued that I could have pursued this matter through the civil courts in Scotland. So the British Government, which had forced us into the criminal courts for what was clearly a civil matter, were now claiming that this legislation was both criminal and civil, and that we had a civil remedy in Scottish law, so that they could avoid responding to our case in the European Court. Of course the British Government had never considered that they should have advised us to take this course of action when we wrote to the Secretary of State for Scotland asking what further step I could take. This blatant disregard for any honourable or even decent standard of behaviour by the Government was something we were now getting used to, but it was and is disgusting.

Mac's case was even more bizarre He was being represented by Professor Allan Millar who in the course of the case wanted to be placed before the court a letter from the Lord Advocate to the Procurator Fiscal in Dingwall Sheriff Court, which had been

cnuasachaidh a dhèanamh, a bhith air a cur ron chùirt. Ach chùm luchd-lagha an Riaghaltais a-mach gun robh an litir seo air a 'bacadh' fad 75 bliadhna agus nach faodadh i a bhith ga sgaoileadh dhan chùirt.

'S e an tòimhseachan a tha aig Mac ach seo; tha fios aige gu bheil deagh chùis-lagha aige, ach an urrainn dha feitheamh gu 2072 airson 's gun èistear ris?

A' Toirt Taic dha na Croitearan

Coltach ris a' chuid is motha de Ghàidhealtachd na h-Alba, is e ceàrnaidh croitearachd a tha san Eilean Sgitheanach. Is dòcha gun saoil mòran dhaoine ann an Alba nach eil eòlach air an dòigh-beatha seo gur e dòigh mhath air beòshlaint a dhèanamh a tha ann agus gu bheil na croitearan gu math dheth. Ach chan e seo an fhìrinn idir. Tha iomadach adhbhar airson 's gum fuirich daoine ri croitearachd san latha a th' ann, ach chan e dèanamh airgid aonan dhiubh.

Aig àm nam Fuadaichean b' e a bha fa-near dhan 'luchd-leasachaidh' ach na daoine a thoirt far na talmhainn a b' fheàrr agus a bu torraiche chor agus gun toireadh iad a leithid sin de dh'fhearann do thuathanaich chaorach mòra air màl. Chaidh na daoine a bha air fhàgail air a' Ghàidhealtachd a ghluasad bhon talamh a b' fheàrr chun na talmhainn a bu mhiosa air oighreachd an uachdarain.

Chuireadh croitean air bhonn air iomall na talmhainn sa h-uile àite, agus b' e cuibhreannan glè bheag a bha annta. Bha seo a' ciallachadh gun robh croitearachd – bhon toiseach – mì-chomasach air beatha is beòshlaint meadhanach math a chumail ris na daoine, agus is e seo a b' adhbhar airson 's gun do lean mòran dhaoine orra a' dol a-null thairis agus air falbh gu àiteachan eile fada an dèidh nam Fuadaichean gus teachd-an-tìr fhaotainn.

Tha a' mhòr-chuid de chroitearan an latha an-diugh a' dèanamh am beòshlaint le bhith a' deanamh obair eile oir cha b' urrainn dhaibh a bhith beò air a' bheagan airgid a nì iad às na croitean aca. Tha aig an 3% neo 4% de chroitearan a tha ris làn-thìde an-diugh ri barrachd air aon chroit obrachadh agus tha aca ri bhith ag obair uairean fada gus tuarastal gu leòr a dhèanamh, tuarastal a dhèanadh daoine gu furasta ann an sgìre far a bheil gnìomhachasan neo factoraidhean is a leithid.

Cosgaidh croitear tòrr airgid air beathaichean a ghluasad agus a bhiadhachadh. Mar sin bha droch bhuaidh aig prìs àrd cìs na drochaid air seo, oir bhiodh aige ri dhol a-null 's a-nall.

B' e aon àrgamaid a chuireadh air adhart le luchd-leisgeil an Riaghaltais airson cìs na drochaide gun robh i 'nas saoire na an t-aiseag'. Feumar dà rud a ràdh mu dheidhinn sin.

widely speculated on. Government lawyers claimed that this letter was 'embargoed' for 75 years so could not be released to the court.

Mac's conundrum was this: He knows that he has a good case, but can he really afford to wait until 2072 for it to be heard?

Supporting the Crofters

Skye, like most areas of the Highlands is a crofting area. Many people in Scotland who are not familiar with crofting might have the impression that crofting is a good way of earning a living and that crofters are relatively wealthy. This is most certainly not the case. There are many good reasons for people staying in crofting in the late twentieth and early twenty first century, but making money is not one of them.

At the time of the Highland Clearances the object of the 'Improvers' was to move the people out of the best and most productive land, so that they could rent such land to large sheep farmers. The people who were left in the Highlands were moved therefore from the most productive land to the most marginal land in the landowner's estate.

Crofts were established on the most marginal land everywhere and were very small allocations of that marginal land. This meant that crofting, from the outset, was inadequate to sustain a reasonable standard of living and that is why long after the forced evictions from the Highlands, large numbers continued to leave the area and take their chances elsewhere to earn a living.

The great majority of crofters today earn their living by some other employment, because they could not survive on the earnings from their croft. The 3% or 4% of crofters who work at it full-time today are people who have a number of crofts to run and they have to work long hours in all weathers in order to obtain the income which others in an industrial area could achieve relatively more easily.

One significant aspect of a crofter's expenditure is on the movement of livestock and feed for livestock. So the high cost of the toll on the Skye Bridge had a devastating effect on his business, which depended on movement on and off the island.

One of the arguments put forward by the Government's apologists for the Skye Bridge toll was that the toll 'was cheaper than the ferry'. Two things have to be noted about that claim.

(a) Bha seo fìor dhan mhòr-chuid de luchd-cleachdaidh an aiseig anns an Dàmhair 1995, ach bha an Riaghaltas a dh'aona ghnothach air prìs rò àrd a chur air faradh an aiseig – rinn i £1.25m sa bhliadhna sin fhèin.

(b) Cha robh seo fìor dha na croitearan, a dh'aindeoin (a) shuas.

Thar nam bliadhnaichean bha Caledonian Mac a' Bhruthainn, a ruitheas na h-aiseagan anns na sgìrean croitearachd, air rud sònraichte a chur air dòigh gus cuideachadh a thoirt dha na croitearan. A thaobh aiseag Chaol-Chaol Acainn bha seo a' gabhail san àireamh gun robh cead aig na croitearan an cuid bheathaichean a thoirt gu margaid, a' tilleadh le carbad-giùlain falamh, saor 's an asgaidh. Cuideachd, leigeadh iad le croitearan an cuid arbhair airson am beathaichean a thoirt air an aiseag air leth-fharadh. Bha an dà rud seo, a bha beag an taca ri teachd-an-tìr Chal-Mac, glè chudromach a thaobh chosgaisean còmhdhail croiteir.

Chuir SKAT roimhe feum a chur air siostam athchuinge na Pàrlamaid ùir Albannaich gus athchuinge a chur a-steach air sgàth nan croitearan agus an luchd-giùlain bathair a bha a' dèiligeadh ris a' cheist seo, ag iarraidh air a' Phàrlamaid sùil a thoirt air a' chùis. Rinn daoine eile sna h-Eileanan an Iar an aon rud agus iad a' sireadh ìsleachdadh prìse is a leithid air aiseagan is eile. Chaidh an dà aithchuinge a chnuasachadh còmhla le Comataidh nan Athchuingean.

Mar thaic do na h-athchuingean seo bha gnothach mòr eile againn air an drochaid air Disathairne 6 an t-Samhain 1999. Thòisich cùisean le Rod Stewart-Liddon ag iomain treud chaorach thar na drochaide agus a' dol seachad air bùth nan cìsean, agus an dèidh sin caismeachd le brataichean air an robh 'We're being fleeced' agus 'Tolls are baaad for business'. Leanadh seo le cruinneachadh mòr ann an Caol Acainn, far an robh mu 300 duine an làthair. B' iad òraidichean a' chruinneachaidh seo Eachann MacLeòid, Ceann-Suidhe Aonadh nan Croitearan Albannach, Iain Fearchar Rothach, BPA leis na Lib-Deamaich, Jamie McGrigor, BPA Tòraidheach, agus Mairead Nic a' Pheadrais, Comhairliche le Comhairle na Gàidhealtachd.

Thug Jamie McGrigor taic dhan athchuinge againn air sgàth Dhàibhidh MhicLeididh BPA, ceannard nan Tòraidhean ann an Alba, agus air sgàth Murray Tosh BPA, neach-labhairt na còmhdhaile aca. B' e seo a' chiad uair riamh a fhuair sinn taic bho na Tòraidhean taghte, agus thug seo air ais gu mo chuimhne an rud a thuirt Tony Benn rinn mu dheidhinn seòmar-tì Westminster. Ma bha na Tòraidhean a-nist a' toirt taic dhuinn, tha fhios gun robh sinn gu dearbh a' buannachadh. B' e an rud a bu mhotha a chaidh a dheasbad aig a' choinneimh seo ach gum feumadh Sarah Boyack BPA, Ministear na Còmhdhaile, rudeigin a dhèanamh mu na ceistean a bha sinn air togail.

Chuir Tormod MacAsgaill à Loch Baghasdail ann an Uibhist a Deas

(a) This was true for most users in October 1995, but only because the Government had deliberately overcharged on the ferry to the extent of £1.25 million that year.

(b) This was not true for crofters, irrespective of (a) above.

Over the years Caledonian MacBrayne who run the ferries in crofting areas had made special arrangements to help this agricultural section in the communities it served. For the Kyle to Kyleakin ferry this had included allowing crofters taking their animals to market, to return with the unloaded empty vehicle free of charge. They had also allowed crofters to transport hay for their animals at half fare. These two concessions, while minor in relation to Cal-Mac's income, were very significant as regards a crofter's transport costs.

SKAT decided to use the new Scottish Parliament's petitions system to table a petition on behalf of crofters and hauliers involved in this issue. There was a similar petition submitted by people in the Western Isles looking for concessions for people travelling to their islands and crossing the Skye Bridge. Both these petitions were considered together by the Petitions Committee.

In support of these we had another big demonstration on the bridge on Saturday 6th November 1999. It started with Rod Stewart-Lidden driving a flock of sheep over the bridge and passed the toll booth, followed by a march across with banners proclaiming 'We're being fleeced' and 'Tolls are baaad for business'. This was followed by a large rally in Kyleakin which was very well attended with around 300 present. The speakers at the rally were Hector MacLeod, President of the Scottish Crofter's Union, John Farquhar Munro Lib-Dem MSP, Jamie McGrigor Tory MSP, and Councillor Margaret Paterson of Highland Council.

Jamie McGrigor indicated support for our petition from David McLetchie MSP Conservative party leader in Scotland and from Murray Tosh MSP Conservative Transport spokesman in Scotland. This was the first time we had been offered support for any part of our programme from elected Tories. This made me think back to what Tony Benn told us in the Westminster tearoom. If the Tories were now offering support we must be winning indeed. The general theme of the meeting was that Transport Minister Sarah Boyack MSP must act on the issues we had raised.

Norman MacAskill from Lochboisdale in South Uist summed things

crìoch air cùisean mar seo: 'Unless Sarah Boyack acts, she will go down in history as the political Patrick Sellar*. Transport costs to these outlying islands are an increasing cost and in the present economic climate in the livestock sector, any savings in transport are welcome.'

Tha mi duilich a ràdh nach robh an athchuinge gu feum sam bith; chaidh a putadh air adhart gu Riaghaltas na h-Alba, a fhuair, tha mi cinnteach, toll dubh dorch air choireigin air a son, ach dh'fhan na cosgaisean dha na croitearan. Chum na companaidhean giùlain-bathair agus na croitearan an taic rinn gus an deachaidh na cìsean a thoirt air falbh.

Value Added Tax

B' e seo ceist chudromach eile a bha againn ri cnuasachadh aig deireadh 1999. Bho thòisich sgeama a' PhFI san Dàmhair 1995, bha sinn air sùil a thoirt air an t-seirbheis. Nuair a dh'fhaighnich sinn mu dheidhinn seo chaidh innse dhuinn gun robh Riaghaltas Bhreatainn glè shoilleir gun robh an t-seirbheis seo gun VAT ri phàigheadh agus nach bu chòir faighneachd idir, rud aineolach agus eadhon olc.

An dèidh làimhe fhuair sinn a-mach gun robh aimhreit anns an Roinn Eòrpa mun dearbh ghnothach seo, agus gun robh an Rìoghachd Aonaichte, An Fhraing, a' Ghrèig agus Èire a' cumail a-mach nach bu chòir VAT a bhith air cìsean rathaid, fhad 's a bha Coimisean an Aonaidh Eòrpaich ag ràdh gum bu chòir cur a-steach airson a leithid.

Na b' fhaide air adhart fhathast thàinig e gu ar n-aire fhad 's a bha sinn a' cumail a-mach sna Cùirtean Albannach gur e càin a bha sa chìs agus gun robh an Crùn a' dol an aghaidh seo, gun robh Riaghaltas Bhreatainn ag ràdh an aon rud sa Phàrlamaid Eòrpaich agus mar sin nach bu chòir VAT a bhith oirre. Dh'fheuch sinne ri cealgaireachd dhùbailte seo a' Chrùin a thoirt gu aire nan Cùirtean Albannach, ach cha d' fhuair sinn èisteachd idir.

Aig deireadh 1999 tha e coltach gun do ghabh An Fhraing, A' Ghrèig agus Èire ri co-dhùnadh Coimisean na h-Eòrpa gun robh cìsean rathaid a bha fo smachd an Riaghaltais neo ùghdarrais ionadail gun VAT ri phàigheadh ach nach robh cìsean prìobhaideach. Dhiùlt Riaghaltas Bhreatainn gabhail ri seo ge-tà agus thug iad a' chùis chun na Cùirte Eòrpaich. Air 30 an t-Samhain 1999 gheall Riaghaltas na h-Alba nam biodh VAT air cìsean Drochaid an Eilein gum biodh iad deònach rud a chur air chois a phàigheadh air a shon.

---

* Bha droch chliù air Pàdraig Sellar, bàillidh do Dhiùc Chataibh, airson cho brùideil is a dh'fhuadaich e na daoine aig àm nam Fuadaichean.

up this way: 'Unless Sarah Boyack acts, she will go down in history as the political Patrick Sellar.* Transport costs to these outlying islands are an increasing cost and in the present economic climate in the livestock sector, any savings in transport are welcome.'

I regret to report that the petition got nowhere; it was shunted to the Scottish Executive who no doubt found an appropriate pigeonhole for it. But the additional cost to the crofters continued. The hauliers and crofters continued to support the campaign until the tolls came off.

Value Added Tax

VAT was another important issue which came into consideration at the end of 1999. Since the start of the private toll scheme in October 1995, we had looked at this so-called private service and wondered why it should be exempt from VAT. When we enquired about this we were informed that the British Government were quite clear that this service was exempt from VAT and that our enquiries on this were ill-informed, if not in fact mischievous.

Unless Sarah Boyack acts, she will go down in history as the political Patrick Sellar.*

Later we discovered that there was a dispute in Europe about this very matter and that UK, France, Greece and Ireland were claiming that VAT should not apply to road tolls, while the EU Commission were claiming that it must apply.

Later still it came to our attention that while we were claiming in the Scottish Courts that the toll was a tax and this was being challenged by the Crown, the British Government were arguing in Europe that the toll was a tax and therefore should not be subject to VAT. We attempted in the Scottish Courts to draw attention to the Crown's double standard here but got nowhere.

In late 1999 it appears that France, Greece and Ireland accepted an understanding with the EU Commission that road tolls which were under the control of the Government or a local authority were exempt from VAT but private tolls were not. The UK Government refused to accept this however and took the matter to the European Court. On 30th November 1999 the Scottish Executive promised that if VAT were applied to the Skye Bridge they would make provisions to cover it.

---

* Patrick Sellar , who as factor for the Duke of Sutherland, was a notoriously enthusiastic evictor of people during the period of the Highland Clearances

Air 16 an t-Ògmhios chaidh an gnothach seo a chnuasachadh le Tagraiche Coitcheann Cùirt na h-Eòrpa, agus chaidh esan gu tur an aghaidh Riaghaltas Bhreatainn na bhreithneachadh, breithneachadh a chaidh fhoillseachadh. Ghin seo tòrr bòilich an aghaidh na h-Eòrpa am measg luchd-poilitigs san RA. Mar eisimpleir, thug am Morair Pearson de Raithneach slaic air a' cho-dhùnadh seo ann an Taigh nam Morairean ag ràdh, am measg rudan eile, gun robh a' VAT seo 'imposed by faceless bureaucrats in Brussels', agus, gu nàdarra, gan dìteadh air a shon.

Mar sin, bha an neach-dèanamh-lagha neo-thaghte ag iarraidh oirnn a' choire a chur air 'faceless bureaucrats' airson na butarrais seo. Gidheadh, cha robh mòran fìrinne sa bhòilich seo an aghaidh na Roinn Eòrpa. A' toirt sùil air na bh' aig an Tagraiche Choitcheann ri ràdh bha e soilleir carson a chaill Riaghaltas na RA, agus bha e soilleir gun cailleadh iad a-rithist nuair a chuireadh iad tagradh eile chun na làn-Chùirte a chleachd iad.

Bha iad air dà phuing mhòr a chur air adhart:

(a) That the toll was a tax so could not have VAT applied.

(b) That the community was relatively poor, and was subject to European Objective One economic assistance, so people could not afford to pay VAT on top of the toll.

Bha an Tagraiche Coitcheann air dèiligeadh ris a' chiad phuing a rèir 's mar a bha an aonta eadar na dùthchannan eile, mar eisimpleir, ann an Alba, bhiodh Drochaid an Fhoirthe, Drochaid Arasgain agus Drochaid Thatha gun VAT ri phàigheadh, ach bhiodh VAT air a' chìs phrìobhaideach seo air Drochaid an Eilein Sgitheanaich. Tha mar a fhreagair e dara puing an Riaghaltais car inntinneach. 'S e chanas e ach nach leig eileanach sam bith a leas dragh a bhith orra mu dheidhinn VAT a bhith ag àrdachadh prìs nan cìsean prìobhaideach oir gum faodadh iad an rathad eile a ghabhail.

Uill, bha fios aig a h-uile duine nach robh rathad eile ann. Gidheadh, fo òrdugh Eòrpach a chaidh a-mach ron a seo, feumaidh slighe eile a bhith ann taobh a-staigh astar còig mìle bho rathad le cìsean san Roinn Eòrpa. Bha Riaghaltas Bhreatainn air seo a chur air mì-shùim agus cabhag orra PFI na drochaide a chur air dòigh agus bha a-nist an rud seo a' tighinn air ais mar gum biodh mar chulaidh-dorrain dhaibh.

Cha b' e an Tagraiche Coitcheann gun aithne a dh'adhbhraich an duilgheadas, ach na seirbheisich chatharra gun ainm san RA a bha air a dhol air adhart leis a' PhFI gun aire a thoirt don lagh Eòrpach.

Air 13 an t-Sultain 2000 chaidh co-dhùnadh na Cùirte Eòrpaich an aghaidh Riaghaltas an RA agus bha aca ri VAT a chur air cìs na drochaide agus barrachd a phàigheadh air ais, sùim a mheas luchd nam pàipearan-naidheachd mar £10m.

On 16th June 2000 this matter was considered by the Advocate General of the European Court and he came down firmly against the UK Government in his judgement, which was published. This caused a great outburst of anti-European rhetoric from politicians in the UK. Lord Pearson of Rannoch for example attacked this decision in the House of Lords saying amongst other things that this VAT was being 'imposed by faceless bureaucrats in Brussels' and of course condemning them for their actions.

So this unelected legislator wanted us to blame 'faceless bureaucrats' for this mess. The facts, however, did not support this anti-European bluster. On reading the Advocate General's findings it was clear why the UK Government had lost and why they were likely to lose again at the appeal they had submitted to the full Court.

The UK Government had put forward two major points:

(a) That the toll was a tax so could not have VAT applied.

(b) That the community was relatively poor and was subject to European Objective One economic assistance, so people could not afford to pay VAT on top of the toll.

The Advocate General had dealt with the first point along the lines of the understanding with the other countries, so that for example in Scotland the Forth Bridge, the Erskine Bridge and the Tay Bridge would be VAT exempt, while this private toll on the Skye Bridge would be subject to VAT. His response to the UK Government's second point is interesting. He points out that no islander need be concerned about VAT pushing the price up further on the high priced private toll since they could simply use the alternative route.

Well of course there was no alternative route. However under an earlier EU Directive there must be an alternative route within five miles of any tolled road in Europe. The UK Government had ignored this Directive in their haste to get the Skye Bridge PFI established and now this neglect had come back to haunt them.

It was not the faceless Advocate General who had caused the problem, but the faceless UK civil servants who had gone ahead with the PFI without meeting the legal requirements of the EU Directive.

On 13th September 2000 the decision of the European Court went against the UK Government and they were obliged to levy VAT on the Skye Bridge toll and also to pay the back tax. Press estimates put that at £10 million.

Bha an co-dhùnadh seo glè chudromach, gu nàdarra, a thaobh nan cùisean uile ann an Cùirt Inbhir Pheofharain far an deachaidh luchd-togail-fianaise an aghaidh nan cìsean a chur fon lagh, agus bha Malcolm Bruce BPA de na Lib-Deamaich a-nist a' cumail a-mach nach robh na cùisean sin laghail tuilleadh. 'This means refusing to pay the toll can only be a civil offence', thuirt e, 'and many will be applying to have their convictions quashed' . Biodh sin mar a bhios, cha do thachair e a-riamh.

Chum SKAT demo air an drochaid air Disathairne 16 an t-Sultain, a' toirt na cùise seo gu aire a' mhòr-shluaigh. Mhìnich sinn gun robh Riaghaltas na h-Alba air gealltainn dhuinn nach rachadh a' chìs a chur suas, ach gum biodh co-dhùnadh seo na cùirte a' cur 17.5% a bharrachd air a' chìs, agus dè bha Pàrlamaid na h-Alba a' dol a dhèanamh mu dheidhinn? Mhol sinne gum bu chòir dhaibh cur às dha na cìsean agus beagan a bharrachd airgid a shàbhaladh air sgàth luchd-pàighidh chìsean na dùthcha.

Bha demo eadhon na bu mhotha againn air an drochaid air Disathairne 7 an Dàmhair, air a leantainn le cruinneachadh ann an Caol Acainn. B' e Teàrlach Ceanadach dhe na Lib-Deamaich prìomh òraidiche, le taic bho Iain Fearchar Rothach BPA, Sìne Urchadan, a bhiodh a' seasamh mar BP air sgàth a' Phartaidh Nàiseanta, agus Mairead Nic a' Pheadrais o Chomhairle na Gàidhealtachd. Bha tòrr dhaoine aig a' chruinneachadh seo, agus bha sinn aon uair eile a' gairm air a' Phàrlamaid Albannach ceumannan a ghabhail gus dèanamh cinnteach nach biodh cìsean VAT ri fhulang aig ar coimhearsnachd air muin nan cìsean àrda. Air 30 an t-Samhain gheall an Riaghaltas Albannach gum pàigheadh iadsan an VAT.

Dh'adhbhraich an gealladh seo, math agus gun robh e a thaobh dhaoine nar coimhearsnachd a bha car draghail mu àrdachadh mòr sa chìs a shàsachadh, duilgheadasan ùra dhuinn. B' e a' chiad cheist ach ciamar a rachadh aig Riaghaltas na h-Alba air VAT a phàigheadh airson companaidh prìobhaideach, agus gu dearbh companaidh mòr Ameireaganach a bha, co-dhiù air feadh an t-samhraidh, a' dol ann an co-fharpais ri companaidh beag ionadail a bha a' ruith aiseag bheag phrìobhaideach eadar Gleann Eilge 's an Eilean Sgitheanach? Nach biodh seo mì-laghail, agus a' briseadh riaghailtean an Aonaidh Eòrpaich a thaobh co-fharpais, on a bha an companaidh beag ionadail a' pàigheadh a chuid VAT fhèin?

Cuideachd bha seo a' togail ceist mun t-subsadaidh a bha an Riaghaltas Albannach a' pàigheadh airson PFI seo nan cìsean, a bha a-nist na shùim mhòir gach bliadhna. Bha an subsadaidh seo a' tighinn à sporan Pàrlamaid na h-Alba a bha air a chur mu seach gus pàigheadh airson nam mearachdan a rinn Pàrlamaid Westminster, agus rachadh cuid dhen airgead a phàigh Riaghaltas na h-Alba mar VAT a thoirt air ais gu Pàrlamaid an RA. Bha an rud gu lèir na bhutarrais is na bhrochan, agus bha an fheadhainn a dh'fhàg mar siud e a' teicheadh bhuaithe.

This decision had an implication for the many cases in the Dingwall Court where anti-toll campaigners had been convicted and Malcolm Bruce Lib-Dem MSP was claiming that all these cases had now been invalidated. 'This means refusing to pay the toll can only be a civil offence,' he claimed, 'and many will be applying to have their convictions quashed.' Be that as it may, none of us got our convictions quashed.

SKAT held a demonstration on the bridge on Saturday 16th September drawing this matter to public attention. We explained that the Scottish Executive had given us a promise that the toll would be frozen, yet this court decision would add 17.5% to the toll. What was the Scottish Parliament going to do about it? We suggested that they should abolish the toll and save the taxpayers further costs.

We held another and larger demonstration on the bridge on Saturday 7th October followed by a rally in Kyleakin. Charles Kennedy MP leader of the Lib-Dems was the main speaker, supported by John Farquhar Munro MSP, Jean Urquhart, SNP prospective candidate, and Margaret Paterson, Highland Councillor. This rally was well attended, and again called on the Scottish Parliament to take steps to ensure that our community was not confronted by VAT charges on top of the high toll. On 30th November the Scottish Executive pledged to pay the VAT.

This commitment, while satisfying many in our community who had been concerned about a big increase in the toll, created a number of new problems. The first question was just how could the Scottish Executive pay VAT for a private company, and indeed a large American company, which was, at least during the summer months, in competition with a small local company who were running a private car ferry from Glenelg to Skye. Would this not be illegal and in contravention of EU competition rules, since the small local company was paying its own VAT?

Also this once again raised the subsidy which the Scottish Executive was paying for this toll PFI, which was now a substantial amount each year. This subsidy was coming out of the Scottish Parliament's allocation to pay for errors made by the Westminster Parliament and some of the money the Scottish Government paid in VAT would be returned to the UK Government. The whole thing was a mess and those who made the mess were being allowed to run away from it.

Cha deachaidh fuasgladh ceart a lorg air ceist a' VAT a-riamh, agus shaoil sinne gur e seo rud eile a thug air Riaghaltas na h-Alba cur às dha na cìsean sa cheann thall. Gidheadh, cha d' rinn iad aig an'àm e, cha d' rinn ach butarrais eile a chur ri chèile eadar iad fhèin agus an companaidh agus cumail orra. Tha coltas air mar a rinn iad gun tug iad subsadaidh bliadhnail eile a bha co-ionann ris na cosgaisean VAT; ach thoir fa-near **gu deimhinne cha b' e VAT** a bh' ann. Tha mi glè chinnteach nach rachadh aca air sin a dhìon sa chùirt.

Bha an suidheachadh seo a' togail ceist eile. Bhiodh companaidh sam bith a bha clàraichte a thaobh VAT air airgead VAT fhaighinn air ais air na cìsean aca. Ach cha robh iad air a' VAT a phàigheadh, bha sin pàighte gu mì-laghail leis an Riaghaltas Albannach, ach bha iad air a' phrìs a phàigheadh a dh'iarradh orra mu choinneamh seirbheis air an robh VAT ri phàigheadh aig ìre 17.5%, is mar sin bha e air a bhith nan comas seo fhaotainn air ais bhon Inland Revenue. Abair gun robh sin, nan robh iad air a dhèanamh, air an ceòl a chur air feadh na fìdhle!

Rud eile a thàinig am bàrr an dèidh don Riaghaltas a bhith air stad a chur air prìs nan cìsean, b' e an stampa ceann-latha air leabhar nan tigeadan a chuir Companaidh Drochaid an Eilein Sgitheanaich a-mach. Ann a bhith a' feuchainn ri aonta ruigheachd mun t-subsadaidh a chumadh na prìsean aig an ìre san robh iad, cha robh an Riaghaltas air dèanamh cinnteach gun deachaidh an riaghailt a thoirt air falbh far nach robh an leabhar laghail ach fad bliadhna.

Cha deachaidh fuasgladh ceart a lorg air ceist a' VAT a-riamh, agus shaoil sinne gur e seo rud eile a thug air Riaghaltas na h-Alba cur às dha na cìsean sa cheann thall.

Nist b' e mearachd ghòrach a bha seo. Is dòcha gur e deagh rud a th' ann a bhith ag ràdh gum feum leabhar de thigeadan a tha air am pàigheadh le subsadaidh, agus a tha buailteach dol suas am prìs gach bliadhna, a bhith air a chleachdadh suas gu tur taobh a-staigh na bliadhna sin. Ach ma tha iad air am pàigheadh le subsadaidh, agus gu bheil àrdachadh prìse sam bith a tha san amharc a' faighinn subsadaidh cuideachd, 's e rud gòrach a th' ann ceann-latha a chur air an leabhar sin, agus bha còir seo a bhith ga chur ceart nuair a bhathar a' tairgsinn an t-subsadaidh.

Nan robh an Riaghaltas Albannach air toirt orra an ceann-latha a thoirt dheth, bhiodh e air a bhith glè bhuannachdail dhan fheadhainn nach robh a' cosnadh ach tuarastal ìseal, daoine nach b' urrainn siùbhal gu cunbhalach thar na drochaide, oir bhiodh e comasach dhaibh làn chothrom a ghabhail air a' chothrom prìs na b' ìsle a phàigheadh, a' sàbhaladh airgid thar ùine na b' fhaide.

Ach thigeadh e ris a' chompanaidh an stampa ceann-latha a chumail on a bha e a' ciallachadh gun rachadh tigeadan a cheannach nach rachadh a chleachdadh, agus gun togadh seo beagan a bharrachd airgid dhan chompanaidh, agus gu dearbh nam faigheadh an companaidh grèim air na tigeadan nach deachaidh a chleachdadh b' urrainn dhaibh iad a chur gu

This problem of VAT was never properly resolved and was, we believe, another issue which forced the Scottish Executive to eventually scrap the tolls. But they did not do that at the time – they merely cobbled together another deal with the company and carried on. The deal they appear to have made was to give the company another annual subsidy which just happened to be the same amount as the VAT charges; but were of course **definitely not** the VAT. I doubt very much that that would have been defendable in court.

This situation raised another question. Any VAT-registered company could have reclaimed the VAT on their Skye Bridge tolls. They had not of course paid the VAT, which was being illegally paid by the Scottish Government, but they had paid the price asked for a service which was subject to VAT at 17.5% so it would have been entirely acceptable for them to reclaim this from Customs and Excise. Had that been pursued that would have set the cat among the pigeons.

Another issue which arose from the Scottish Executive's freezing of the toll at a pre-VAT level was the question of the date stamp on the book of tickets issued by the Skye Bridge Company. In negotiating the subsidy for freezing the tolls, the Scottish Executive had failed to ensure that the arrangements by which a book of tickets were valid for a year only had not been removed.

The problem of VAT was never properly resolved and was, we believe, another issue which forced the Scottish Executive to eventually scrap the tolls.

Now this was a stupid error. There may be some merit in claiming that a book of subsidised tickets, which are subject to an annual price increase, are used up in the year they are issued. However if the tickets are subsidised, and the planned increase is also subsidised, then there is no justification for putting a time limit on the book, and this of course should have been dealt with when the subsidy was being offered.

Had the Scottish Executive insisted on the removal of the date stamp, this would have been of considerable benefit to those on low incomes, who could not afford to travel very regularly over the bridge, since it would have allowed them to take full advantage of the concessions and to spread their 'investment' in the book of tickets over a longer period.

It suited the company of course to retain the date stamp. Since it meant the there would always be tickets bought and not used and this was a useful source of extra income for the company. Indeed if the company could get their hands on the unused tickets they could submit them to the Scottish

Riaghaltas na h-Alba agus an subsadaidh orra sin fhaighinn cuideachd.

Cha robh sìon a dh' fhios againne gun robh an companaidh ris a leithid de rud mì-onaireach, ach thug sinn fa-near gun robh iad titheach air leabhar sam bith de thigeadan nach deachaidh a chleachdadh fhaighinn air ais, eadhon chun na h-ìre 's gun leigeadh iad leothasan aig an robh tigeadan nach do chleachd iad dol thairis air an drochaid le aon thigead neo-chleachdte agus an leabhar a thoirt air ais dhaibh fhèin. B' e an gnìomh fialaidh neo-chumanta seo a rinn an companaidh a tharraing ar n-aire.

Ann an litir air 12 am Faoilleach 2000, sgrìobh Quentin Fisher aig Roinn na Còmhdhail san Riaghaltas Albannach gu SKAT ag innse dhuinn gun robh stad air na cìsean, stèidhte air prìsean an Fhaoillich 1999, ga chur an gnìomh aig an dearbh àm ud. San aon litir, agus mar fhreagairt dhar n-iarrtas coinneachadh ri Sarah Boyack gus ceist nan cìsean a dheasbad, dh'innis e dhuinn gum b' e beachd a' Mhinisteir gum biodh a leithid de choinneimh 'gun fheum' mas e 's gun robh sinn ag iarraidh bruidhinn mu chur às dha na cìsean.

Cha d'fhuair sinn freagairt sam bith bhon Mhinistear mu ar dragh a thaobh stampa ceann-latha nan leabhraichean. Ach chùm sinn oirnn a' togail na ceiste seo, a' feuchainn ri soillearachadh fhaotainn bhon Mhinistear agus bhon luchd-poilitigs. Air 17 an t-Sultain 2000 dh'fheuch an Dr Toms, Myrna Scott-Moncreiff agus mi-fhìn ri soillearachadh fhaighinn air seo aig bùth nan cìsean. Thug gach duine againn seachad leabhar a bha a-mach à cleachdadh a thaobh a' chinn-latha. Gach turas leig iad leinn dol tarsainn na drochaide le aon seann tigead, a' cumail nan leabhraichean anns an robh na bha air fhàgail dhe na seann tigeadan. Chuir sinn ìmpidh air a' Mhinistear mun chùis seo, agus dh'innis i dhuinn gum feuchadh i ri bruidhinn ris a' chompanaidh mu dheidhinn an ceann-latha a thoirt dheth, ach cha deachaidh seo a dhèanamh a-riamh.

*

Mar sin chaidh SKAT a-steach dhan linn ùr fhathast a' sabaid agus a' strì an aghaidh sgeama gu lèir nan cìsean, agus fhathast a' fulang diùltadh dhan phrìomh argamaid againn gum bu chòir cur às dha na cìsean. Gidheadh, tha fhios gun cuireadh an stad air prìsean agus air VAT cuideam mòr a thaobh maoineachais air an Riaghaltas Albannach, rud a rèir choltais a bha iad a' feuchainn ri sheachnadh fhad 's a bha sinne a' feuchainn gu daingeann ri a thoirt am follais.

Bha làn fhios againn gun robh an Riaghaltas ann an toll dubh leis a' PhFI seo ach fhathast cha tàinig e a-steach orra sgur a chladhach, gu dearbh 's ann a bha iad a' cladhach gu dian. Bha sinn cinnteach gun tigeadh orra, luath neo mall, stad agus feuchainn ri slighe a-mach a lorg. Nan cumadh sinne ar buidheann a' dol, agus ceist nan cìsean a chumail fa chomhair a' phobaill, bha sinn a' smaointinn gum biodh sinn air ìmpidh a

Government and claim the subsidy on them as well.

We had no knowledge that the company was doing such a dishonourable thing, but we noticed that the company were keen to claim back any book of unused tickets, even to the extent that they would allow those with unused tickets across the bridge free on one unused ticket and confiscate the book. This act of unusual generosity on the company's behalf drew our attention.

In a letter dated 12th January 2000, Quentin Fisher from the Transport Division of the Scottish Executive wrote to SKAT informing us that the toll freeze based on January 1999 prices on the Skye Bridge was now in operation. In the same letter and in response to our request for a meeting with Sarah Boyack to discuss the tolls issue he informed us that the Minister considered that there would be 'no purpose' in such a meeting if we wanted to discuss the abolition of tolls.

We got no response from the Minister on our concern about the date stamp. But we continued to raise this issue with the Minister and with politicians in an attempt to get clarification. On 17th September 2000 Julian Toms, Myrna Scott-Moncrieff and I all tested this issue at the toll booth. We all presented books of tickets which were out of date. In each case they allowed us to cross the bridge on one of the out-of-date tickets, and confiscated the book with the remaining out-of-date tickets. We pushed this matter with the Minister, who later told us that she would negotiate with the company for the removal of the date stamp, but this was never done.

*

So SKAT moved into the new century still fighting and contesting every aspect of the toll scheme and still meeting with resistance to our main argument that the toll be abolished. But the implications of the freeze on prices, and the imposition of VAT were bound to put considerable financial pressure on the Scottish Executive which they appeared to be trying to hide away from, and which we were determined to expose.

We were aware that the Government were in a hole with this Public Finance Initiative and as yet they had not realised that they should stop digging. On the contrary they were digging furiously. We were confident that sooner or later they would be compelled to stop digging and to try and find a way out. If we kept our organisation going, and kept the issue in the public eye, we felt that by the time of chur air gu leòr de BhPA aig an ath thaghadh Albannach gun robh am PFI caillte agus gum bu chòir cur às dhan sgeama air fad.

Ri linn na treise seo, an dèidh sgaradh SKAT agus na Taghaidhean Albannach ann an 1999 gu ruige an taghadh sa Chèitean 2003, bha SKAT ag obair gu dìcheallach is gu cunbhalach airson 's gun tigeadh buil à taghadh 2003, oir b' ann bhon seo a bha dùil againn ri taic gus cur às dha na cìsean.

Bha, thoir fa-near, iomadach rud air ar cur far ar rathaid beagan, nam measg na rudan a chaidh a ràdh gu bitheanta sna meadhanan gun rachadh na cìsean a thoirt air falbh a dh'aithghearr ri linn ghnìomhan laghail Robbie-the-Pict sna cùirtean. Ach cha robh buaidh mhòr sam bith aige seo uile air ar suidheachadh. Gu nàdarra, rachadh ar cur fo dhorrain aig luchd-naidheachd a h-uile turas a chanadh Robbie-the-Pict rudeigin mu na cìsean agus a bhite ag iarraidh oirnn freagairt a thoirt seachad. Ri tìde, bha innleachd againn gus dèiligeadh ri seo. Chanadh sinn, ''S e deagh naidheachd a tha sin. Tha sinn an dòchas gu bheil i ceart', agus cha chanamaid sìon eile. Cha robh an luchd-naidheachd fada a' fas seachd searbh sgìth dhe bhith a' faighneachd dhinn mu na bh' aig Robbie-the-Pict ri ràdh, agus chum sinne oirnn leis ar gnothaichean fhèin.

B' e an rud a bu chudromaiche a thachair aig an àm seo ach an cò-dhunadh a ghabh Comhairle na Gàidhealtachd gum faigheadh iad sgrùdadh o Oilthigh Napier, rud a chaidh fhoillseachadh anns an t-Samhain 2002. Bha an sgrùdadh, a chaidh a dhèanamh leis an Ollamh Ronald McQuaid agus Malcolm Greig, glè shoilleir san rannsachadh a rinneadh air buaidh eaconamach nan cìsean àrda air an eaconamaidh ionadail.

B' e seo an seòrsa fiosrachaidh a bha sinne ag iarraidh a chruinneachadh agus a sgaoileadh ro na taghaidhean Albannach. Bha sinn làn chinnteach gun togadh a leithid sin de dh'fhiosrachadh aire nam meadhanan agus tro sin aire an luchd-poilitigs, on a b' e iadsan a b' èifeachdaiche a thaobh ar n-amas a choileanadh agus cur às dha cìsean Drochaid an Eilein. ❐

the next Scottish elections we would have convinced enough Scottish MSPs that this PFI was a lost cause and should be scraped.

In this period, following the SKAT split and the Scottish elections in 1999 until the elections in May 2003, SKAT worked consistently for an effective outcome to the May 2003 elections, for this was where we expected to gain the support for the abolition of the tolls.

There had of course been many distractions, not least the frequent media reports that the tolls would be off imminently as a result of court action by Robbie-the-Pict. However this had no real effect on our position. At first of course we would be badgered by press reporters every time Robbie-the-Pict made an announcement about the tolls coming off and asked to comment. We eventually developed a standard response to that frequently recurring situation. We would say, 'That's great news. We hope it is correct', and refuse to comment further. The press soon got fed-up asking us about Robbie-the-Pict's announcements and we just got on with our own programme.

The most important development in this period was the decision by the Highland Council to commission a Napier University study which reported in November 2002. The study conducted by Professor Ronald McQuaid and Malcolm Greig was very clear in its examination of the economic implications of the high tolls on the local economy.

This was the sort of data we were anxious to collect and to distribute before the Scottish elections. We were convinced that such facts recorded and frequently repeated would catch the attention of the media and through them get to the politicians, since it was politicians who could, most effectively bring about our objective to abolish the tolls on the Skye Bridge. ❐

Caibideil 8: Buaidh san Amharc

Mar a thuirt mi cheana, Bha mòran againn ann an SKAT air a bhith a' feitheamh gu dealasach ris an Taghadh ann an 1997, oir bha sinn cinnteach nam buannaicheadh na Làbaraich e gun rachadh cur às dha sgeama cìsean na drochaide. Bha sinn air creidsinn nach robh san sgeama ach beachd gòrach gun smaoin, rud a rinn cuid de mhinistearan Tòraidheach suas, agus gun robh a-nist fìor dhroch chliù aig an sgeama agus aig na daoine a chruthaich e. Bha sinn eadhon air smaoineachadh gun cuireadh Riaghaltas Tòraidheach às dhan sgeama nan rachadh an taghadh.

Ach sa Chèitean 2003 cha robh sinn cho maoth aineolach mun ghnothach. Bha sinn a-nist a' tuigsinn gun robh am PFI – a bha sinne an dùil a bha dìreach gu bhith air a dhèanamh aon turas a-mhàin – mar thoiseach-tòiseachaidh de phrògram mòr a fhuair taic bho na Tòraidhean agus na Làbaraich Ùra, agus gu dearbh bhon a h-uile buidheann is eile ann am Breatainn. Bha leabhar George Monbiot *Captive State* air tuigse a thoirt dhuinn mu dheidhinn na 'dìomhaireachd' mu carson a chùm an luchd-poilitigs orra a' dìon an rud nach gabhadh a dhìon.

Mar sin, bha sinn fada na bu mhothachaile dha na duilgheadasan a bhiodh againn ann a bhith a' toirt air an luchd-poilitigs cur às dha na cìsean. Ach aig an aon àm bha sinn meadhanach cinnteach gum faigheadh sinn an toradh a bha dhìth oirnn ri linn an obair mhòir a bha sinn air a dhèanamh ann an Alba – nan dèigheadh am partaidh 'ceart' a thaghadh.

Bha mi air bhioran a' faicinn toradh an Taghaidh mar sin. Bha mi gam mheas fhìn an ìre mhath eòlach air saoghal nam poilitigs, agus air taghaidhean, ach nach mi a bha ceàrr a thaobh an Taghaidh Albannaich ann an 2003. Anns na taghaidhean uile bha mise cleachdte ris an t-siostam far an robh dà phartaidh ann agus far am biodh aonan dhiubh a' dèanamh na cùise air an fhear eile. Mar sin nuair a bhios tu a' coimhead air toradh nam bhòt agus iad a' tighinn a-steach, bidh dùil agad gum bi am partaidh dùbhlanach a' dèanamh gu math ma bhios partaidh an Riaghaltais a' dèanamh gu dona, neo a chaochladh.

Chapter 8: Victory in Sight

Many of us in SKAT had been eagerly looking forward to the UK General Election in 1997, because we felt sure that if Labour won that election then the Skye Bridge toll scheme would be abolished. We had believed that this scheme was just the somewhat ill-prepared right wing tinkering of some Tory Ministers and that the scheme and its backers had been entirely discredited. We had even thought that if a Tory Government were re-elected they would dump this scheme.

By May 2003 we were no longer naive about this. We now understood that Public Finance Initiatives which we had considered a one-off experiment were in fact the start of a massive programme that was supported by both the Tory and New Labour parties and indeed by the whole British establishment. Commentators like George Monbiot in his book *Captive State* had helped us to understand the 'mystery' of why politicians kept defending the indefensible.

We were therefore much more aware of the difficulties we were encountering to persuade politicians to abolish the toll. We were nevertheless fairly confident that the work we had done in Scotland would bring us the result we required, if only the electorate gave us the 'right' result.

I watched the election results come in with great interest. I considered myself relatively aware of politics and of elections, but I was caught out badly by the Scottish election in 2003. All my experience in political elections had been in a two party, first-past-the-post electoral system. So in watching election results coming in, one expects to see the opposition party doing well, if the Governing party is doing badly, or vice-versa.

Air an oidhche sin, chuir e iongnadh orm nach robh na Làbaraich, am prìomh phartaidh, a' dèanamh ro mhath agus a' call shuidheachan, agus nach robh am prìomh phartaidh dùbhlannach, na Nàiseantaich, a' dèanamh dad na b' fheàrr agus gun robh iad -a' call barrachd shuidheachain buileach.

On a bha sinn cinnteach nach robh cìsean na drochaide na ceist ro chudromach san taghadh san fharsaingeachd, agus gum b' iad na Nàiseantaich am partaidh a bu mhotha a gheall gu glan gun cuireadh iad às dha na cìsean, cha robh toradh an taghaidh a' toirt mòran misneachd dhuinn idir.

Gidheadh, nuair a bha a h-uile rud follaiseach agus comasach a sgrùdadh mar gum biodh, thuig mi gun d' fhuair sinn an toradh a bha a dhìth oirnn, eadhon ged nach d' fhuair san dòigh san robh dùil agam. Bha na bhòtairean Albannach air feum a chur air an t-siostam ùr cho-roinneil gu ìre fada nas motha na rinn iad ann an 1999.

Cha do chaill na Làbaraich ach 5 suidheachain, agus bha na Lib-Deamaich fhathast mar a bha iad. Bha am Partaidh Nàiseanta, am partaidh dùbhlanach a bu mhotha, air 8 suidheachain a chall, bhòtaichean a bha cha mhòr uile ceangailte ris na cìsean, ach bha Am Partaidh Uaine air 6 a bharrachd a bhuannachadh, bha 5 a bharrachd aig a' Phartaidh Shòisealach Albannach, gam fàgail le 6 uile gu lèir, agus bha 4 aig daoine neo-eisimeileach. Ri linn na rinn sinn gu poilitigeach eadar na taghaidhean bha sinn air geallaidhean fhaighinn bhon Phartaidh Uaine agus bhon Phartaidh Shòisealach, agus gu dearbh o dhithis neo-eisimeileach, gum bhòtadh iad airson cur às dha na cìsean.

Bha an suidheachadh a-nist air a chaochladh. Bha e comasach dha na Làbaraich agus na Lib-Deamaich Riaghaltas a chur ri chèile, ach cha robh ach 3 suidheachain a bharrachd aca. Bha seo math gu leòr air pàipear mar gum biodh, gu sònraichte on a bha e coltach gun toireadh na 18 Tòraidhean an taic dhan Riaghaltas a thaobh bhòt sam bith a dh'fheuchadh ri toirt air an Riaghaltas cur às dha na cìsean. Ach bha fìrinn na cùise poilitigich glè eadar-dhealaichte. Bha Iain Fearchar Rothach BPA, a bha air bhòtadh an aghaidh na compàirte leis na Làbaraich ann an 1999 ri linn ceist nan cìsean, ga dhèanamh soilleir gun dèanadh e an aon rud a-rithist, agus le taic bho Lib-Deamaich eile, mura rachadh cur às dha na cìsean a ghabhail a-steach do chùmhnant na compàirte.

A-nist, bha seo a' cur nan Làbarach Albannach ann am fìor staing. 'S cinnteach gun robh Tònaidh Blàir agus ceannas RA a' phartaidh dubh an aghaidh Riaghaltas na h-Alba a bhith a' cur às dha na cìsean agus mar sin a' trèigsinn a' chiad PhFI san RA. Ach gun a bhith ri seo gu dìleas, bha iad a' cur an Riaghaltais ùir mheasgaichte ann am fìor chunnart.

That night to my surprise the Labour Party, which was the main party of Government were not doing well, and losing seats, while the main opposition, the SNP were doing even worse and losing more seats.

Since we were quite clear that the Skye Bridge toll was not a major issue in the election as a whole, and since the SNP were the largest party which had given us an unconditional commitment to abolish the toll, these early results were less than encouraging.

However when the full results came out and could be properly examined, I realised that we had got just the result we required, even if not in the way I had expected it to come. The Scots had used the new proportional representation aspect in the electoral system to a much greater extent than they had done in 1999.

Labour had lost only five seats, and the Lib-Dems had held their ground and neither lost or gained. The main opposition, the SNP, had lost eight seats, all of which of course would have been anti-toll votes, but the Scottish Greens had gained six seats giving them a total of seven, the Scottish Socialist party had gained five seats, giving them a total of six, and four independents had been elected. Because of our political work in the period between the elections, we had secured promises from the Greens, and from the Socialists, and indeed from two of the independents that they would vote for abolition of the tolls.

The situation now was transformed. Labour and the Lib-Dems still could form a Government, but now only with an overall majority of three. On paper this was sufficient, particularly since the Tory block vote of eighteen would likely support the Government on any vote over the attempt to force abolition of the tolls. However the practical political realities were very different. John Farquhar Munro MSP, who had voted against the partnership agreement with Labour in 1999 over the tolls, was making it clear that he would be doing so again, and with support from other Lib-Dems, if the abolition of the tolls was not included in the partnership agreement.

Now this placed the Scottish Labour leadership in a real dilemma. No doubt Tony Blair and the UK Labour leadership were bitterly opposed to the Scottish Executive abolishing the Skye Bridge tolls and thereby abandoning the first UK Public Finance Initiative. However not to commit themselves to this was to put their chance of a new coalition Government in jeopardy.

Cha b' e ceist nan cìsean an rud a bu chudromaichte ann an Alba, ach bha an t-Eilean Sgitheanach na phàirt glè mhòr de sgìre ceannabhair nan Lib-Deamaich, Teàrlach Ceanadach BP, agus bha iadsan gu mòr airson cur às dha na cìsean. Mar sin nan cumadh iad ris a' sin bhiodh na Làbaraich ann an trioblaid mhòir. B' urrainn dhaibh, thoir fa-near, gu leòr de bhòtaichean – air pàipear – fhaighinn a chumadh bhòt airson cur às dha na cìsean na thàmh sa Phàrlamaid, ach bha e coltach gun toireadh sin air cuid dhe buill a' phartaidh Làbaraich dol an aghaidh am partaidh fhèin, agus bhiodh luchd-taic Làbair ann an Alba glè dhiombach riutha.

Cha robh teagamh againne ann an SKAT nan cumadh na Lib-Deamaich orra gun aontaicheadh Làbar ri cur às dha na cìsean, mar phàirt dhen phrìs mar gum biodh airson cùmhnant compàirte eile. Agus 's e seo a thachair gu dearbh, ach chaidh a chur an cèill ann an uimhir de dhiofar dhòighean 's gum biodh tòrr dhiofar dhòighean ann gus a leughadh, agus 's ann mar sin a bha. Dhìon sinne ann an SKAT sinn fhèin, cha dèigheadh ar mealladh a-rithist le geallaidhean poilitigeach, an turas seo b' e gnìomh 's cha b' e briathran a bha a dhìth oirnn.

San Ògmhios 2003 fhuair sinn litir bhon Riaghaltas Albannach a bha a' dèiligeadh ri cùmhnant na compàirte anns an robh an rud daingeann seo a leanas sgrìobhte: 'To review existing Skye Bridge tolls, and enter into negotiations with a view to ending the discredited toll regime for the Skye Bridge.'

Thug seo misneachd mhòr dhuinn, gu h-àraid na faclan mu dheidhinn cur às dhan 'discredited toll regime', rud a shaoil sinn a bha fìor mhath, ach bha sinn faiceallach fhathast. An dèidh a h-uile càil cha b' ionann 'entering into negotiations' agus cur às dha na cìsean.

Chùm sinn oirnn a' cur chaismeachdan is rudan eile air chois air an drochaid. Bha gnothach mòr againn air an drochaid san t-Sultain 2003, nuair a thug sinn seachad bileagan do luchd-cleachdaidh na drochaide, agus bha tòrr ùidh aig daoine annta. An uair sin air 1 an t-Samhain 2003 fhuaireadh fios gun robh an Riaghaltas Albannach air toiseachadh air barganachadh ris a' chompanaidh. Air 25 an t-Samhain chuir SKAT Cuairt-litir eile a-mach anns an do mhol sinn Iar-neach-gairme Chomhairle na Gàidhealtachd, Alison Magee, air sgàth 's na rinn iadsan gus na cìsean a thoirt air falbh.

Mu dheireadh 2003, mar sin, bha sinn dòchasach gun robh crìoch a' tighinn air sgeama nan cìsean air Drochaid an Eilein, ach bha sinn fada bho bhith ro chinnteach às.

The Skye tolls issue was not the most important issue in Scotland, but Skye was a major part of the constituency of the new Lib-Dem leader, Charles Kennedy MP and the Lib-Dems were committed to abolition of the tolls. So if they held firm Labour were in difficulty. They could of course, on paper, get enough votes from the Tories to hold off any abolition vote in Parliament, but such a move was likely to push some of the Labour members into revolt and would have been highly unpopular with Labour supporters in Scotland.

We in SKAT had no doubt that if the Lib-Dems held firm then Labour would agree to the abolition of the tolls, as part of the price for another coalition partnership agreement. This was in fact what happened, but it was worded in such a way as to be open to different interpretations, and of course it was. We kept our guard up. We were not about to be misled again about political promises. This time we were looking for actions.

In June 2003 we got a letter from the Scottish Executive dealing with the Partnership Agreement which contained this commitment written in the following terms: 'To review existing Skye Bridge tolls and enter into negotiations with a view to ending the discredited toll regime for the Skye Bridge.'

We were very encouraged by this, particularly the reference to ending the 'discredited toll regime' which we saw as very positive, but we remained very cautious. After all 'entering into negotiations' was not the same as ending the toll regime.

We continued to organise protests and demonstrations on the bridge. We had a major demonstration on the bridge in September 2003, where we put out leaflets to bridge users which got a considerable response from the public. Then on 1st November 2003 it was reported that the Scottish Executive had entered into negotiations with the company. On 25th November SKAT issued another newsletter in which we paid tribute to the Highland Council Convener, Alison Magee, for the efforts being made by Highland Council to get the tolls removed.

By the end of 2003 therefore we were hopeful that the toll regime on the Skye Bridge was coming to an end, but we were far from complacent.

A-staigh dhan Bhliadhna 2004

Air 10 am Faoilleach bha sgeul sna meadhanan nan rachadh na cìsean a thoirt dhe Drochaid an Eilein gun dèigheadh an dà aiseag a chall mar bhuil, sin aiseag beag an t-samhraidh ann an Gleann Eilge agus aiseag Armadail ann an ceann-a-deas an eilein. Cha robh an sgeul seo a' dèanamh ciall dhuinne, agus is dòcha nach robh ann ach oidhirp air beachdan muinntir an eilein a sgaradh a thaobh ceist nan cìsean.

Sgrìobh an Comhairliche Charlie King gu Nicol Stephen, Ministear na Còmhdhaile, a' sireadh freagairt cinnteach mu na h-aiseagan, agus rinn sinn soilleir e gun rachadh airgead luchd-pàighidh chìsean nàiseanta a shàbhaladh 's cha b' e cur ris nan cuirte às dha cìsean na drochaide.

Aig a' Choinneimh Bhliadhnail againn air 25 an Gearran bha an t-Ionmhasair, Dorothy Pearce, comasach air innse dha na buill a bha an làthair gun robh sinn fhathast a' faighinn taic-airgid o na buill agus gun robh barrachd is £500 sa chùnntas-seice againne. Chaidh an Dr Toms ath-thaghadh mar ar Neach-gairme cho math ris na h-oifigearan uile airson na bha sinn an dùil 's an dòchas a bhiodh mar a' bhliadhna mu dheireadh againn. Chaidh a chur roimhe cuideachd gum bu chòir dha na h-oifigearan sgeulachd ar n-iomairt a sgrìobhadh sìos agus fhoillseachadh ma bha, gu dearbh, na cìsean gu falbh am-bliadhna.

Air 1 an Cèitean 2004, bliadhna an dèidh an taghaidh, rinn SKAT rud mòr eile air Drochaid an Eilein agus chuir sinn Cuairt-litir eile a-mach. Chleachd sinn an latha seo gus cuideam a chur air an luchd-poilitigs a-rithist. Chum sinn a-mach gun robh a-nist àireamh fìor mhòr de dhaoine sa Phàrlamaid Albannaich airson cur às dha na cìsean, agus mhìnich sinn aon uair eile cho daor 's a bhiodh e dhan phoball na cìsean a chumail.

Air an aon latha sgrìobh sinn an litir (a ghabhas fhaicinn air duilleig eile) gu Iain Fearchar Rothach BPA.

*

Chùm sinn oirnn a' cur dragh air an luchd-poilitigs agus sgrìobh sinn gu Cathy Jameson BPA, Ministear Albannach a' Cheartais, air 24 an Cèitean, ga dhèanamh soilleir dhi gun robh sinn daingeann gun toireadh sinn dùbhlan an aghaidh an dreuchd 'mhì-laghail' a bha aig na poilis ann a bhith a' dìon obair a' chompanaidh a chionn 's nach robh an companaidh deiseil neo comasach air a' chùis a shabaid sna cùirtean shìobhalta. Thogadh sinn fianais le bhith a' cur chruinneachaidhean mòra mòra air chois a chuireadh bacadh air carbadan an t-samhraidh bho bhith a' tighinn air an drochaid, gus sealltainn cho neo-èifeachdach is a bha cleasan a' chompanaidh agus nam poileas.

Chuir sinn rud mòr eile air dòigh air an drochaid air 3 an t-Iuchar. B' e prìomh amas a' ghnothaich-sa ach gairm air gach neach a bha an aghaidh

Into 2004

On 10th January 2004 there was a story in the media that if the tolls were taken off the Skye Bridge this high expenditure would result in the loss of the two ferries, the small summer one at Glenelg and the Armadale ferry in south Skye. This story made no sense to us and may indeed have been simply an attempt to divide opinion on the island on the issue of the tolls.

Councillor Charlie King wrote to the Transport Minister Nicol Stephen seeking reassurance on the ferries and we pointed out that the removal of tolls on the Skye Bridge would save taxpayers money, not add to their expense.

At our AGM on 25th February the Treasurer, Dorothy Pearce, was able to inform SKAT members that we were continuing to receive financial support from members and had over £500 in our current account. Dr Toms was re-elected as our Convener and all the other officers were re-elected to office for what we all hoped would be our last year. The AGM also decided that the officers should take steps to get the history of the campaign written and published if indeed the tolls did come off this year.

On 1st May 2004, a year after the election, SKAT organised another major demonstration on the Skye Bridge, and put out another newsletter. We used this date to once again put pressure on politicians. We argued that there was now a majority in the Scottish Parliament for the abolition of the tolls and we again explained the high public costs of keeping the toll.

On the same date we wrote the letter (shown overleaf) to John Farquhar Munro MSP.

*

We kept the pressure up on the politicians we wrote to Cathy Jamieson MSP Scottish Justice Minister on 24th May and made it clear to her that we were determined to challenge the 'illegal' role the police were being forced into to defend this company's operations because the company was not prepared, or able, to take matters through the civil courts. Our challenge would be by mass demonstrations disrupting the summer traffic on the bridge, to demonstrate the ineffectiveness of the company and police tactics.

We also organised another major demonstration on the bridge on 3rd July. The main theme for this demonstration was a call to unite all

Skye & Kyle Against Tolls (SKAT)

General Secretary: Convener:
Andy Anderson Dr Julian Toms
Eadar dà Allt , 22, Earlish, Portree Medical Centre
Nr Portree. Isle-of-Skye
Isle-of-Skye IV51-9XL
Tel: 01470-542365 Fax: 01470-542715
e-mail: andy_a_2000@yahoo.co.uk

Saturday 1st May 2004

To: John Farquhar Munro MSP
Ref: skMSP504

Dear Sir,
Re: Skye Bridge tolls.

As you are aware we in SKAT take the view that you, as an individual MSP, have consistently endeavoured to honour the promise you made to our community to work for the abolition of the Skye Bridge tolls.

This is in stark contrast to most politicians who have always found other things more pressing, or more immediate, than the removal of the tolls. Indeed we note that in order to try to meet your commitment to the community on this, you have had to threaten your own party with voting against the Partnership Agreement.

We have had enough of this political paralysis, where Scottish Ministers confronted by the Skye Bridge Company act like a rabbit hypnotised by a weasel. We have now decided as an organisation to re-open our direct challenges at the toll booth.

At 12 noon to-day two teams of SKAT protestors approached the toll booths from both sides of the bridge with me at the head of one group, and Dr Toms leading the other.

Our objective was to smoke out the mysteries of the date stamp swindle. Some four years ago Alasdair Morrison MSP who was then a Minister told a meeting on tourism in Nairn, in answer to a question from me, that the Scottish Executive were taking steps towards dealing with the date stamp issue.

We thought we would help the Scottish Executive address some of these issues, and we very successfully did that. Our protest exposed the following, for which we have indisputable evidence:

That the Company is not applying its own stated 'rules' relating to the use of outdated tickets in an open and consistent way.

That the company is not prepared to test the legality of its 'rules' in the Civil Courts.

That the company is trying to use the police and the power of the criminal law to uphold its self imposed 'rules' which are purely a civil matter, and are not a matter for the police.

That the company have a strategy of refusing to deal with their 'civil rights' responsibilities, or to debate them, by forcing ticket holders to stay behind a closed barrier in the hope that they will cause obstruction on the highway and that this will force the police to act against them.

This is an abuse of the civil and criminal law, blatantly carried out in order to defend the use by the company of the appalling date stamp system which is so disadvantageous to the families on low incomes in our community.

It is now quite clear to us that the company has no legal grounds for using the date stamp system, and knows that it is incapable of establishing this in a civil court so it is attempting to deliberately hold our community to ransom by causing an obstruction on the highway, then forcing the police to clear the obstruction.

We will not be intimidated by such tactics. We intend to challenge this regularly and effectively until we have exposed this fraud and given low income families the full right to lower crossing tickets which are currently available to regular users.

We would be obliged if you would, as a matter of urgency bring this to the attention of Nicol Stephen, the Scottish Transport Minister for his attention.

This particular abuse could of course be done away with overnight if the Minister is able to tell us that the tolls will be removed.

Le deagh dhùrachd,
Andy Anderson

nan cìsean co-obrachadh le chèile mar a bha san toiseach mus do thachair an sgaradh ann an SKAT. Mar a sgrìobh an Dr Julian Toms nar bileig: 'The time has come for all these who wish to see the end of the tolls to gather together for a final show of strength.' Bha sinn toilichte gun robh an tagradh seo soirbheachail ann a bhith a' toirt nan daoine sin nach do ghabh pàirt ann an gnothaichean SKAT bho chionn treise air ais thugainn.

Air an aon latha san robh an rud mòr seo air chois air Drochaid an Eilein, dh'innis Mgr Jim Wallace, Leas-Phrìomh-Mhinistear sa Phàrlamaid Albannaich mar fhreagairt do cheist a chuir Iain Fearchar Rothach ris gun rachadh na cìsean a thoirt dhen drochaid ro dheireadh na bliadhna.

Bha e na cùis ùidhe dhuinn gun do dh'adhbhraich an aithris seo ùpraid mhòr san Riaghaltas mheasgaichte, agus taobh a-staigh na seachdain bha seirbheiseach catharra a' dèanamh leisgeul 'a' soilleireachadh' na thuirt an Leas-Phrìomh-Mhinistear. 'S e an co-rèiteachadh eadar a h-uile buidheann a bhiodh crìochnaichte ro dheireadh na bliadhna, agus sin na bha e a' mìneachadh.

Bha an oidhirp leibideach seo gus glas-ghuib a chur air an Leas-Phrìomh-Mhinistear ag innse mòran dhuinn mun strì a bha a' dol eadar ceannas Làbair Ùir agus na Lib-Deamaich ann an Alba mu dheidhinn na ceiste seo, agus dhaingnich seo ar beachd gum feumamaid cumail oirnn a' cur cuideam air Làbar Ùr, a dh'fhaodadh tionndadh gus na Tòraidhean fiù 's airson taic.

Tha e soilleir gun d' rinneadh an co-dhùnadh cur às dha na cìsean gun cus cuideim a bhith ga chur air an Riaghaltas, le mòran a' cur aonta ris.

Chaidh ar beachd a thaobh cho cugallach is a bha an suidheachadh a dhearbhadh nuair a thuirt Iain Fearchar Rothach BPA air a' phrògram rèidio 'Ceann Latha' gun leigeadh e dheth a dhreuchd sa phartaidh aige agus gun seasadh e mar bhall neo-eisimeileach mura cuireadh an Riaghaltas measgaichte às dha na cìsean.

Tha e soilleir gun d' rinneadh an co-dhùnadh cur às dha na cìsean gun cus cuideim a bhith ga chur air an Riaghaltas, le mòran a' cur aonta ris, agus gun robh deagh choltas ann gun cuireadh am partaidh dùbhlanach sa Phàrlamaid Albannaich moladh air adhart bhòtadh air a' cheist, bhòt a dh'fhaodadh an Riaghaltas a chall. Bha fios agam o m' eòlas a thaobh aonta a ruighinn ann an leithid seo de shuidheachadh nach robh rud sam bith dèanta gus an robh e crìochnaichte. Faodar an rud air a bheil an coltas gu bheil e socraichte tuiteam às a chèile sa mhionaid mu dheireadh, agus gu tric mar bhuil air ceist bhig a choreigin. Bha e cudromach gun cumadh SKAT orra a' cur dragh air an Riaghaltas ach a bhith faiceallach nach dèanadh sinn rudeigin a dh'adhbhraicheadh sgaradh san aonta.

Mar sin, bha sinn eadar dhà leann leis an ath rud a rinn an Riaghaltas. Fhuair sinn litir o Nicol Stephen, Ministear na Còmhdhaile, a' toirt cuireadh dhuinn a bhith air comataidh a dhèanadh sgrùdadh air a h-uile drochaid le cìsean ann an Alba agus fios a chumail ris an Riaghaltas Albannach mun deidhinn. Ciamar a fhreagradh sinn an cuireadh seo?

the anti-toll protesters to co-operate together as had been the case in the beginning before the split in SKAT. As Dr Julian Toms put it in our leaflet: 'The time has come for all these who wish to see the end of the tolls to gather together for a final show of strength.' We were pleased that this appeal did have the effect of bringing people back to SKAT who had not participated for some considerable time.

On the same day as this big demonstration on the Skye Bridge, Mr Jim Wallace, Deputy First Minister of the Scottish Parliament, in response to a question from John Farquhar Munro MSP made a statement that the Skye tolls would be off before the end of the year.

It was of great interest to us that this statement caused great consternation in the coalition government and within the week a civil servant was making a statement 'clarifying' the Deputy First Minister's comment. It was, he explained, the negotiations which would be over by the end of the year, that the Deputy First Minister was explaining.

This somewhat bungled attempt to gag the Deputy First Minister spoke volumes to us about the struggle that was raging between the leaderships of New Labour and the Lib-Dems in Scotland over this issue and confirmed our view that we had to keep up the pressure on New Labour, who even now might turn to the Tories for help.

It is clear that the political decision to abolish the toll on the Skye Bridge was not arrived at without a great deal of pressure being applied, and from several quarters.

Our view of the delicacy of the situation was further confirmed when John Farquhar Munro MSP made a statement to the Gaelic Current Affairs radio programme *Ceann Latha* in which he made it clear that if the Coalition Government did not abolish the Skye Bridge tolls, he would resign the Lib-Dem whip and stand as an Independent.

It is clear that the political decision to abolish the toll on the Skye Bridge was not arrived at without a great deal of pressure being applied, and from several quarters, and backed up by the real possibility that the opposition in the Scottish Parliament might put a motion before the house for a vote on the issue, which the Government could well lose. I knew, from years of experience in negotiations that a deal is not done until it is completed. That what appears to be settled can often fall apart at the last minute and often as a result of some minor issue. It was important for SKAT to keep up the pressure but to be careful not to make an error which would contribute to the deal falling apart.

The Executive's next move therefore presented us with a dilemma. We got a letter from the Transport Minister, Nicol Stephen, inviting us to sit on a committee that would examine all the tolled bridges in Scotland and report back to the Scottish Executive. How were we to respond to this invitation?

Riamh bho thòisich an iomairt an aghaidh nan cìsean bha sinn air cumail ris an argamaid gum bu chòir deasbad ceart a bhith ann air a' cheist agus an robh e math neo dona cìsean a bhith ann, agus bha sinn air iarraidh air an Riaghaltas sin a dhèanamh gu bitheanta. On a bha an Leas-Phrìomh-Mhinistear air a ràdh gu poblach gun rachadh cur às dha na cìsean ro dheireadh na bliadhna, am biodh e glic dhuinn bhith air comataidh Riaghaltais gus seo a 'sgrùdadh'?

Smaoinich sinne ann an SKAT gu cruaidh air a' chuireadh seo. Ann a bhith a' cur a' chomataidh seo air bhonn an robh an Riaghaltas a' feuchainn ri ar n-aire a thoirt far na ceiste agus an cuideam a bh' orra an dràsta a sheachnadh? Nan gabhadh sinn pàirt sa chomataidh, agus gun deigheadh dàil a chur ann a bhith a' cur às dha na cìsean mar thoradh air seo, an cailleadh sinn taic na coimhearsnachd? Nan diùltadh sinn dol air a' chomataidh, am biodh cuid dhe na BPA Làbarach a gheall taic a thoirt dhar n-iomairt a-nist gar faicinn mar bhuidhinn nach robh deònach co-obrachadh còmhla riutha agus gun sguireadh iad a' toirt taic dhuinn?

Cha b' e ceist fhurasta a bh' ann dhuinn, agus bha sinn ag iarraidh a bhith faiceallach nach rachadh an t-adhartas a bha sinn air a dhèanamh ann an saoghal nam poilitigs a mhilleadh. Gidheadh, an dèidh dhuinn sùil gheur a thoirt air a' cheist rinn sinn co-dhùnadh gum bu chòir dhuinn diùltadh, gu modhail, an cuireadh a ghabhail, agus gum bu chòir dhuinn cuideam a chumail air an Riaghaltas na cìsean a thoirt air falbh a-nist. Seo lethbhreac dhen litir a chuir sinn gu Ministear na Còmhdhaile.

Skye & Kyle Against Tolls (SKAT)
General Secretary: Convener:
Andy Anderson Dr Julian Toms
Eadar dà Allt 22, Earlish, Portree Medical Centre
Nr Portree. Isle-of-Skye
Isle-of-Skye IV51-9XL IV51-9BZ
Tel: 01470-542365 Fax: 01470-542715
e-mail: andy_a_2000@yahoo.co.uk

Thursday 22nd July 2004

To: Nicol Stephen MSP Minister of Transport
Ref: SKAT_SE704

Dear Sir, **Re: Review of Tolled Bridges**
I write on behalf of SKAT to thank you for the invitation to our organisation to serve on the above committee. SKAT has given careful consideration to this request.

We as an organisation are always eager to assist the elected Government in any way we possibly can to examine and review important policy issues, and we were honoured by this invitation.

Since the beginning of the anti-tolls campaign we had consistently argued that the issue should be properly debated and examined on its merits and had frequently attempted to get the Government to do that. Now that the Deputy First Minister had publicly announced that the tolls would be off by the end of the year was it wise for us to join a Government committee to 'examine' this?

SKAT gave this invitation serious consideration. Was the establishment of this committee just a way for the Scottish Government to kick this issue into the long grass and evade this pressure they were currently under? If we participated in this committee and this resulted in a delay to remove the tolls, would we lose the community support which we currently had? If we refused to serve on the committee would some of the Labour MSPs who had promised to support the abolition of the tolls, now see us as being uncooperative and withdraw their support?

The issue was not an easy one for us to handle and we wanted to be careful not to upset the progress we had made in the political arena. However on examination of this issue we came to the conclusion that we should politely reject the offer to sit on this Government committee and keep up the pressure on the Government to take the tolls off now. I copy below our letter to the Transport Minister turning down the invitation to serve on this committee.

We feel however that we will not be able to accept this invitation and do so reluctantly for the following reasons:

(a) Any experience our committee and officers have is limited to the Skye Bridge toll and its implications.

(b) Having examined the terms of reference of the committee we can see no relevance to the Skye Bridge scheme.

(c) Unlike the other 'existing toll regimes' in Scotland the Skye Bridge scheme is quite unique in important respects. It has a different ownership structure, legislative framework, and pricing structure entirely.

(d) The Scottish Executive is publicly committed to ending the 'discredited toll regime' on the Skye Bridge, and they are expecting to achieve this by the end of the year.

We fully support the decision of the Scottish Executive to end the discredited toll on the Skye Bridge and we would like to see this done without delay. We do not feel that this committee will be helpful in bringing that about. Indeed we fear that it may be used as an excuse to delay this.

In the circumstances therefore we are not prepared to serve on this committee

Le deagh dhùrachd,
Andy Anderson

Chuir sinn lethbhreacan dhen litir seo chun nam meadhanan a' mìneachadh ar beachdan air feadh na coimhearsnachd chor agus nach rachadh ar diùltadh dol air a' chomataidh seo a mhìneachadh gu cam ceàrr. Chaidh gabhail ri seo gu farsaing sa choimhearsnachd, agus lean sinn oirnn dòighean èifeachdach a lorg gus cuideam a chur air an Riaghaltas cur às dha na cìsean cho luath 's a ghabhadh.

Bha fathannan gu leòr a' dol air feadh an t-samhraidh sin ag ràdh nach b' fhada gus nach biodh na cìsean ann, ach bha e doirbh an fhìrinn chruaidh a lorg. Chùm SKAT coinneamh airson nam ball ann an àite Am Fasgadh ann am Port Rìgh air 6 an t-Samhain gus an suidheachadh a mheasadh. Chaidh a' choinneamh seo a fhrithealadh le cuid dhe na buill a dh'fhàg SKAT na bu tràithe agus a chaidh gu buidheann Robbie-the-Pict. Thuirt Alasdair Scott aig a' choinneimh nach bu chòir dad a ràdh mu cheistean a bhuin ris an sgaradh a bha air tachairt ann an 1999. Ach cha robh e riatanach seo a ràdh oir bha SKAT air fàilte a chur air na buill a dh'fhàg sinn roimhe, agus co-dhiù cha robh riamh duilgheadas sam bith ann mu dheidhinn sin. Bha sinn toilichte gu leòr deasbad fosgailte a bhith againn agus bhòtadh gu deamocratach gus fuasgladh fhaotainn mu dhiofar bheachdan am measg nam ball.

San fharsaingeachd bha a h-uile duine aig a' choinneimh a' faireachdainn gun robh ar strì fhada a' tighinn gu crìch mu dheireadh thall. Gidheadh, chuir sinn romhainn gun coinnicheamaid a-rithist san Fhaoilleach mura rachadh cur às dha na cìsean roimh an Nollaig gus toiseachadh gu h-às ùr air ar n-iomairt.

Bha ar Neach-gairme, an Dr Toms, air falbh ann an Sealan Nua aig an àm ud, agus bha Milly Simmons glè thrang a' coimhead às dèidh a fear-cèile Danny, nach robh ro mhath na shlàinte, agus mar sin ghabh mise os làimh clàr ghnìomhan a chur ri chèile airson a cur ro na buill aig a' choinneimh san Fhaoilleach mura robh na cìsean air an toirt air falbh mu 2004.

Bha sinn air cur romhainn aig coinneamh oifigearan san Ògmhios dol gu tur an aghaidh gnothach stampa a' chinn-latha, agus air alt 's gum biodh seo èifeachdach bha sinn air a bhith a' cruinneachadh nan 'seann' leabhraichean thigeadan anns an robh beagan air fhàgail chor agus gum toireamaid iad don luchd-strì nuair a bha sinn deiseil dùbhlan a thoirt dhan chompanaidh air a' cheist seo. Ann an deasbad leis na poilis, bha sinne air cumail a-mach gur e gnothach sìobhalta a bha ann nan tairgeamaid tigead a dhiùlt neach-togail nan cìsean, rud ris an do ghabh na poilis. Cha b' e gun robh sinn a' diùltadh neo a' seachnadh pàigheadh, dà rud a bha nan eucoir anns am biodh na poilis an sàs. Gidheadh, shaoil sinn gur e gnothach sìobhalta a bha ann a bhith a' toirt seachad tigead, tigead a dhiùlt neach-togail nan cìsean a chionn 's gun deachaidh innse dha leis a' chompanaidh gun robh e a-mach à cleachdadh, ged a bha sinne a' cumail a-mach nach robh.

We sent copies of this letter to the media and explained our views widely in the community in order to ensure that our rejection of the Government's offer was not misinterpreted in any way. Our view on this was widely accepted on Skye and we continued to organise effective ways to put pressure on the Government for an early abolition of the Skye Bridge toll.

Rumours were rife that summer about the impending abolition of the toll but hard fact was difficult to come by. SKAT held a members meeting in *Am Fasgadh* Portree on 6th November to assess the situation. This meeting was attended by some of the members who had left SKAT earlier and joined the Robbie-the-Pict group. Alistair Scott made a point at the meeting that no-one should refer back to issues relating to the split which had taken place in 1999. This however was not necessary as SKAT had welcomed back members who had previously left before and there had never been any difficulty about that. We were content to use open discussion and, where required, a democratic vote to resolve any differences of opinion among members.

The general feeling at the meeting was that our long struggle was coming to an end and we were beginning to see the light at the end of the tunnel. We did however decide to meet again in January if the toll did not come off before Christmas in order to organise a new wave of protests and demonstrations.

Our Convener, Julian Toms, was away in New Zealand at that time, and Milly Simonini was very busy looking after her husband Danny who was not in the best of health, so I undertook to prepare a programme of action to put before the meeting in January if the tolls did not come off in 2004.

We had decided at an officer's meeting in June that we should make an all-out attack on the date stamp issue and in order to make this effective we had been collecting 'out of date' books of toll tickets which still had some left so that we could distribute these to demonstrators when we were ready to challenge the company on this. In discussions with the police we had argued, and they had accepted, that if we offered up a ticket which the toll collector refused to accept, this was entirely a civil matter. It was not a matter of refusing to pay, or avoiding payment, both of which were designated as criminal matters involving the police. Offering up a ticket which the toll collector refused to accept because he had been told it was out-of-date by the company, while we maintained that it was valid, was purely a civil matter.

Chùm sinne a-mach gun robh dòigh laghail aig a' chompanaidh air an argamaid seo fhuasgladh, agus b' e sin an gnothach a thoirt gu cùirt shìobhalta. B' e ar beachd-ne nach robh còir neo ceart aca iarraidh air na poilis a' chùis a rèiteach oir cha robh e na ghnothach eucoir a rèir na New Roads & Street Works Act agus mar sin cha robh na poilis a' buntainn ris idir. Ghabh na poilis ris a' bheachd seo, gur e rud sìobhalta a bha ann, ach cuideachd thuirt iad gum b' e an dleastanas-san rudeigin a dhèanamh nam biodh cus chàraichean is eile nan stad air an rathad. ❐

We argued that the company had a legal remedy to resolve such a dispute, which was to take the case to a civil court. They had, we argued, no right to ask the police to resolve this since this was not defined in the New Roads & Street Works Act as a criminal matter therefore the police had no locus in it. The police accepted that this appeared to be an entirely civil matter but pointed out that if there was a hold-up of traffic it was their duty to clear the traffic. ❐

Caibideil 9: A' Bhuaidh mu Dheireadh

Mar a bha 2004 a' tighinn gu crìch bha sinn uile a' coimhead a-mach airson comharra sam bith gun robh an Riaghaltas a' dol a chantainn rudeigin mu na cìsean, ach cha chuala sinn glid neo glad. B' e a' chiad chomharra gun robh iad a' dol a ràdh rudeigin ach alt-naidheachd anns *A' Herald* air 2 an Dùbhlachd anns an do chùm iad a-mach gun robh an Riaghaltas air rud aontachadh le Companaidh Drochaid an Eilein a thaobh na cìsean a ghabhail thairis.

Cha tuirt an Riaghaltas sìon.

Air Diluain 20 an Dùbhlachd fhuair mi glaodh-fòn bho neach-naidheachd aig ITV a dh'iarr orm agallamh a dhèanamh dhaibh air an ath latha. Dh'aontaich mi ri seo agus dh'fhaighnich mi dheth cuin is càite. Bha e ag iarraidh orm a dhèanamh ann an Caol Loch Aillse aig 8 uairean an ath mhadainn.

Arsa mise ris, 'Hang on, Kyle is a good hour's drive for me, and 8 in the morning is a bit early for a standard news report is it not?' Mhìnich e dhomh gun robh Nicol Stephen, Minister na Còmhdhaile, agus Jack McConnell, a' Chiad Mhinistear, a' dol a chantainn rudeigin ann an Caol Acainn aig a naoi, agus bha ITV ag iarraidh bruidhinn riumsa an dà chuid roimhe agus an dèidh sin.

Thuig mi ann an làrach nam bonn gum b' e seo an rud a bha sinn a' feitheamh ris fad còrr is 9 bliadhna, bha mi cinnteach gum biodh iad a' cur às dha na cìsean. Cha b' e a-mhàin gun robh iad a' dèanamh aithris ach gun robh an dà chuid a' Chiad Mhinistear agus Ministear na Còmhdhaile a' tighinn chun an Eilein gus a dhèanamh. Nam b' e 's gun robh iad a' dol a ràdh nach bite a' cur'às dha na cìsean, bhiodh iad air sin a ràdh à Dùn Èideann. Dh'aontaich mi gum bithinn ann airson an agallaimh, cha chaillinn an cothrom a chaoidh.

Chapter 9: Final Victory

As 2004 was drawing to a close we were all searching for any sign that the Government were going to make an announcement on the tolls, but we heard nothing. The first indication of some possible movement was on 2nd December when an article in *The Herald* claimed that the Government had concluded a deal with the Skye Bridge Company for a buy-out of the tolls.

There was no Government comment on that report.

On Monday 20th December I got a phone call from an ITV reporter who asked me if I would do an interview for them the next day. I agreed to do this and asked him when and where. He said he wanted the interview in Kyle of Lochalsh at 8am the following morning.

I said to him, 'Hang on, Kyle is a good hour's drive for me, and 8 in the morning is a bit early for a standard news report is it not?' He explained to me that Nicol Stephen the Transport Minister and Jack McConnell the First Minister were going to make a statement in Kyleakin at 9am and ITV wanted to interview me before and after the statement.

I realised immediately that this was to be the announcement we had been campaigning for for over nine years. The tolls were coming off, I felt certain. The fact that they were making a statement on this, did not of course mean that the tolls were coming off, but the fact that both the First Minister and the Transport Minister were coming up to Skye to make the announcement was significant. If they were announcing that they were not coming off they would have done that from Edinburgh. I agreed to be there for the interview. I would not have missed the opportunity to see the announcement on the lifting of the tolls for anything.

An ath mhadainn dhràibh mi sìos chun na drochaide agus chaidh mi a-null airson m' agallaimh sa Chaol le ITV, agus b' ann mu 7.45 a chaidh mi tarsainn air an drochaid. Agus mi a' tighinn a dh'ionnsaigh bùth nan cìsean thug mi fa-near do na bh' ann de phoilis a' toirt treòrachadh dha na carbadan uile agus gun robh soidhneachean mòra mun cuairt nam bùthan. Nuair a chaidh mi na b' fhaisge orra, mhothaich mi gun robh iad dùinte air gach taobh.

Neònach 's gu bheil e, tha cuimhne agam fhathast gun do ghabh mi clisgeadh a' faicinn seo, agus e a' tighinn a-steach orm gun robh gu fìrinneach na cìsean air falbh mu dheireadh thall. Bha mi air a bhith a' smaointinn fad deagh ùine gum biodh na cìsean a' falbh ro àm na Nollaig. Bha mi air tighinn anns a' mhadainn ud a chionn 's gun robh mi cinnteach gun robh a' Chiad Mhinistear gan toirt air falbh, ach ann a bhith a' dràibheadh thar na drochaide agus a' faighinn a-mach gun robh iad air falbh fiù 's mun tuirt am Ministear dad, b' e cùis-chlisgidh a bha ann – ach cùis-sonais cuideachd.

Nuair a chaidh mi na b' fhaisge orra, mhothaich mi gun robh iad dùinte air gach taobh.

Shaoil mi nach biodh mòran feum orm bruidhinn ann an agallamh a-nist, ach thoir fa-near ged a bha fios agamsa mu dheidhinn nan cìsean, cha bhiodh aig càch aig an àm ud. Bhiodh deagh naidheachd an dàn do choimhearsnachd an Eilein Sgitheanaich agus iad a' dùsgadh air a' mhadainn seo. Mar sin, rinn mi m' agallamh a' toirt freagairt dhan fhiosrachadh gun robh na cìsean a-nist air falbh. An uair sin chaidh mi thar na drochaide a-rithist gus bruidhinn ris a' Chiad Mhinistear agus Ministear na Còmhdhaile ann an Caol Acainn.

Nuair a thill mi dhan drochaid a-rithist bha an t-àite làn dhaoine is fuaim – nuair a bha mi air dol thairis 15 mionaidean na bu tràithe cha robh ann ach duine neo dithis aig bùth nan cìsean, ach a-nist bha mu 100 dhiubh le brataichean a' dèanamh ùpraid mhòr. Chaidh mi a-null gu Ionad Coimhearsnachd Chaol Acainn gus èisteachd ris a' Chiad Mhinistear agus e ag ràdh gu foirmeil gun robh na cìsean air an toirt dhe Drochaid an Eilein, agus bha agam ri bruidhinn ris na meadhanan a-rithist.

An dèidh a h-uile rud foirmeil a bha sin, ge-tà, chaidh mi dìreach air ais chun na drochaide. B' e sin an t-àite san Eilean air a' mhadainn sin. Chuir mi seachad beagan tìde aig an drochaid, far an robh sluagh mòr a' cruinneachadh agus an naidheachd a' sgaoileadh a-mach, agus abair gun robh faireachdainn mhìorbhaileach làidir a' fàs ann.

Bha e coltach gun deachaidh òrdugh a thoirt do luchd-obrach Chompanaidh na Drochaide bùth nan cìsean a dhùnadh gu dìreach aig 7.30 sa mhadainn, agus 's e sin a rinn iad. Bha fìor iongnadh air dràibhear an ath chàr, Mgr William Easingwood, iasgair à Dùn Barra nach do chleachd an drochaid a h-uile latha ach a bhiodh a' tighinn don eilean air tursan ceangailte ri chuid obrach.

Next morning I drove down to the bridge and crossed over for my appointment in Kyle with ITV. It was around 7.45 when I crossed the bridge. As I approached the toll booth I noticed a number of police were there directing the traffic and big road signs filtering vehicles around the toll booths. When I got close I observed that the toll booths on both sides were closed.

Strange as it seems, I can still remember the shock of this sight and the thrill of the realisation that the tolls were really off at long last. I had been expecting for some time that the tolls would be off before Christmas. I had come down that morning because I was sure that the First Minister was going to take the tolls off; but to drive over the bridge and just find them gone before even the First Minister spoke was a shock, but a very pleasant one indeed.

My press appointment seemed almost unnecessary now, but of course although I knew that the tolls were off very few others were aware of that at that time. The Skye community would be wakening to good news this morning. I therefore did my press interview responding to the fact that the tolls were now off. I then went to cross the bridge again to attend the meeting with the First Minister and the Transport Minister in Kyleakin.

When I got close I observed that the toll booths on both sides were closed.

When I got back to the bridge again the place was buzzing with excitement. When I had crossed over fifteen minutes earlier, there had only been a few people at the toll booth; now there was about 100 people waving flags and making a rumpus. I went over to Kyleakin Community Centre to hear the First Minister formally announce that the toll had been removed from the Skye Bridge and to respond to the media again.

After these formalities however I went straight back to the bridge. That was the place to be in Skye that morning. I spent some time at the bridge, where people were gathering in great numbers as the news filtered out and a fantastic atmosphere was building.

The Skye Bridge Company staff had apparently been given instructions to pull down the shutters on the toll booth at exactly 7.30 that morning which they did. The next car in line was driven by a somewhat surprised Mr William Easingwood, a fisherman from Dunbar who was not a regular user of the bridge, but who came back and forward to Skye for work-related trips.

Dh'innis Mgr Easingwood dhan *Herald*, 'I only use the bridge every three weeks so it doesn't really mean that much to me, but for the locals it does, I'm certainly happy for them.'

Fhad 's a bha an naidheachd a' sgaoileadh a-mach gun robh na cìsean air falbh, thàinig daoine bho air feadh na ceàrnaidh gus dràibheadh tarsainn na drochaide saor 's an asgaidh agus gus faighinn a-mach dè bha dol ann. Mu 8.30 tha fhios gun robh mu 300 duine ann, agus càch a' nochdadh a' togail bhrataichean, a' cur na solais chàr air agus a' seinn nan dùdaichean aca. Cha robh teagamh sam bith nach b' e seo an rud a bu nàdarra a dh'èirich às an iomairt gu lèir. Bha e air fàs bho neoni gus an robh na mìltean de dhaoine ann, taobh a-staigh uair a thìde.

An dèidh seo, agus an dèidh na thuirt na Ministearan agus na h-agallamhan agam ris na meadhanan, dhràibh mise dhachaidh agus sgrìobh mi pìos naidheachd às leth SKAT, pìos a chuir mi air an làrach-lìn againn. Thug mi fa-near agus mi a' dèanamh rannsachadh airson an leabhair seo gun do chuir mi an ceann-latha 12 an Dùbhlachd air, an àite 21 an Dùbhlachd. Bha mi fhathast air mo chlisgeadh nuair a rinn mi e.

Coltach ri coimhearsnachd gu lèir an eilein, bha buill SKAT air an dòigh leis an naidheachd gun robh na cìsean air falbh on drochaid an dèidh dhuinn a bhith air strì fad 9 bliadhna. Chaidh sinn an ceann-a-chèile airson an turas mu dheireadh aig ionad-parcaidh cafaidh an Crofter's Kitchen ann an Caol Acainn aig 6.30f air 31 an Dùbhlachd agus chaidh a h-uile duine againn tarsainn na drochaide gus Partaidh na Callainne a fhrithealadh ann an Taigh-òsta Loch Aillse. Bha na ròcaidean is eile a' dol os cionn uisge a' chaolais mar chulaidh-cuimhne do mhòran againn air na h-oidhirpan measgaichte uile a rinn tòrr dhaoine gus deireadh a chur air na cìsean.

B' e Iain Fearchar Rothach, am BPA ionadail, a ghairm a' chèilidh mhòr seo, agus shaoileadh tu gun robh an dàrna leth de mhuinntir an Eilein Sgitheanaich agus Chaol Loch Aillse ann air an oidhche ud, agus tha fhios gun robh a leithid air chois ann an iomadach baile eile san eilean aig àm na Bliadhna Ùire sin.

Chùm SKAT coinneamh fhoirmeil ann an Sabhal Mòr Ostaig ann an Slèite air Disathairne 23 an Giblean. Aig a' choinneimh seo chuir SKAT roimhe na bha air fhàgail dhe chuid airgid a thoirt seachad do charthannais ionadaile, agus o nach robh againn ri pàigheadh airson sanasachd na coinneimh sa Phàipear Bheag, chaidh sin a chur ris cuideachd.

Bhruidhinn an Dr Julian Toms agus Iain Fearchar Rothach mu dheidhinn cho cudromach is a bha SKAT anns an iomairt an aghaidh nan cìsean. Chaidh a chur mar dhleastanas air an Rùnaire eachdraidh cheart a chur ri chèile mun iomairt, agus chaidh bhòt a chur gus a' bhuidheann a thoirt gu crìch.

Mr Easingwood told *The Herald:* 'I only use the bridge every three weeks, so it doesn't really mean that much to me. But for the locals it does, I'm certainly happy for them.'

As the news kept filtering out that the tolls were off, people came from everywhere to drive over the free bridge and check it out. By eight thirty there must have been 300 people there, while others kept arriving and driving over the bridge with flags waving, lights flashing and horns blaring. This was definitely the most spontaneous demonstration during the whole anti-tolls campaign. It had developed from nothing to a demonstration of several hundred in just an hour.

After the demonstration, the official announcement and the media interviews I drove back home and wrote a SKAT news release, which went out on our website. I noted when I was researching for this book that I sent it out dated 12th December, when it should of course have been the 21st. I was still suffering from shock.

SKAT members were, like the rest of the Skye community, highly delighted with the news that the Skye Bridge tolls were off at last after our struggle of over nine years. We assembled for the final time in the Crofter's Kitchen café car park at Kyleakin at 6.30 pm on 31st December and did a final mass crossing of the bridge to attend the Hogmanay Party at the Lochalsh Hotel in Kyle of Lochalsh. The fireworks shooting over the water to and from Skye that night for many of us reflected the numerous attempts and efforts many had made to bring about the ending of the tolls.

John Farquhar Munro called the party and it seemed as though half the population of Skye and Lochalsh were there that night. It goes without saying that we had the mother of all parties in Lochalsh and this was no doubt repeated in many other Skye villages that New Year.

SKAT held a formal meeting in *Sabhal Mòr Ostaig*, the Gaelic College at Sleat in south Skye on Saturday 23rd April. At this meeting SKAT decided to donate its entire remaining funds to local charities and the *West Highland Free Press*, who advertised the meeting for us, did not charge for their advert so that this assisted in the amount donated.

Dr Julian Toms and John Farquhar Munro both addressed the meeting on the important role SKAT had played in the anti-tolls campaign. The meeting charged the Secretary with the duty to organise a proper history of the campaign, then voted to dissolve the organisation.

*

Gu nàdarra, cha deachaidh a h-uile ceist fhuasgladh neo a fhreagairt, mar eisimpleir na clàran-sgrìobhte eucoir a chaidh fhàgail air tòrr dhen luchd-iomairt, agus a tha orra fhathast, agus na chosg iad agus na dh' fhulaing iad ri linn na strì. Ach aig deireadh an latha chaidh SKAT a chur ri chèile airson aon adhbhair a-mhàin, mar a bha sgrìobhte gu daingeann na bhunreachd. An dèidh do na cìsean a bhith air an toirt air falbh cha robh adhbhar eile airson 's gum biodh SKAT ann. Ach rud a tha fìor gun teagamh sam bith, is e gun do dh'fhàs mòran againn mar dhaoine fa leth eòlach air a chèile agus cha deachaidh an càirdeas a tha sin a sgaoileadh nuair a thàinig SKAT gu crìch.

Bha sinn a' smaointinn gur e seo crìoch a h-uile rud an dèidh ar n-iomairt fhada phoilitigeach, ach 's ann a bha sinn ceàrr a thaobh seo cuideachd. Bha dà rud mun strì phoilitigeach a chaidh a thogail leis an iomairt againn, dà rud nach deachaidh co-dhùnadh a dhèanamh mun deidhinn nuair a chaidh cur às dha na cìsean. B' e a' chiad rud mar a chaidh sinne an aghaidh PFI.

B' e ar beachd-ne gun robh an Riaghaltas cho mòr an aghaidh cur às dha na cìsean a chionn 's gum b' e seo a' chiad sgeama PFI dhe sheòrsa san dùthaich agus a' bhuaidh a bhiodh aige.

Mar a fhuair sinne a-mach bhon strì againn, bha sgeamaichean PFI (agus PPP an dèidh sin) glè mhòr aig cridhe Riaghaltas Westminster agus saoghal poilitigs na Rìoghachd Aonaichte. Ach cuideachd mu 2004 bha droch-mheas aig iomadach coimhearsnachd san tìr orra. B' e ar beachd-ne gun robh an Riaghaltas cho mòr an aghaidh cur às dha na cìsean a chionn 's gum b' e seo a' chiad sgeama PFI dhe sheòrsa san dùthaich agus gum biodh buaidh aige sin air na h-aonaidhean-obrach, na h-ùghdarrasan ionadaile, luchd-sgoilearach agus na buidhnean-strì a bha a' cur an aghaidh na PFIan air feadh na dùthcha. Nam b' urrainn do bhuidhinn bhig dhe ar seòrsa toirt air an Riaghaltas sgeama PFI a chur a thaobh, nach biodh sin na cùis misnich agus neirt dha càch?

Tha e cus ro thràth fhathast a ràdh gun do thachair seo. Gu cinnteach, is dòcha gur h-e gun deachaidh Riaghaltas Nàiseantach – a tha an aghaidh Riaghaltas Bhreatainn bho thaobh na ceist seo – a thaghadh ann an Alba sa bhliadhna 2007 comharra air a' seo.

Aon rud a tha cinnteach, 's e gun robh PFI Drochaid an Eilein air leth ann an aon dòigh chudromach. B' e an aon sgeama PFI far an feumadh am poball pàigheadh gu dìreach airson na seirbheise. Leis a h-uile PFI eile bidh na daoine a' pàigheadh gu neo-dhìreach tro chìsean is chàintean nàiseanta neo a' Chìs Chomhairle. Bha sinne comasach sealltainn do dhaoine dìreach dè bha iad a' pàigheadh airson PFI Drochaid an Eilein, agus thug iadsan feart air a' seo agus lean iad ar n-argamaidean, oir aig a' char as lugha bhathar ag iarraidh orra pàigheadh airson a' chuid is motha dheth às am pòcaidean fhèin. Chan eil e cho furasta aire dhaoine a tharraing gu sgeamaichean PFI san ospadal neo san sgoil ionadail aca, far am bheil am fiosrachadh car falaichte dìomhair 's gun na daoine a' pàigheadh gu dìreach air an son.

*

There were of course issues left unresolved, most significantly the criminal records which many of the protestors still have and the hardship and expense they were put to in the struggle. However SKAT had been established as a single issue protest group and this was firmly set out in its constitution. After the tolls were removed from the Skye Bridge there remained no constitutional basis for SKAT as an organisation. What is undoubtedly true is that many of us as individuals met and got to know each other in that campaign and these links and friendships were not dissolved when the organisation was.

The lifting of the tolls from the Skye Bridge, after this long campaign, we believed was the end of the political struggle, but we were wrong in this also. There were two aspects of the political struggle which our campaign had initiated which were not concluded when the tolls came off the bridge. The first of these was our resistance to the Public Finance Initiative.

As we had learned from our struggle PFI (and later PPP) projects appeared to be absolutely central to the Westminster Government and the UK political establishment. They were also by 2004 extremely unpopular with many communities all over the UK. It was our view that the Government's resistance to scrapping the Skye Bridge toll was basically the fear of throwing out the first PFI in the UK and the effect this might have on the trade-unions, local authorities, academics and pressure groups who were opposing PFIs up and down the country. If our small organisation could force the Government to abandon a PFI, would that not just encourage others to strengthen their resistance?

It was our view that the Government's resistance to scrapping the Skye Bridge toll was basically the fear of throwing out the first PFI in the UK and the effect this might have.

It is a bit early yet to say if this has happened. Certainly the election of an SNP Government in Scotland in May 2007, which is opposed to PFI, and is in conflict with the Westminster Government over this, might be an indication of this happening.

What is undoubtedly the case however is that the Skye Bridge PFI was unique in one important respect. It was the only PFI where the general public had to pay directly for the service. In all other PFI projects the public pay indirectly through national taxes or Council Tax. We were able to show people just how much they were paying for the Skye Bridge PFI, and they took heed and followed our arguments on this, not least because they were being asked to pay much of it from their own pockets. It is not so easy to get people's attention for PFIs in their local hospital or school where the information about the scheme is obscure and where the people are not paying directly.

Ach tha e soilleir dhòmhsa nach gabh foill dhen t-seòrsa seo a chumail am falach gu dìlinn – gheibhear deireadh gach sgeòil an asgaidh.

Tha mise a' faicinn na cùise san aon dòigh 's a bhios mi fhìn a' cosg mo chuid airgid: tha teachd-a-steach stèidhichte agam (a tha ceangailte ris an index ud) agus is e an rud is cosgaile a gheibh mi ach càr ùr a h-uile trì neo ceithir bliadhna. Feumaidh mi pàigheadh ro-làimh bho chiste-sàbhalaidh a th' agam airson a leithid. Nuair a bhios mi a' smaoineachadh mu dheidhinn càr ùr feumaidh mi bhith cinnteach gu bheil gu leòr a dh'airgead agam mu choinneamh na cosgaise ud, air neo feitheamh bliadhna eile is dòcha. Thoir fa-near, tha agam ri pàigheadh airson peatrail, àrachas, cìs-rathaid is mar sin, agus 's ann à cunntas eile a thig an t-airgead sin. Cha bhuin iad seo ris a' cheannachd ach a-mhàin nach urrainn dhomh càr a cheannach a chleachdas cus peatrail eadhon ged as urrainn dhomh pàigheadh air a shon bho mo chunntas-calpa, oir cha bhith e comasach dhomh pàigheadh air a shon bho mo chunntas-seice.

Tha seo furasta thuigsinn dhan mhòr-chuid againn, agus tha e cudromach cuideachd. 'S e tha ann an sgeama PFI ach siostam far am bi sinn a' feuchainn ri airgead calpa poblach fhalach anns a' chunntas teachd a-steach. Thèid againn air na dh'fheumar a thoirt às an sporan phoblach a lùghdachadh le bhith ga chur sa chunntas teachd-a-steach (revenue account).

Uill, chan eil dòigh nach bi sin ag obrachadh, agus obraichidh e a cheart cho math dhòmhsa 's mi a' ceannach mo chàir ùir, ach tha e tuilleadh is daor air mo shon, agus gu dearbh dhan dùthaich. Mar a dh'obraicheadh e dhòmhsa, 's e nach fheumadh gu leòr airgid a bhith nam chunntas-sàbhalaidh airson càr ùr a cheannach. Dh'fhaodainn-sa fhaighinn air màl agus pàigheadh air a shon le mo chairt-creideis.

Bhiodh seo a' coimhead glè mhath air mo chunntas-sàbhalaidh; ach bhithinn a' cur a' chosgais seo a-null gu mo chunntas-seice, agus bhiodh feum agam air cunntas-òrdugh làitheil a chur air dòigh airson a' chàr, agus gu dearbh bhiodh riadh ri phàigheadh air a' chairt-creideis.

A-nist, ged a tha coltas math air seo gu geàrr-thèarmach, chan eil mi uabhasach toilichte leis. Dh'fheumainn coimhead gu geur air mar a bheireadh e buaidh air mo chunntas-seice fhad 's a bhiodh an sgeama a' dol air adhart, agus air a' mheud àrd de riadh, agus tha mi cinnteach nach b' urrainn dhomh pàigheadh air a shon leis cho teann 's a bhiodh mo bhuidseat.

Tha seo a cheart cho fìor mun roinn phoblach. Faodaidh sinn sgoiltean agus ospadalan ùra fhaighinn gun dad a thoirt bhon sporan phoblach, ach gus sin a dhèanamh feumaidh sinn a ràdh dè gu

It seems perfectly clear to me however, that the sleight of hand which obscures this expensive method of public investment can't be hidden forever from public scrutiny and will sooner or later come into the light.

I see it in simple terms in relation to my own domestic expenditure: I am on a fixed income (index linked) and my biggest item of capital expenditure is a new car every three or four years. I have to pay this capital sum upfront from a saving fund used for that purpose. When I am considering the purchase of a new car I need to ensure that I have enough in that fund to meet the cost, or perhaps wait another year until I have. Of course the running costs fuel, insurance, road tax etc is relevant, but they come from a different fund, my current account. They only relate to my purchase in the sense that I can't afford to buy a car which burns too much fuel even if I can afford it in my capital account, because I won't be able to afford it in my current account.

Now that division between capital and current account expenditure is important to most of us, and simple to understand. PFI is a system where we attempt to 'hide' capital public expenditure in the revenue account. We can reduce the Public Sector Borrowing Requirement for public investment by transferring it to the revenue account.

Well of course that works, and it would work equally as well for me to get my car, but it is far too expensive for me, and indeed for the country. How it would work for me is that I would not need to have enough in my savings account to buy a new car. I could rent it and pay for it with my credit card.

This would look good on my savings account; however I would be transferring this cost to my current account, and would need to set up a standing order for the car cost, and indeed for the interest on the credit card.

Now although this sounds attractive in the short term, I am not impressed. I would need to study carefully the effects on my current account for the life of the project, and the high interest charges, and with my tight budget I am sure I could not afford it.

This of course is equally true for the public sector. We can get new schools and hospitals without dipping into our public reserves and without increasing the PSBR, but to do that we have to make

deimhinne a tha sinn a' dol a chosg sna bliadhnaichean ri teachd, rud a bheir buaidh air na daoine a thig as ar dèidh, mar ar clann, agus bidh riadh nas àirde sa ghnothach cuideachd.

A-nist chan e rud uabhasach math a bhiodh ann a' seo dhuibhse neo dhòmhsa, agus gu dearbh 's e droch chleachadh a tha ann, ach chan e sin don luchd-poilitigs e. Faodaidh iadsan rudan matha a thairsginn agus a ghealltainn do dhaoine an-diugh fhad 's a chumas iad na cosgaisean falaichte dìomhair san am ri thighinn.

San t-saoghal dha-rìribh, cha tèid cosgaisean ar sgoiltean is ar n-ospadalan ùra air falbh gu bràth. Thèid an toirt a-nall gu ar cunntasan Slàinte agus Foghlaim sna bliadhnaichean a tha romhainn, agus tachraidh seo ann a leithid a dhòigh 's gum bithear a' coimhead ris an airgead seo sa chiad dol-a-mach gus pàigheadh air an son. Mar sin an ceann deich bliadhna bidh feum air tuarastal bliadhnail an dotair agus pàigheadh na banaltraim tighinn bhon aon 'phoit' às an tig maoin PFI – agus gur ann san dara h-àite mar gum biodh a bhios iad sin. 'S ann mar seo a bhitheas e dhan a h-uile obraiche poblach.

Cha leigear a leas a bhith a' coimhead tro chloich Choinnich Uidhir gus tuigsinn de dh'fhaodadh tachairt san àm ri teachd.

Tha, thoir fa-near, rudan dha-rìribh cudromach eile a' buntainn ri mar a thèid airgead poblach a chosg mar seo, agus chunnaic sinne seo gu soilleir leis an drochaid. 'S e an dearbh mhasladh gun deachaidh ceartan sìobhalta ar coimhearsnachd a chur a thaobh agus an lagh a chur air mì-bhuil gus miann luchd an airgid a shàsachadh. Rud eile, 's e mar nach deachaidh aire a thoirt air an fheadhainn aig am bi na tuarastail as ìsle. Gu dearbh bho thaobh Drochaid an Eilein dheth, bhathar a' dèanamh an suidheachadh-san nas miosa buileach le 'prìsean sònraichte ìseal' a chaidh aontachadh eadar an Riaghaltas agus an companaidh, rud nach tug daoine fa-near dha gus an tug sinn gu an aire e.

'S e rud cunnartach a tha ann a bhith ag aontachadh rudan ann an dìomhaireachd agus gan cumail falaichte, oir bidh iad buailteach do choirbeachd. Fhuair sinne deagh chothrom coimhead fo chlachan, mar gum biodh, mar thoradh air na h-aithisgean poblach a dh'ainmich mi a cheana, agus cha robh na chunnaic sinn uabhasach càilear. Agus an rud nach fhaca sinn? Bhiodh e buileach nas miosa is dòcha.

Ma chuidicheas ar strì agus na chaidh a thoirt gu solas an t-saoghail daoine eile a bhith tuigseach mu na rudan cunnartach a tha an lùib sgeamaichean PFI, bidh sinne air ar dòigh.

'S e an rud eile a mhair an dèidh ar n-iomairt agus a tha fìor cheangailte ris, mar a thugte buaidh air drochaidean eile le cìsean ann an Alba. Chan eil mòran teagaimh nach fhaca cuid de na BPA Làbarach ar buaidh mar dol-sìos Riaghaltas na h-Alba aig na Lib-Deamaich.

commitments on our future revenue expenditure which we and our children will have to meet, and we will have to pay substantially more in interest.

Now that might not sound very attractive to me and you, and indeed it is very poor financial management, but it is very attractive to politicians. They can offer and promise people goodies today while keeping the bills obscure and for the future.

In the real world the costs of our new schools and hospitals won't go away. They will transfer to our Health and Education revenue accounts in the future, and they will transfer in such a way that they will have first call on future revenue. So in ten years time the salary for the doctor and nurse will have to come from the same 'pot' as the payment to the PFI company and indeed come after them. This will be the same for all other public employees.

One does not need to have a crystal ball to see the future implications.

There are of course other serious implications for this type of public finance, which we could see clearly in the Skye Bridge project. One blatant example was how the criminal law was abused and the civil rights of the community were pushed aside for the convenience of the private investor. Another was how the system made no provision for low income families. Indeed in the Skye Bridge case their position was made even worse by 'concessions' negotiated between the Government and the company and nobody noticed, until we brought it to their attention.

This secret method of negotiating deals and covering up the detail is fraught with danger and wide open to corruption. We got a good opportunity to look under some of the stones, as a result of the public reports referred to, and what we saw was not nice, and I'm sure what we did not see was even worse.

If our struggle and the facts it exposed helps people to see these dangers in the wider implications of PFI then we will be pleased.

The second influence which has survived the end of our campaign, and which is more directly related to it, is the effect it has had on toll bridges elsewhere in Scotland. There is no doubt that the removal of tolls on the Skye Bridge was seen by many Labour MSPs as a further

Thathar a' tuigsinn gu mòr cuideachd gun do dh'fheuch Làbar ri rudan a shocrachadh beagan le bhith a' toirt cìsean Drochaid Arasgain air falbh, agus sin ann an sgìre san robh taic làidir aca.

Gidheadh, tha seo air barrachd cheistean a thogail. Tha e air diomb fhàgail air daoine ann am Fìobha agus Dùn Dè mu dheidhinn nan cìsean a tha fhathast air drochaidean Fhoirthe agus Thatha. Tha tòrr a' smaointinn gu bheil ceangal aige seo uile ri mar a chaill na Làbaraich fo-thaghadh ann an sgire Fhìobha, daingneach Làbarach, 's gun do bhuannaich na Lib-Deamaich, sa bhliadhna 2006. An dèidh dhan Phartaidh Nàiseanta a bhith air a thaghadh anns a' Chèitein 2007, chaidh bile a chur tron Phàrlamaid Albannaich gus cur às dha na cìsean air a h-uile drochaid ann an Alba, bile a fhuair taic bho na Lib-Deamaich agus na Làbaraich.

Feumar a ràdha cuideachd gu bheilear a' toirt barrachd feirt air prìsean àrda nan aiseagan sna h-eileanan agus thathar a' feuchainn ri prìsean nas ìsle a chur an gnìomh leis a h-uile partaidh. Gu dearbh, san àird-an-iar tha na Làbaraich a' gearan nach eil an Riaghaltas Nàiseantach a' dèanamh gu leòr gus an duilgheadas seo a rèiteach – rud nach robh mar dhuilgheadas 's iad a' ruith Pàrlamaid na h-Alba fad ochd bliadhna.

*

concession by the Scottish Executive to their Lib-Dem partners. This is not unconnected to the later decision by that Executive to remove tolls on the Erskine Bridge in a strong Labour area.

This however just created further anomalies. The people in Fife and Dundee were furious that the Scottish Executive were still attempting to justify tolls on the Forth and Tay Bridges for which there is no rational justification. It is widely believed that this attitude to the Forth Road Bridge toll was significant in Labour's loss of the by-election in a safe Fife seat to the Lib-Dems in 2006. Following the election of the SNP Government in May 2007 a bill to remove the tolls from all Scottish bridges went through the Scottish Parliament with support from Lib-Dems and Labour.

It is also noticeable that more attention is now being given to the high cost of ferries to the islands and pressure to reduce these are coming from all parties. Indeed in the west Labour party people are complaining that the SNP Government are not doing enough to deal with this problem, which did not appear to be a problem at all in the eight years when they ran the Scottish Government.

*

Le bhith a' cur an sgeul seo sìos ann an sgrìobhadh, tha mi ann an dòchas gun deachaidh agam air dealbh a thoirt seachad air beagan den fhulangas is den fheirg a bh' aig na daoine seo nuair a chunnaic iad gun robhar a' cur feum orra gun chead mar thoiseach-tòiseachaidh sgeama sòisealta Riaghaltais. Tha mi an dòchas cuideachd gun toir e misneachd do choimhearsnachdan eile tarraing air an aon ràmh agus seasamh suas airson an còraichean an aghaidh ùghdarrasan cumhachdach.

Cha robh ar strì furasta agus gu cinnteach bha prìs ri phàigheadh, ach tha e cudromach san t-saoghal bhochd shearbh-sa gum bi daoine ag obair còmhla agus a' faighinn sàsachadh ann a bhith a' cuideachadh an nàbaidhean chor agus nach tèid neart thar ceart, a' dèanamh ar dìcheall 's a' cumail oirnn nuair a tha 'eòlaichean' ag ràdh nach gabh a dhèanamh.

Gu nàdarra, chan eil san leabhar seo ach geàrr-shealladh air strì shearbh a mhair thairis air ùineachan. San latha an-diugh fhèin, trì bliadhna às dèidh dha na cìsean falbh, bidh mi a' coinneachadh ri daoine a dh'innseas rudan dhomh mun iomairt a tha ùr dhomh. Gidheadh, tha mi creidsinn gu bheil mi air na cùisean as cudromaiche mun strì a chòmhdach agus sin à cridhe na buidhne agus tha mi air feuchainn ri dealbh fhìrinneach a dhèanamh air mar a thachair nithean. Cha do thagh sinn mar choimhearsnachd a bhith nar luchd-iomairt an aghaidh aon de phrìomh phoileasaidhean an Riaghaltais. Air a chaochladh, 's ann a thagh an Riaghaltas sinne. Chaidh sinn gu tuisleach dhan t-suidheachadh a chionn 's gun do rinn sinn spàirn an aghaidh rud a chunnaic sinn mar ana-ceartas ionadail agus beag air bheag thug sinn an aire gun robh sinn an luib nì nas nas motha na smaoinich sinn a bhiodh sinn ris.

Ma dh'innseas an sgeulachd seo gun do shìolaich ar n-iomairt shoirbheachail bho am measg dhaoine le deagh rùn a bha le iomadh tuisleadh a' dol air adhart gus na dh'fhàs iad gu bhith èifeachdach mar luchd-iomairt — an àite luchd-iomairt sgileil a dhealbh sàr-iomairt – tha i air a deagh innse. Oir is fìor dhealbh e air bliadhnaichean SKAT. ❒

I hope in setting out this story I have been able to give people some sense of the hurt and anger felt by people in this community when they realised that they were to be used as guinea pigs in a Westminster Government social experiment. I also hope our story will encourage others in other communities to bind together and stand up for their rights against powerful authority.

Our resistance was not easy and it certainly was not without cost, but it is important in this cynical world to have the simple satisfaction of working together with your neighbours and bringing the mighty and powerful to their knees just by your honest determination when all the 'experts' are telling you that it can't be done.

The view in this book is of course only a limited vision of what was a bitter and long drawn-out struggle. Even today, three years after the tolls have gone, I am still meeting people who tell me things about the campaign which are new to me. However I believe I have covered the main aspects of the struggle from the very heart of the organisation and I've tried to give an accurate account of how I saw things as they happened. We as a community did not choose to become campaigners against a central plank of Government policy. On the contrary, the Government chose us. We stumbled into the situation because we resisted what we saw as a local injustice and gradually came to realise that we were into something much bigger than we ever imagined we would or could be.

If this story gives the impression that our successful campaign has emerged from a group of well-meaning people who tripped and stumbled their way along until they became effective campaigners – as opposed to skilled campaigners who designed a masterful campaign – then it will have done its job well. For that is an accurate picture of the years of Skye and Kyle against the Tolls. ❐

B'e siod a'chùirt chadalach
Tha mi gu tùrsach ri dìol an deagh dhiùlnaich
tha iad nan cadal 's cha dùisgear iad
A dheònaich bhi siubhal gu cùirt an luchd-dùire
tha iad nan cadal 's cha dùisgear iad:
A Andaidh Mhic Anndrais bu ghann a sheasadh urad riut
Ri còraichean sluaigh sin an ùrlaim gach conaisg ac'
'S ged siùbhlach luchd-foghlaim's iad eòlach air cùisean ac'
Tha iad nan cadal's cha dùisgear iad

Tha mi nam chòmhnaidh an còir an taigh-chùirtidh
tha iad nan cadal 's cha dùisgear iad
'S mi seo air a' Bhlàr 's Baile chàil a bhi dlùth ris
tha iad nan cadal 's cha dùisgear iad
Ach d' eilean-s' is gach earrann dheth is annsa leam fhèin iad
Siud àrainn as àille ann am Breatainn fon ghrèine
Ach a-nis 's e mo chràdhlot deagh mhuinntir fom pèin ud
Tha iad nan cadal 's cha dùisgear iad

Bha ann ri droch àm tè mhòr nan rann aoibhneach
tha iad nan cadal 's cha dùisgear iad
A sheas ann an cùirt 's i fo shùil a luchd- tuaileis
tha iad nan cadal 's cha dùisgear iad
Bana-bhàrd thu a Mhàiri, ach an dàn dhuinn ath-èisteachd
Ri smachd nan droch dhaoine 's iad fhathast ri fòill bheumnach
B'e siud a' chùirt-chlaonaidh mura seasadh tu trèin riu'
tha iad nan cadal 's cha dùisgear iad

Ach cuimhnich, a Sheòrais gur slòd sibh le tòrr-bheirt
tha iad nan cadal 's cha dùisgear iad
Feartan deagh inntinn is brìoghmhorachd tòs-cheum
tha iad nan cadal 's cha dùisgear iad
Bi cruaidh mar is dual dhut oir is uaibhreach na Creagan
Tha ainmeil an Eàrlais 's gach àrdach nad fhearann
'S ann an teachdair a' bhàird-sa bi tèaraint' gun chearb
'S cha bhi iad nan cadal ach dùisgear iad!

Signed A SKAT Supporter

This poem was written by Niall Gòrdan, author of 'Eadar Baile is Beann' but was not signed by him initially, it was signbed as opposite. Niall did translate it verbatim, but this never works adequately so I will just give the esence of it.

Yonder court is asleep

The punch line is 'They are asleep and cannot be woken' and in the last verse this changes to 'and now they'll be awakened'. He refers to my attendance before the court and how I put forward the SKAT case and of how the court was unmoved by it.

He says that he lives near the court in Muir-of-Ord, but that he prefers the Isle of Skye, which he says, is the most beautiful place under the sun, and that it wounds him to see the people's pain.

He talks about another who once stood before a court in front of her accusers, Mairi Mhòr nan òran (Great Mary of the Songs) who was bard to the Land League in opposition to the clearances. He praises Mary, and tells us to be inspired by her and to fight against the court.

He addresses me and tells me to remember my ancestors and the attributes of our people. He calls on me to be steadfast like the famous cliffs at Earlish where I live. He says that if we stand firm then we will waken the court.